ДАНИЭ
СТ

Моим об
Тодду, Нику,
Радость
дней!

Как мне
что вы у меня

«ВАНД

УДК 821.111(73)
ББК 84(7Сое)
С80

Пе

К

Печатается с

Janklo

Подпи

Усл. печ

Стил, Даниэла
С80   Отель «Ван
Е. Максимово

ISBN 978-5-17

Нью-йоркски
Но молодой
традиций европе
замыслов превращ
обиталище богаты

Так начинаетс
дочери Элоизы –
счастье, которое, у

И героев в это
«Вандом»...

работать в нем — это позор, и очень эту профессию не одобряли. Они сделали все возможное, чтобы отговорить Хьюза, но безрезультатно. После четырех лет в школе в Лозанне он некоторое время стажировался, а затем занимал вполне уважаемые должности в отеле «Дю Кап» на мысе Антиб, в «Ритце» в Париже и в «Кларидже» в Лондоне, и даже успел немного поработать в легендарном отеле «Пенинсула Гонконг» в Гонконге. За эти годы он пришел к выводу, что если у него когда-нибудь и будет собственный отель, то только где-нибудь в Штатах.

Хьюз работал в отеле «Плаза» в Нью-Йорке, пока отель не закрылся на полную реконструкцию, и считал, что все еще находится на расстоянии нескольких световых лет от своей мечты. И вдруг это случилось. На продажу выставили отель «Малберри» — небольшую захудалую гостиницу, которая ветшала много лет подряд и никогда не считалась шикарной, несмотря на свое идеальное месторасположение. Услышав о нем, Хьюз собрал все свои сбережения до последнего пенни, взял все ссуды, какие только мог, и в Нью-Йоркс, и в Швейцарии и прибавил к ним скромное наследство, оставленное ему родителями, которое он очень осмотрительно вложил. Все эти деньги сделали приобретение отеля возможным, и Хьюз сумел его купить, оформив закладную на здание, и произвести необходимую реконструкцию. Это заняло два года, но в конце концов на свет родился отель «Вандом», к большому изумлению жителей Нью-Йорка, большинство из которых говорили, что понятия не имели о наличии здесь гостиницы.

В двадцатых годах в этом здании располагалась небольшая частная больница, которая в сороковых превратилась в отель с совершенно отвратительным интерьером. Зато реконструированный отель «Вандом» сделался просто великолепным, и сервис стал превосходным. Хьюз пригласил в свой ставший исключительно популярным ресторан поваров со всех концов света. Его управляющий рестораном был одним из лучших в этом бизнесе, и все соглаша-

Моим обожаемым, чудесным детям — Бити, Тревору, Тодду, Нику, Сэму, Виктории, Ванессе, Максу и Заре.

Радость жизни моей, мелодия души моей, вы восторг моих дней!

Как мне невероятно повезло, какое это благословение, что вы у меня есть!

Со всей своей любовью,
мама — Д. С.

Глава 1

Вестибюль отеля «Вандом» на Восточной Шестьдесят девятой улице Нью-Йорка являлся местом безупречной элегантности и педантичной точности. На мраморных полах из черно-белых плит, выложенных в шахматном порядке, не было ни единого пятнышка, красные ковровые дорожки разворачивались в ту самую секунду, как начинал капать дождик, лепнина на стенах была изысканной, а огромная хрустальная люстра холла вызывала воспоминания о самых красивых дворцах Европы. Отель был значительно меньше, чем тот, что вдохновил архитектора на его отделку, но бывалым путешественникам он очень напоминал «Ритц» в Париже, где владелец отеля «Вандом» работал помощником управляющего целых два года, когда стажировался в лучших европейских отелях.

Сорокалетний Хьюз Мартин, выпускник известной и уважаемой Школы отельеров в Лозанне, Швейцария, всегда мечтал иметь отель на Манхэттене, в Верхнем Ист-Сайде. Он все еще не мог поверить, что ему так повезло, что пять лет назад звезды так идеально сошлись. Его отец, швейцарский банкир, и такая же консервативная мать пришли в отчаяние, когда он объявил, что хочет учиться в школе гостиничного менеджмента. Он родился и вырос в семье банкира, родители считали, что управлять отелем или работать в нем — это позор, и очень эту профессию не одобряли. Они сделали все возможное, чтобы отговорить Хьюза, но безрезультатно. После четырех лет в школе в Лозанне он некоторое время стажировался, а затем занимал вполне уважаемые должности в отеле «Дю Кап» на мысе Антиб, в «Ритце» в Париже и в «Кларидже» в Лондоне, и даже успел немного поработать в легендарном отеле «Пенинсула Гонконг» в Гонконге. За эти годы он пришел к выводу, что если у него когда-нибудь и будет собственный отель, то только где-нибудь в Штатах.

Хьюз работал в отеле «Плаза» в Нью-Йорке, пока отель не закрылся на полную реконструкцию, и считал, что все еще находится на расстоянии нескольких световых лет от своей мечты. И вдруг это случилось. На продажу выставили отель «Малберри» — небольшую захудалую гостиницу, которая ветшала много лет подряд и никогда не считалась шикарной, несмотря на свое идеальное месторасположение. Услышав о нем, Хьюз собрал все свои сбережения до последнего пенни, взял все ссуды, какие только мог, и в Нью-Йорке, и в Швейцарии и прибавил к ним скромное наследство, оставленное ему родителями, которое он очень осмотрительно вложил. Все эти деньги сделали приобретение отеля возможным, и Хьюз сумел его купить, оформив закладную на здание, и произвести необходимую реконструкцию. Это заняло два года, но в конце концов на свет родился отель «Вандом», к большому изумлению жителей Нью-Йорка, большинство из которых говорили, что понятия не имели о наличии здесь гостиницы.

В двадцатых годах в этом здании располагалась небольшая частная больница, которая в сороковых превратилась в отель с совершенно отвратительным интерьером. Зато реконструированный отель «Вандом» сделался просто великолепным, и сервис стал превосходным. Хьюз пригласил в свой ставший исключительно популярным ресторан поваров со всех концов света. Его управляющий рестораном был одним из лучших в этом бизнесе, и все соглашались с тем, что даже еда из службы номеров была фантастической. В первый же год работы отель мгновенно прославился, и теперь посетители со всего мира заказывали в нем номера за несколько месяцев вперед. Президентский люкс был одним из лучших в городе. Отель «Вандом» стал безусловной жемчужиной со своими прекрасно декорированными люксами с каминами, лепниной и высокими потолками. Отель окнами выходил на юг, поэтому почти все комнаты в нем были солнечными, а Хьюз выбрал для него самый лучший фарфор, хрусталь и белье — и столько антиквариата, сколько смог себе позволить, вроде люстры в вестибюле, купленной в Женеве на аукционе «Кристиз». Ее отыскали в одном из французских замков неподалеку от Бордо, причем в прекрасном состоянии.

Хьюз управлял своим отелем на сто двадцать номеров со швейцарской скрупулезностью — теплой улыбкой и железной рукой. Его сдержанные опытные служащие превосходно помнили каждого гостя и вели подробные досье на каждого важного клиента, чтобы выполнить любую их просьбу или пожелание во время пребывания в отеле. За последние три года это превратило «Вандом» в самый популярный небольшой отель Нью-Йорка. И стоило войти в вестибюль, как любой понимал, что это место особенное. Возле вращающейся двери стоял юный посыльный в униформе, похожей на ту, что носят лакеи в «Ритце»: темно-синие панталоны, короткая куртка, золотой галун на воротнике и маленькая круглая шапочка, завязанная под подбородком и надетая под небольшим углом. Клиентов встречала целая армия усердных посыльных, готовых выполнить любое пожелание, и команда исключительно квалифицированных консьержей. Обслуживая гостей, все действовали очень быстро, и весь персонал отеля был готов выполнить как большую, так и незначительную просьбу. Хьюз знал, что безупречный сервис жизненно важен.

Помощники менеджеров одевались в черные фраки и полосатые брюки, что тоже напоминало «Ритц». И сам Хьюз и днем, и ночью был доступен. Он предпочитал темно-синие костюмы, белые рубашки и темные галстуки от Гермеса, обладал цепкой памятью, не забывал ни одного своего постояльца и по возможности старался лично приветствовать важных гостей. Его опытный глаз не упускал ни единой, самой мелкой детали. Гости приезжали в отель не только ради роскошного интерьера, но и ради отличного обслуживания.

В довершение всего в отеле всегда было много чудесных цветов, а спа-комплекс считался одним из лучших. Почти не существовало услуги, которую не смогли бы обеспечить служащие отеля, при условии что она законна и не попахивает дурным вкусом. И несмотря на то что когда-то родители Хьюза резко возражали против его выбора, он не мог не думать, что сейчас они бы им гордились. Он с толком использовал их деньги, и за первые три года работы отель имел такой успех, что Хьюз почти расплатился с долгами. Впрочем, это никого не удивляло, потому что он работал сутки напролет. Однако за победу пришлось заплатить дорогую цену. Отель стоил ему жены, что до сих пор оставалось предметом сплетен персонала и гостей.

Девять лет назад, когда Хьюз работал в «Кларидже», в Лондоне, он встретил Мириам Вейл, известную во всем мире и необыкновенно красивую супермодель. И, как и все остальные, однажды ее увидевшие, он был буквально ослеплен с первой минуты встречи. Хьюз вел себя исключительно порядочно и профессионально, как всегда с гостями любого отеля, в котором работал, но Мириам было двадцать три года, она ясно дала ему понять, что хочет его, и он влюбился в нее по уши. Она была американкой, и Хьюз поехал вслед за ней в Нью-Йорк. Очень волнующее было время, и он согласился на более низкую должность в «Плазе», лишь бы остаться в одном городе с ней и иметь возможность продолжать роман. К его большому изумлению, Мириам тоже его полюбила, и спустя шесть месяцев они поженились. Никогда в жизни он не был так счастлив, как в эти первые годы их совместной жизни.

Спустя восемнадцать месяцев родилась их дочь Элоиза. Хьюз безумно любил жену и ребенка. Говоря об этом, он трепетал, боясь разгневать богов, но всегда утверждал, что у него идеальная жизнь. И он был человеком преданным. Несмотря ни на какие соблазны, встречавшиеся ему на пути в отельном бизнесе, он любил только жену и хранил ей верность. После рождения Элоизы Мириам продолжила свою карьеру модели. Все в «Плазе» любили и баловали малышку, поддразнивая Хьюза по поводу ее имени. Хьюз честно говорил, что девочку назвали в честь его прабабушки, а в «Плазе» он навеки оставаться не собирается, так что нет никаких причин не пользоваться этим именем*. Когда он купил «Малберри» и начал превращать его в «Вандом», Элоизе исполнилось два года. В тот момент у него было все — любимые жена и ребенок и собственный отель. Мириам проявляла к проекту меньше энтузиазма и горько жаловалась, что он отнимает у мужа слишком много времени, однако иметь свой отель, причем такой, какой он сейчас создавал, Хьюз мечтал всегда.

Мириам нравилась родителям Хьюза еще меньше, чем его работа в отельном бизнесе. Они испытывали серьезные сомнения, считая, что испорченная двадцатитрехлетняя супермодель, известная во всем мире и невероятно красивая, не сможет стать ему хорошей женой. Но Хьюз любил ее всей душой и ни в чем не сомневался.

Как он и ожидал, на реконструкцию отеля потребовалось два года. Он совсем немного превысил бюджет, а конечный результат оказался именно таким, на какой он и надеялся.

---

* Речь идет о фильме «Элоиза в отеле "Плаза"».

Они с Мириам были женаты уже шесть лет, а Элоизе исполнилось четыре, когда отель «Вандом» открылся, и Мириам любезно согласилась позировать для его рекламы. То, что владелец женат на Мириам Вейл, добавляло отелю определенного престижа, а гости-мужчины особенно надеялись, что смогут хотя бы мельком увидеть ее в вестибюле или в баре. Но гораздо чаще они видели не мать, а четырехлетнюю Элоизу, хвостиком ходившую за отцом, держась за руку одной из горничных, и девочка очаровывала всех встреченных. Из Элоизы из «Плазы» она превратилась в Элоизу из «Вандома» и стала для отеля чем-то вроде талисмана. И безусловно, была гордостью и радостью своего отца.

Грег Боунз, знаменитая и печально известная своим дурным поведением рок-звезда, стал едва ли не первым гостем одного из расположенных в пентхаусе люксов и сразу влюбился в отель. Хьюз забеспокоился, потому что Боунз славился тем, что устраивал разгром в гостиничных номерах и создавал хаос везде, где останавливался, но в «Вандоме», к огромному облегчению Хьюза, он вел себя на удивление прилично. А персонал отеля был готов выполнить любую просьбу знаменитости.

На второй день своего пребывания в отеле Грег встретил в баре Мириам с очень известным фотографом, окруженных ассистентами, редакторами журнала и стилистами. Они отдыхали после съемок, только что закончив подготовку двенадцатистраничного материала для журнала «Вог». Узнав Грега Боунза, они тотчас же пригласили его присоединиться к ним, и случившееся дальше не заставило себя ждать. Почти всю эту ночь Мириам провела в люксе Грега, Хьюз же думал, что она работает. Горничные отеля отлично знали, где она была и что там произошло, — официанты из обслуживания номеров все увидели, когда в полночь Грег заказал в люкс шампанское и икру. Очень скоро новость стала темой номер один для разговоров среди персонала и распространилась по отелю, как лесной пожар. К концу недели об этом услышал и Хьюз. Он не знал, что делать — то ли высказать все жене, то ли надеяться, что это скоро пройдет.

У Хьюза, Мириам и Элоизы имелись собственные частные апартаменты этажом ниже двух люксов в пентхаусе, и служба безопасности отеля прекрасно знала, что Мириам постоянно ускользает по задней лестнице в люкс Грега, стоит только Хьюзу уйти в свой рабочий кабинет. Ситуация для Хьюза сложилась крайне неловкая — он не хотел просить знаменитую рок-звезду покинуть его отель, потому что это могло привести к публичному скандалу. Вместо этого он умолял жену опомниться и начать вести себя нормально. Он даже предложил ей уехать на несколько дней, чтобы прекратить это безумие. Но когда Боунз покинул отель, она полетела с ним в Лос-Анджелес на его частном самолете. Оставив Элоизу с Хьюзом, Мириам пообещала, что вернется через несколько недель, сказала, что ей необходимо как-то это преодолеть, и попросила его понять. Это был страшный удар и унижение для Хьюза, но он не хотел потерять жену. Он понадеялся, что если позволить ей уехать, она быстро справится со своей безрассудной страстью. Хьюз думал, что в свои двадцать девять лет она сумеет образумиться. Он любил ее, и у них был ребенок. Но к тому времени все попало в бульварную прессу и на страницу шесть «Нью-Йорк пост» и стало тяжелейшим унижением для Хьюза перед всеми служащими и целым городом.

Он сказал Элоизе, что маме пришлось уехать на работу — в свои четыре года малышка уже хорошо понимала это. Но Мириам не вернулась домой, и становилось все труднее придерживаться этой версии. Спустя три месяца Мириам вернулась с Грегом Боунзом в Лондон и сообщила мужу, что подала на развод. Это был самый сокрушительный момент его жизни, и хотя отношение Хьюза к гостям ни на йоту не изменилось, он всегда им улыбался и проявлял внимание, те, кто его хорошо знал, в последующие три года видели, что он перестал быть прежним. Хьюз стал более отстраненным, более серьезным, замкнутым и одиноким, хотя для персонала и гостей по-прежнему делал вид, что ничего не случилось.

После развода Хьюз стал особенно осмотрительным. Его помощница и некоторые главы служб знали, что время от времени у него случались спокойные романы то с гостьями отеля, то с городскими дамами из хороших семей. Он считался наиболее завидным холостяком Нью-Йорка, его всюду приглашали, но он редко принимал эти приглашения, предпочитая вести себя крайне сдержанно и скрывать ото всех свою частную жизнь. А большую часть времени он работал в отеле. Отель стал для него всем, исключение делалось только для дочери, стоявшей на первом месте. После ухода Мириам Хьюз ни с кем не вступал в серьезные отношения и не хотел их. Он решил, что для управления отелем необходимо пожертвовать личной жизнью, поэтому всегда был на месте, присматривал за всем и, чтобы обеспечить ровную работу отеля, трудился невероятно много, но в основном незаметно для других.

Через месяц после того, как развод вступил в силу, Мириам вышла замуж за Грега Боунза. Их брак продолжался вот уже два года, а шесть месяцев назад у них родилась дочь. После того как мать уехала, Элоиза виделась с ней всего несколько раз, и это ее огорчало. А Хьюз на Мириам злился. Она слишком увлеклась своей новой жизнью, была слишком одержима Грегом, а теперь и новым ребенком, и совершенно забросила свою дочь и даже не хотела ее видеть. Элоиза и Хьюз стали реликтами ее прошлого. У Хьюза не осталось выбора, ему пришлось стать дочери и отцом, и матерью. Он никогда не заговаривал об этом с Элоизой, но считал такое положение слишком болезненным для них обоих.

В отеле Элоизу постоянно окружали не чаявшие в ней души суррогатные матери — за стойкой портье, в обслуживании номеров, горничные, флористка, парикмахер, девушки, работавшие в спа-салоне. Элоизу любили все. Конечно, они не могли заменить ей настоящую мать, но, во всяком случае, она вела счастливую жизнь, обожала отца и в свои семь лет была принцессой отеля «Вандом». Постоянные гости тоже ее знали и время от времени делали девочке небольшие подарки, а благодаря внимательному отношению отца к ее образованию и воспитанию она была не только очаровательна, но еще и исключительно вежлива. Ее наряжали в хорошенькие платьица с оборками и складками, а парикмахер каждое утро перед школой заплетала ее длинные рыжие волосы в косы с лентами. Элоиза училась во Французском лицее, расположенном неподалеку от отеля, и отец каждое утро перед работой отводил ее туда. Мать, если вспоминала, звонила раз в месяц или два.

Вечером Хьюз стоял у стойки портье, как поступал часто, если мог выкроить время от других дел, наблюдал за происходящим в вестибюле и приветствовал гостей. Он всегда точно знал, кто живет в отеле. Ежедневно проверяя журналы бронирования, он выяснял, кто и когда прибывает и уезжает. В вестибюле ощущалась привычная атмосфера спокойствия. Регистрировались гости. Миссис Ван Дамм, хорошо известная вдова аристократа, только что вернулась с вечерней прогулки со своим пекинесом, и Хьюз неторопливо подошел к лифту, чтобы поболтать с ней. В прошлом году она поселилась в одном из самых больших люксов отеля, привезла с собой кое-какую мебель и несколько произведений искусства. В Бостоне у нее жил сын, изредка навещавший ее, и она очень привязалась к Хьюзу, а Элоиза стала ей внучкой, которой у нее никогда не было — только внуки, причем один из них возраста Элоизы. Она часто разговаривала с Элоизой по-французски, поскольку та училась во Французском лицее, а девочка очень любила вместе с ней гулять с собакой. Они шли медленно, и миссис Ван Дамм рассказывала ей истории из своего детства. Элоиза ее просто обожала.

— Где Элоиза? — с теплой улыбкой спросила миссис Ван Дамм. Лифтер ждал, пока они наговорятся. Хьюз всегда умудрялся выкроить время для гостей, и как бы он ни был занят, по нему этого никто сказать не мог.

— Надеюсь, делает наверху уроки.

А если нет, оба они знали, что девочка, вероятно, бегает по отелю, навещая своих друзей. Она любила возить тележки горничных и распределять по номерам лосьоны и шампуни, а остатки всегда доставались ей.

— Если вы ее увидите, передайте, пусть, когда закончит, приходит ко мне пить чай, — улыбнулась миссис Ван Дамм. Элоиза часто это делала, и они вместе с миссис Ван Дамм лакомились сандвичами с огурцами, яичным салатом и эклерами. В отеле был британский повар, работавший раньше в «Кларидже», и отвечал он только за чаепитие, считавшееся лучшим в городе. А шеф-поваром в «Вандоме» служил француз, тоже приглашенный лично Хьюзом, который контролировал всю деятельность отеля как с «парадной» стороны, так и с «черной». Именно это и делало отель «Вандом» настолько особенным. Персонал был обучен обеспечивать индивидуальный подход ко всем гостям, но начиналось все с Хьюза.

— Большое спасибо, мадам Ван Дамм, — вежливо произнес Хьюз, улыбаясь ей в закрывающуюся дверь лифта, и вернулся обратно в вестибюль, думая о дочери и надеясь, что она действительно делает уроки. У него хватало других забот, хотя выглядел он настолько невозмутимо, что никто и заподозрить не мог, какой хаос происходил сейчас в подвале отеля. Уже несколько гостей позвонили, недовольные тем, что полчаса назад почти на всех этажах отключили воду. Пришлось объяснять, что потребовался небольшой ремонт. Операторы и клерки отеля заверяли всех позвонивших, что воду включат в течение часа. Но на самом деле в подвале прорвало трубу, и теперь все инженеры и водопроводчики отеля работали там, а несколько минут назад пришлось вызвать дополнительную бригаду со стороны.

Хьюз выглядел совершенно невозмутимо и улыбался, успокаивая всех. Глядя на него, каждому казалось, что у него все под контролем. Каждому регистрирующемуся гостю он как бы между прочим говорил, что вода пока перекрыта, заверял, что все очень скоро восстановится, и спрашивал, не прислать ли чего-нибудь в номер. Он не заявлял об этом вслух, но, разумеется, все это будет бесплатно, чтобы загладить неудобства и отсутствие воды. Хьюз предпочел лично находиться в вестибюле, чтобы прибывающим гостям казалось, что все в полном порядке. Ему оставалось только надеяться, что разрыв трубы найдут и быстро починят. Все надеялись, что не придется прекращать обслуживание номеров, — в главной кухне вода поднялась уже на шесть дюймов, и все, кто мог освободиться, спустились в подвал помогать. Впрочем, в вестибюле никто ничего не замечал. Через несколько минут Хьюз собирался сам спуститься в подвал и проверить, что происходит. Судя по тому, что ему сообщали, потоп в подвале усиливался. В конце концов, это очень старый отель, несмотря на всю реконструкцию.

Пока Хьюз приветствовал испанского аристократа и его жену, только что прибывших из Европы, хаос в подвале все усиливался. Никто из тех, кто наблюдал спокойную элегантность вестибюля, даже и подозревать не мог, какая неразбериха царит внизу.

Там все громко кричали, вода хлестала из стены, очень быстро прибывая, инженеры в коричневых униформах брели по воде, промокнув с головы до пят. Работали четверо водопроводчиков, сюда же позвали всех шестерых инженеров отеля. Майк, главный инженер, находился рядом с тем местом, откуда хлестала вода, и трудился, как демон, пытаясь найти место прорыва. Он был опоясан ремнем, с которого свисали гаечные ключи разных видов и размеров. Майк по очереди пробовал каждый из них, как вдруг тоненький голосок сзади посоветовал взять самый большой. Расслышав сквозь гвалт знакомый голос, Майк изумленно обернулся и увидел Элоизу, с интересом за ним наблюдавшую. Она в красном купальнике и желтом непромокаемом дождевике стояла по колени в воде и показывала на самый большой гаечный ключ, свисавший с его пояса.

— Думаю, тебе нужен вот этот большой, Майк, — спокойно заявила она, стоя почти вплотную к нему со своими ярко-рыжими, все еще аккуратно заплетенными косами и глядя на него большими зелеными глазами. Майк заметил, что ноги у нее под водой босые.

— Хорошо, — согласился он, — но перейди-ка ты вон туда. Не хочу, чтобы с тобой что-нибудь случилось.

Элоиза очень серьезно кивнула и улыбнулась. Лицо ее было усыпано веснушками, и двух передних зубов не хватало.

— Не бойся, Майк, я хорошо плаваю, — заверила его она.

— Надеюсь, тебе не придется, — отозвался он и взял самый большой гаечный ключ, которым и сам собирался воспользоваться. Что бы ни происходило в отеле, Элоиза всегда там появлялась — посмотреть. Особенно она любила находиться рядом с инженерами. Майк показал, где ей встать, и девочка послушно перебралась на более высокое место, где сразу начала болтать с кухонным персоналом, пришедшим на помощь. Тут как раз приехала бригада водопроводчиков и побрела по воде к остальным. Вниз спустились посыльные, чтобы унести из подвала бутылки самого дорогого вина, и кухня стала помогать им.

После получаса напряженного труда инженеров и вызванной бригады место прорыва отыскали, открутили клапаны, и водопроводчики приступили к ремонту. Элоиза добрела по воде к Майку, похлопала его по плечу и сказала, что он отлично поработал. Майк засмеялся, подхватил

девочку на руки, отнес к помощникам шеф-повара, стоявшим возле кухни в своих белых колпаках, белых куртках
и клетчатых штанах, и поставил на пол.

— Если с вами что-нибудь случится, юная леди, ваш
отец меня убьет, так что оставайтесь здесь. — Майк знал,
что все его слова бесполезны, Элоиза никогда не задержи-
валась долго на одном и том же месте.

— Мне тут нечего делать, — пожаловалась она. — Обслуживание номеров слишком занято, и я не должна им
мешать. — Девочка отлично знала, что в час пик ей не следует путаться под ногами.

К этому времени телефон на стойке портье разрывал-
ся от звонков. Люди, собираясь переодеться в вечерние на-
ряды, обнаруживали, что воды нет, ванну или душ принять
невозможно, а в обслуживании номеров отвечали, что все
очень заняты и выполнение заказов задерживается, но
отель предлагает бесплатное вино и другие напитки. Хьюз
понимал, что подобное событие может серьезно испортить
репутацию отеля, если не справишься с ним взвешенно и
обходительно. Он лично позвонил каждому важному гостю, принес свои извинения и попросил управляющего рестораном послать в каждый из этих номеров бесплатную
бутылку шампанского «Кристал». Кроме того, он был готов снизить за этот вечер плату за каждый пострадавший
номер. Хьюз понимал, что это дорого ему обойдется, но
если этого не сделать, цена окажется еще выше. Проблемы случаются в любом отеле, и в том, как с ними справ-
ляются, и заключается разница между второразрядной гос-
тиницей и первоклассным отелем вроде «Вандома», который в Европе называют дворцом. Пока еще никто не
пришел в настоящее бешенство, люди только раздражены,
зато радуются бесплатному вину и шампанскому. Что они
будут чувствовать из-за причиненного неудобства потом,
зависит от того, как быстро инженеры с водопроводчика-
ми все починят. Сегодня вечером пусть сделают то, что могут, а в последующие дни придется заменить прорвавшу-

юся трубу. Но сейчас отелю срочно требовалась вода, чтобы снова нормально функционировать.

Сорок пять минут спустя Хьюзу все же удалось ускользнуть от стойки портье и спуститься в подвал. Там уже вовсю работали насосы, откачивая воду. Увидев хозяина, все разразились приветственными криками. Водопроводчики сумели сделать все необходимое, чтобы обмануть трубу и включить воду. Персонал из обслуживания номеров неистово трудился, доставляя бутылки бесплатного вина и шампанского гостям. Элоиза выплясывала прямо в воде, все еще в купальнике и плаще, радостно сияя беззубым ртом и хлопая в ладоши. Заметив отца, она побрела к нему по воде. Тот уныло смотрел на дочь, вовсе не радуясь тому, что она здесь, но и не удивляясь. Помощники поваров весело рассмеялись. Элоиза всегда оказывалась там, где что-то происходило, — она точно так же являлась частью отеля, как и ее отец.

— И что ты здесь делаешь? — спросил Хьюз, стараясь говорить сурово, впрочем, без особого успеха. Она выглядела так забавно, что на нее трудно было сердиться. Да он вообще редко на нее сердился, хотя очень гордился тем, что он строгий отец. Но на самом деле Хьюз никогда не мог настоять на своем. Стоило только глянуть на Элоизу, и сердце его таяло, а отсутствующие передние зубы делали девочку вообще неотразимой. Он смотрел на нее, одетую в красный купальник и желтый дождевик — Элоиза вырядилась в них строго в соответствии со случаем, — и с трудом сдерживал смех. После того как мать ее бросила, Хьюз каждое утро сам помогал дочери одеваться.

— Я спустилась вниз, чтобы посмотреть, чем могу помочь, — очень серьезно ответила девочка. — Майк просто прекрасно поработал, мне и делать было нечего. — Она слегка пожала плечами, и отец расхохотался. Люди все время говорили, что она выглядит вполне по-европейски.

— Надеюсь, что нет, — сказал Хьюз, пытаясь сдержать смех. — Если ты у нас будешь главным инженером, мы попадем в большую беду.

Сказав это, он отвел Элоизу обратно в кухню, вернулся в подвал и поблагодарил водопроводчиков и инженеров за отличную работу. Он всегда очень внимательно относился к персоналу, и они с удовольствием работали на него, хотя временами он бывал весьма жестким. Хьюз многого от них требовал, но и от себя тоже, и все соглашались с тем, что он превосходно ведет дела. Именно это и нравилось гостям отеля — они знали, что в «Вандоме» всегда могут рассчитывать на высокие стандарты качества. Хьюз управлял отелем безупречно.

Когда он вошел в кухню, Элоиза ела печенье и весело щебетала о чем-то по-французски с поваром-кондитером. Он всегда пек для нее французские пирожные макарони, и она брала их в школу на ленч.

— А что там с твоими уроками, юная леди? Что происходит с ними? — очень серьезно спросил отец.

Элоиза широко распахнула глаза и замотала головой:

— А нам ничего не задали, папа!

— И почему я тебе не верю? — Он внимательно всмотрелся в большие зеленые глаза дочери.

— Я все сделала раньше. — Она врала, но Хьюз хорошо знал свою дочь. Она предпочитала бегать по отелю, а не корпеть над уроками.

— Когда ты пришла из школы, я видел, как ты в моем кабинете делала ожерелье из скрепок. Так что лучше бы тебе сходить и уточнить, что вам задали.

— Ну... может быть, нам немного задали по математике, — смущенно начала Элоиза, когда Хьюз взял ее за руку и повел к заднему лифту. Она оставила там пару красных сабо, когда спускалась в подвал, и теперь снова их надела.

Когда они пришли в апартаменты, Хьюз сменил костюм и ботинки. Хоть он и недолго пробыл в подвале, обшлага брюк и ботинки успели промокнуть. Он был высок и худощав, с темными волосами и такими же зелеными, как у Элоизы, глазами. Ее мать была высокой голубоглазой блондинкой, а у прабабушки, в чью честь назвали Элоизу, волосы были ярко-рыжими, как и у девочки.

Хьюз закутал дочь в полотенце и велел переодеться. Через несколько минут она появилась перед ним в голубых джинсах, розовом свитере и розовых балетных туфлях. Элоиза дважды в неделю ходила на занятия балетом. Хьюз хотел, чтобы она вела нормальную жизнь обычного ребенка, но прекрасно понимал, что из этого мало что получится. Жизнь без матери уже была необычной, а весь мир Элоизы составлял отель. Она обожала все, что здесь происходило.

Хмуро посмотрев на отца, девочка уселась за стол в гостиной, вытащила учебник математики и школьную тетрадь.

— И смотри выполни все полностью. Когда закончишь, позвони мне. Если получится, я поднимусь наверх и пообедаю вместе с тобой. Но сначала я должен убедиться, что все успокоились.

— Да, папа, — кротко ответила Элоиза.

Хьюз вышел из апартаментов и направился вниз, чтобы проверить, как обстоят дела.

Элоиза несколько минут с мечтательным видом посидела перед учебником математики, потом на цыпочках подошла к двери, приоткрыла ее и выглянула в щель. Горизонт был чист. Отец уже наверняка вернулся в вестибюль. Просияв озорной беззубой улыбкой, от которой она со своими рыжими волосами и веснушками становилась похожа на эльфа, Элоиза в джинсах и розовых балетках выскользнула из апартаментов и спустилась вниз по задней лестнице. Она прекрасно знала, где сейчас находятся ее любимые горничные, и уже через пять минут она помогала им везти тележку с кремами, шампунями и лосьонами, которые они раскладывали в номерах. Элоиза обожала это время, особенно когда горничные доставляли каждому гостю маленькие коробочки с шоколадками из «Шоколадного дома». Шоколад был восхитительно вкусным, и всякий раз Эрнеста и Мария давали одну коробочку ей. Не забыв поблагодарить их, Элоиза тут же уминала все шоколадки, счастливо улыбаясь.

— Сегодня у нас в подвале было полно работы, — серьезно сообщила она им по-испански. Они учили ее испанскому языку с тех пор, как она начала разговаривать, и уже к пяти годам Элоиза свободно болтала не только по-английски, но еще и по-французски, и по-испански. Хьюз считал очень важным знание нескольких языков. Сам он, будучи швейцарцем, говорил еще по-итальянски и по-немецки.

— Я так и слышала, — ответила Эрнеста, добродушная пуэрториканка, и обняла девочку. Элоиза обожала ходить рядом с ней, держась за руку. — Должно быть, сегодня днем ты была очень занята, — добавила Эрнеста с лукавым блеском в глазах, а Мария, молодая хорошенькая вторая горничная, рассмеялась. У нее были свои дети в возрасте Элоизы. Обе горничные ничего не имели против того, что девочка ходила вместе с ними по номерам. Ей всегда не хватало женского общества, а в своих апартаментах она чувствовала себя одинокой.

— Вода доходила вот досюда, — показала Элоиза на свои коленки. — Но теперь уже все починили.

Обе женщины знали, что в ближайшие дни придется делать куда более дорогой ремонт, слышали об этом от инженеров.

— А как дела с уроками? — поинтересовалась Эрнеста. Элоиза отвела взгляд и начала играть с шампунями. Недавно отель сменил марку шампуня на более роскошную, и Элоизе очень нравился новый запах. — Ты их сделала?

— Да, конечно, — лукаво улыбаясь, ответила девочка. Они дотолкали тележку до очередного номера, и Элоиза протянула Эрнесте две бутылочки шампуня. Она ходила с горничными до тех пор, пока не включился внутренний сигнал тревоги. Поняв, что теперь действительно пора идти, Элоиза расцеловала обеих женщин, пожелала им спокойной ночи, прокралась вверх по задней лестнице, вошла в апартаменты и села за стол. Она как раз закончила решать последний пример, когда в комнату вошел отец, готовый с ней пообедать. Он, как всегда, заказал еду в обслуживании номеров, хотя сегодня позже, чем обычно. Элоизе приходилось приспосабливаться к расписанию отца, но общий обед стал для них обоих важным ритуалом.

— Извини, что так поздно, — сказал Хьюз, входя в комнату. — Сегодня внизу все вверх ногами, но по крайней мере у всех снова есть вода. — Он только молился, чтобы не началась протечка в другом месте, но пока все вошло в норму. Главное, скорее произвести необходимый ремонт.

— А что на обед? — спросила Элоиза, захлопнув учебник математики.

— Цыпленок, картофельное пюре, спаржа и мороженое на десерт. Пойдет? — с любовью взглянув на нее, сказал отец.

— Отлично! — Она улыбнулась ему и обняла за шею. Элоиза стала женщиной его жизни, единственно важной для него в последние три года после ухода матери. Он тоже обнял девочку, и тут принесли обед. Повар добавил улиток для Элоизы, очень их любившей, и профитролей к десерту. Вряд ли это был обычный обед для ребенка, но таковы плюсы жизни в отеле. Для Элоизы в отеле имелись добровольные няньки, и обе пользовались любым здешним сервисом, в том числе и деликатесной едой.

Элоиза и Хьюз обедали, как и полагается, в столовой апартаментов и, как всегда, разговаривали про отель. Она расспрашивала, какие важные гости к ним приехали, не собираются ли у них вскоре остановиться кинозвезды, а он пересказывал дочери упрощенную, но точную версию того, чем занимался весь день. Элоиза с обожанием слушала отца. Ему нравилось учить ее всему, что касается отеля. С Элоизой, чтобы ее любить, и отелем, занимающим все его время, Хьюз больше ни в чем не нуждался, да и Элоиза тоже. Они жили в замкнутом мирке, идеально подходившем обоим. Девочка потеряла мать, а Хьюз жену, но зато они любили друг друга, и этого им вполне хватало. В своих фантазиях о будущем Хьюзу нравилось думать, что когда Элоиза подрастет, они вместе будут управлять отелем. А пока они жили в отеле его мечты.

Глава 2

Хьюз организовал работу в своем отеле традиционным образом, как его учили в Школе отельеров и как это делалось во всех крупных отелях, где он работал. И персонал себе подобрал отличный. В задней части отеля у него имелся административный офис, где занимались всеми деловыми вопросами управления, бронирования, продаж, маркетинга и бухгалтерии, в общем, всеми жизненно важными функциями. Отдел кадров тоже находился в офисе, причем там имели дело не только со служащими отеля, но и с профсоюзами, что считалось едва ли не ключевым вопросом. Забастовка могла нанести отелю значительный ущерб. Хьюз подбирал свой персонал с исключительной тщательностью и прекрасно понимал, насколько это важно. Если подходить к бронированию и дальнейшему отслеживанию без надлежащей точности и доскональности, если бухгалтерские подсчеты будут небрежными, все они могут остаться без работы. И он очень внимательно следил за всеми административными аспектами работы отеля, глубоко уважая важность их деятельности, пусть даже гости никогда не видели этих людей. Безупречная работа отеля зависела от компетентности администрации, и он сумел выбрать превосходных служащих.

Портье и консьержи работали рука об руку, с ними первыми сталкивались прибывающие гости. Если служба портье не будет работать безупречно, а консьержи проявят свою некомпетентность, постояльцы быстро переметнутся к другим, более внимательным отелям. Среди многих других своих функций им приходилось идти навстречу любым, иногда экзотическим нуждам VIP-гостей и знаменитостей. Они привыкли к кинозвездам, меняющим люксы по три-четыре раза, пока не найдут тот, который их полностью устраивает, заставляющим своих помощников заблаговременно посылать в отель длинные списки особых диет и требующим все на свете, от атласных простыней до ортопедических матрацев, всевозможные вещи для своих детей, воздушные фильтры, гипоаллергенные подушки и массажистов, которые должны быть наготове денно и нощно. Персонал привык к необычным просьбам и гордился тем, что может приспособиться даже к самым требовательным гостям. Привыкли они и к весьма неприятному поведению некоторых VIP-клиентов, которые нередко обвиняли горничных в воровстве ценностей, хотя сами их теряли или клали не туда. За прошедшие три года в отеле не было ни единого случая воровства служащими; персонал умел успокоить истеричных гостей, ложно обвинивших горничную, и доказать, что те ошиблись. Персонал отеля научился обращаться с самыми сложными постояльцами и спокойно относиться к подобным обвинениям. Хьюз требовал обязательной проверки прошлого своих работников на криминал и обязывал всех служащих оберегать отель и его гостей.

Хозяйственная служба работала безукоризненно под началом еще одного выпускника Школы отельеров. В нее входила целая армия горничных и лакеев, химчистка и прачечная, расположенные в подвале. Все они отвечали за идеальный порядок в номерах, люксах и коридорах, а также за то, чтобы удовлетворять требования гостей, зачастую тоже весьма неожиданные. От персонала этой службы, сталкивающегося лицом к лицу с гостями, требовались высокая квалификация и дипломатические навыки, а в номерах периодически проводилась проверка качества работы, причем с военной четкостью. Если работники хозяйственной службы не отвечали строжайшим стандартам «Вандома», им приходилось увольняться.

Службу, которая обеспечивала услуги людей в униформе, тоже тщательно контролировали. В нее входили посыльные, швейцары, лифтеры, служащие парковки и водители, когда в них нуждались (что случалось довольно часто), из фирмы по предоставлению лимузинов, которыми пользовались многие гости. Они отвечали за то, чтобы быстро и квалифицированно доставлять гостей в отель и увозить оттуда, не ошибаться с багажом, отслеживать поступающие в отель посылки и развозить гостей туда, куда потребуется — в пределах города, за город или в аэропорты.

Еда, напитки и обслуживание являлись вотчиной одной из самых крупных служб отеля, отвечавшей не только за обслуживание номеров и ставший знаменитым ресторан, который теперь часто посещали жители со всех концов города. Эта служба занималась всеми мероприятиями в отеле, так или иначе связанными с едой: свадьбами, частными обедами и ленчами, конференциями и совещаниями. Всем участникам подобных мероприятий требовались еда и напитки, и пока эта служба свою работу выполняла исключительно хорошо.

Служба безопасности находилась, если можно так выразиться, за кулисами, являясь между тем жизненно важной. Именно на ее сотрудников Хьюз полностью полагался, когда речь шла об охране гостей и умении держать персонал в соответствующих рамках. Во многих первоклассных отелях воровство драгоценностей сделалось довольно частым, и Хьюз очень радовался тому, что в его отеле ничего подобного пока не происходило. Во всех вопросах безопасности персонал этой службы проявлял повышенную бдительность.

Также в отеле имелся бизнес-центр с секретарями и IT-персоналом, доступными в любое время. Спа-салон и оздоровительный комплекс в «Вандоме» считались одними из лучших в городе. Инженеры и бригада технического обслуживания поддерживали все системы отеля в рабочем состоянии, будь то кризис вроде прорыва трубы в подвале или что-нибудь простое, вроде засорившегося унитаза или неработающего телевизора, — все требовало внимания инженеров. Еще одной важной службой следует назвать телефонистов; все входящие, исходящие и внутренние звонки зависели от их безупречной работы, кроме того, они принимали сообщения и передавали их быстро, точно и конфиденциально.

Всех вместе служащих, делающих отель тем, что он есть, было очень много, и, конечно, Хьюз следил за всем сам. Он гордился тем, что знает каждого своего работника по имени, а то, что он находился в отеле постоянно, держало всех в форме. Управлять отелем — тяжелый труд, и каждая деталь механизма, даже кажущаяся совсем незначительной, на самом деле являлась жизненно важной, и без нее отель не функционировал бы так гладко и безупречно. И так же, как и отец, Элоиза знала каждого служащего отеля, потому что свободно ходила по нему куда вздумается.

Отель «Вандом» был не только мечтой Хьюза, но и его страстью, а дочь — любовью всей жизни. Имея столько забот, он едва ли мог сосредоточиться на чем-то еще. После того как Мириам его бросила, ее заменил отель. Он часто говорил, что женат на отеле. Хьюз в нем ел, спал, дышал и любил все, что к нему относится. Он даже представить себе не мог, что женится снова, да и времени на это не было. И любая женщина, с которой он вступал в какие-то отношения, очень быстро понимала, что занимает в его жизни второстепенное место, если вообще играет хоть какую-то роль. Право же, ему хватало дел — бесперебойная работа отеля, предотвращение кризисов до того, как они возникнут, или быстрое их разрешение — и больше ни на что времени просто не хватало, только позавтракать и пообедать с Элоизой да несколько раз торопливо ее обнять в течение дня. Все остальные его дневные заботы требовали полного внимания и большей части времени. Элоизе доставались только остатки того и другого.

Появляясь на обеденных приемах, Хьюз неизменно опаздывал. В театре, в опере, на балете, во время ужина с женщиной у него на поясе постоянно вибрировал телефон, и очень часто ему приходилось в середине представления решать вопросы безопасности, касающиеся главы государства или его секретной службы. Приходилось освобождать этажи над и под тем, который занимал глава государства, — весьма сложное дело, причем остальные гости ни в коем случае не должны были испытывать неудобств. Случайные женщины Хьюза досадовали и раздражались, не имея возможности провести с ним хотя бы один вечер без того, чтобы им помешали. Он крайне редко мог позволить себе спокойный вечер с кем-нибудь из друзей, а чаще всего даже и не пытался. Женщины, останавливающиеся в отеле, нередко откровенно добивались его, стоило им сообразить, что он холостяк, да еще и такой красавчик. Но он всегда вел себя с ними честно с самого начала, сообщая, что пока слишком занят для серьезных отношений и их скорее всего ждет разочарование, потому что времени он им сможет уделять очень мало. Кроме того, таким умным способом он скрывал, как сильно его ранил неудачный брак и предательство Мириам, сбежавшей от него с Грегом. Хьюз не имел ни малейшего желания снова проходить сквозь все это, хотя, исцелившись от Мириам, начал получать удовольствие от женского общества и частенько не мог устоять перед привлекательной женщиной. Да только это никогда не длилось долго. Жизнь выдвигала перед ним слишком много других требований, а Элои-

за заполняла эмоциональную сторону лучше любого рома-
на. Уж кто-кто, а она его никогда не обманет и не покинет,
и сердце его переполнялось любовью к дочери, только и
имеющей для Хьюза значение.

— Я не могу соперничать с твоей дочерью и твоим отелем, — сетовала знаменитая актриса после нескольких месяцев встреч с Хьюзом; они виделись всякий раз, когда она
приезжала в Нью-Йорк. Она просто с ума по нему сходила и посылала ему дорогие подарки, но Хьюз спокойно отправлял их обратно. Его нельзя было купить, и он прекрасно понимал, что предлагает отнюдь не справедливый обмен.
Он всего лишь хотел время от времени приятно проводить
вечер, изредка уезжая на уик-энд, если Элоиза оставалась
ночевать у подружки. И никогда не знакомил дочь со своими женщинами. Ни одна из них не имела для него настолько большого значения. Что до его редких интрижек в самом
отеле, тут он вел себя особенно осторожно и скрытно. Этот
урок Хьюз выучил еще до женитьбы и отлично знал, как
опасно связываться с женщинами, с которыми вместе работаешь. Первые юношеские попытки закончились для
него скверно, и теперь он избегал подобных отношений,
за исключением редчайших случаев. Хьюз ни в коем случае не хотел оказаться в тяжелой запутанной ситуации.

Все, чего он по-настоящему хотел, — это быть хорошим отцом и управлять своим отелем, и пока неплохо
справлялся и с тем, и с другим, но времени для того, чтобы найти женщину, которая будет что-то для него значить,
практически не оставалось. В основном Хьюз не удовлет-
ворял требованиям, которые выдвигали женщины, и, не
желая их разочаровывать, он предпочитал легкие отношения или же вообще избегал их, если они становились слишком настойчивыми.

Многие женщины, с кем у него завязывался короткий
роман, пытались превратить его в нечто большее, но всякий раз безуспешно. Все, чего они добивались, — это за-
ставляли Хьюза быстро убегать в противоположном на-

правлении. Он слишком хорошо помнил, как терзался, когда Мириам его бросила, и больше не желал испытывать подобных страданий. В общем, Хьюз считал, что он сделан не из того материала, какой требуется для выстраивания прочных отношений, и откровенно говорил, что вряд ли что-нибудь изменится. Некоторым женщинам казалось, что это всего лишь чуть более сложная задача, но раньше или позже они понимали, что он говорил чистую правду. Хьюз никогда не лгал женщинам, он с самого начала вел себя предельно честно, верили они ему или нет. А что до Элоизы, так она не сомневалась, что является единственной женщиной в его жизни, и ее это вполне устраивало.

К тому времени, как Элоизе исполнилось восемь, она стала «первой леди» и талисманом отеля «Вандом». Ее интересы тоже слегка повзрослели, и хотя она по-прежнему любила Эрнесту и вечерами помогала ей возить тележку, она еще крепко подружилась с флористкой, Джен Ливермор, чьи цветы в отеле выглядели очень эффектно и по-настоящему художественно. Ее гигантская композиция в вестибюле привлекала всеобщее внимание. Иногда она позволяла Элоизе помочь ей. Теперь девочка проводила больше времени с ней, чем с Майком, и понемногу превращалась в юную леди. И ужасно любила смотреть, как Джен со своими помощницами делает свадебные цветочные композиции и букеты для невест.

Она убедила парикмахера Зению на несколько дюймов подстричь ей волосы и теперь не заплетала косы, а ходила с длинным хвостом. У нее выросли новые зубы, и она ходила с брекетами, придававшими ее улыбке еще более проказливый вид. Элоиза часто навещала миссис Ван Дамм и ее пекинеса Джулиуса и обожала с ним гулять, за что вдова всякий раз платила ей доллар.

Еще Элоиза много времени проводила с телефонистками и по-прежнему любила возить тележку горничных и расставлять в номерах новые лосьоны, кремы и шампуни. Новая помощница отца, Дженнифер, как-то осторожно сказала ему, что Элоизе, похоже, очень не хватает женского внимания, слишком уж часто она ищет общества служащих-женщин и стремится с ними подружиться. Хьюз и сам об этом знал, и ему очень не нравилось, что в жизни дочери отсутствует мать. Мириам постоянно обещала прислать кого-нибудь за девочкой, но никогда не выполняла своих обещаний. У них с Грегом Боунзом родился еще один ребенок, на этот раз мальчик, и Элоиза все дальше и дальше уходила из ее жизни. Мириам даже звонила редко. Элоиза никогда на это не жаловалась, но Хьюз знал, что она переживает. Когда мать забыла поздравить ее с днем рождения, девочка весь день ходила удрученная, и у Хьюза разрывалось сердце. Он старался быть для нее и отцом, и матерью, но слишком сложно компенсировать материнскую несостоятельность.

Во время уик-эндов, пока отец работал, Элоиза больше всего любила незаметно проскользнуть в бальный зал, где устраивали свадебные приемы, и смешаться с гостями. Она обожала любоваться невестами и смотреть, как они режут свадебный торт. Однажды, проходя мимо бального зала, Хьюз заметил, как Элоиза становится рядом с незамужними девушками, которые собирались ловить букет. Он жестом торопливо поманил ее к себе.

— Что ты здесь делаешь? — начал он бранить дочь. — Ты не гостья!

При этих словах она обиженно надулась.

— Они были очень милыми и дали мне кусок торта. — Элоиза надела свое самое нарядное платье с атласным бледно-голубым поясом и сверкающие черные кожаные туфельки с ремешком «Мэри Джейн». Из-за того, что отец заставил ее уйти, она выглядела очень подавленной. — И я помогала составлять для невесты букет.

Хьюз покачал головой, спустился с дочерью в вестибюль и отвел ее в свой кабинет, чтобы она не улизнула обратно в бальный зал. Дженнифер заняла Элоизу тем, что стала показывать ей, как работает ксерокс. Элоизе очень нравилась Дженнифер, она считала ее почти своей тетушкой.

Дженнифер была немного старше Хьюза, вдова, двое ее детей учились в колледже, и она очень хорошо относилась к Элоизе, время от времени приносила ей небольшие подарки вроде заколок в волосы, или настольной игры, или пары забавных варежек с нарисованными на них мордочками, или пушистых наушников. Сердце ее тянулось к девочке, а Хьюз иногда признавался ей, как тяжело, что Мириам полностью вычеркнула Элоизу из своей жизни. Его родители были правы, она оказалась плохой женой и еще более плохой матерью, во всяком случае Элоизе. Ее гораздо больше интересовали двое детей от Грега Боунза и новая жизнь с рок-звездой. Мириам везде следовала за ним, поэтому постоянно появлялась в прессе. Она бросила свою карьеру модели и ездила с Грегом во все турне, хотя пообещала Элоизе, что в этом году та приедет к ним в Лондон на Рождество, как только они вернутся из Японии.

Элоиза ни словечка от нее не слышала с самого Дня благодарения. В это время в отеле наступил разгар сезона, все номера были заняты, и не только отдельными гостями, но и целыми семьями. В бальном зале ожидались еще две свадьбы. Кроме того, в отеле остановилась знаменитая актриса со своим помощником, парикмахером, бойфрендом, телохранителем, двумя детьми и их няней, так что они заняли сразу несколько люксов на десятом этаже. Помогая горничным убирать комнату, Элоиза была очень возбуждена, потому что увидела эту актрису, Еву Адамс. Девочка решила, что она даже красивее, чем на фотографиях. Актриса привезла с собой двух собачек чихуахуа и очень мило отнеслась к Элоизе, спросившей, нельзя ли их погладить. Девочке очень хотелось попросить у нее автограф, но она знала, что это против правил, причем нарушать это правило отец категорически запрещал. Никому в отеле не разрешалось просить у знаменитых постояльцев автографы, и тут Хьюз был непреклонен. Он хотел, чтобы гости чувствовали себя как дома, чтобы служащие не донимали их просьбами об автографах. И разумеется, просить фотографии тоже запрещалось. Никто никогда не нарушал это правило, и это была одна из причин, почему знаменитости так хорошо чувствовали себя в их отеле. Здесь уважали их право на частную жизнь — благодаря приказу Хьюза.

— Она в самом деле симпатичная, — весело сказала Элоиза, когда они с Эрнестой пошли дальше.

— Да, и она намного меньше, чем выглядит на экране.

Кинозвезда в самом деле оказалась крохотной, изящного сложения, с ослепительной улыбкой и огромными голубыми глазами. Когда Эрнеста с Элоизой вошли в номер, Ева Адамс отдыхала в окружении своей свиты. Она всегда очень хорошо относилась к горничным и всегда благодарила их за труды — в отличие от многих других кинозвезд. Элоиза не раз слышала рассказы о том, как отвратительно те себя ведут и какими бывают грубыми. Ну а эта была вежливой и дружелюбной.

Элоиза все еще говорила о ней, когда они с Эрнестой спустились в прачечную с корзинкой, полной полотенец с десятого этажа. Эрнеста уже отдавала корзинку, когда Элоиза заметила в груде полотенец что-то блестящее, протянула руку и вытащила это как раз перед тем, как корзинку перевернули над большой корзиной для белья. Ко всеобщему удивлению, Элоиза держала в руке бриллиантовый браслет. Он красиво мерцал и выглядел очень дорогим — шириной около дюйма и целиком усыпан бриллиантами.

— Ого! — воскликнула Элоиза. Остальные изумленно смотрели на ее находку.

— Лучше сразу позвоните в службу безопасности, — посоветовала Эрнесте старшая служащая прачечной. Та кивнула и потянулась к телефону, но Элоиза замотала головой, крепче сжав браслет.

— Наверное, нужно позвонить папе.

Браслет казался просто шикарным даже ей, и Эрнеста не стала спорить. Она хотела как можно быстрее передать

его в нужные руки. В ближайшее время кто-нибудь обязательно заявит, что он потерян или украден. Гости часто разбрасывали свои ценности где попало, и горничных обвиняли в краже в первую очередь. Эрнеста ничего подобного
не хотела. Элоиза набрала номер. В отцовском кабинете
трубку сняла Дженнифер, выслушала девочку и велела немедленно подниматься. Пока им никто не звонил.

Хьюз сидел в своем кабинете, подписывал какие-то бумаги, когда вошли Эрнеста и Элоиза. Девочка протянула
ему браслет, и у него широко распахнулись глаза.

— Где ты его нашла?

— В полотенцах, — ответила Элоиза, протягивая ему
браслет.

Хьюз взял его в руки и стал пристально рассматривать.
Никаких сомнений, драгоценные камни настоящие, и вещь
очень ценная.

— Я положу его в сейф. Кто-нибудь очень скоро позвонит. — Он улыбнулся Эрнесте, поблагодарил ее за чест-
ность, но она глянула на Элоизу.

— Это не я его нашла, сэр, а ваша дочь. Вытащила прямо из кучи полотенец. Я-то его даже не заметила.

— Я очень рад, — ответил он, протягивая браслет Дженнифер, чтобы та заперла его в сейф. — Посмотрим, что будет дальше, — негромко добавил он.

Ко всеобщему удивлению, два дня никто не звонил.
Хьюз проверил список гостей на десятом этаже, но ни один
не сообщил, что у него пропал браслет, поэтому приходилось ждать, пока хозяин не объявится. Хьюз не хотел, чтобы браслет попал в чужие руки, но уже начал задумывать-
ся — может быть, его потерял не постоялец, а чей-то по-
сетитель?

В конце концов позвонила Ева Адамс, кинозвезда с
большой свитой. И в отличие от многих других знаменитостей она не стала кричать, что браслет у нее украли, а
сказала, что где-то потеряла его пару дней назад, но не
помнит, на улице или в отеле, и сообщает об этом Хьюзу
на случай, если браслет кто-нибудь нашел. Он ответил, что

в отеле действительно нашли один браслет, и сказал, что сейчас поднимется к ней в люкс. Впрочем, сначала он попросил описать драгоценность и понял, что это тот самый браслет, который Элоиза нашла в полотенцах. Хьюз тотчас же принес его кинозвезде, которая пришла в восторг. Хьюз не стал ничего уточнять, он и сам видел, что драгоценность стоит около полумиллиона долларов, а может, и больше. Большие бриллианты, широкий — очень дорогая драгоценность, чтобы ее просто потерять, хотя скорее всего застрахована. Ева Адамс просто пришла в экстаз от радости.

— Где вы его нашли? — спросила она, надевая браслет на руку с облегченным и благодарным видом.

Хьюз улыбнулся, остро сознавая красоту кинозвезды. Он всегда питал слабость к подобным женщинам, в особенности актрисам и моделям, что и послужило однажды причиной его душевного краха.

— Моя дочь увидела его среди полотенец в прачечной. Мы знали, что он принадлежит кому-то с этого этажа, но следовало дождаться звонка.

— Я просто не представляла, где могла его потерять. Позвонила во все места, где бывала в последние два дня. И мне совсем не хотелось никого обвинять, я почти не сомневалась, что он просто соскользнул с руки. Что я могу сделать для вашей дочери? — спросила она, предполагая, что та старше, чем была на самом деле. Ева Адамс никак не связывала предполагаемую дочь Хьюза с той девочкой в брекетах, что вместе с горничными приходила к ней в номер два дня назад и хотела погладить ее собачек. Она решила, что это дочь одной из горничных, пришедшая в выходные на работу к матери. Ева толком не обратила на нее внимания, хотя Элоизе показалось, что та очень милая и доброжелательная. — Я бы хотела ее отблагодарить, — быстро добавила Ева Адамс.

— Это ни к чему, — улыбнулся Хьюз. — Ей всего восемь лет, и я бы все равно не позволил ей взять деньги. Она приходила с одной из горничных. Вот той, если хотите, можете что-нибудь дать. Моя дочь любит шататься по отелю, знакомиться с гостями и «помогать» мне. — Он засмеялся, сделавшись при этом настолько привлекательным, что Ева невольно начала кокетничать. Впрочем, это ничего не значило для них обоих — просто профессиональная привычка.

Ева подошла к письменному столу, сделала знак помощнику, и тот торопливо протянул ей чековую книжку. Сев, актриса выписала чек на тысячу долларов для Эрнесты и протянула его Хьюзу. Он с благодарностью принял.

— Как зовут вашу дочь? — с любопытством спросила Ева.

— Элоиза, — спокойно ответил он, гадая, что у нее на уме. Может, хочет дать автограф?

Ева Адамс засмеялась:

— В честь «Элоизы в "Плазе"»?

— Нет, — улыбнулся в ответ он. Она казалась ему очень милой и доброй. Впрочем, все служащие, имевшие с ней дело, говорили то же самое. Славная женщина, которая не причиняла отелю никакого беспокойства. — Ее назвали в честь моей бабушки, а родилась она еще до того, как я купил этот отель. Теперь она Элоиза в «Вандоме».

— Как мило! Мне бы хотелось встретиться с ней до того, как я уеду. Лично сказать спасибо.

— Она очень обрадуется и будет счастлива, что браслет снова у вас. Элоиза очень волновалась. Да и все мы. Он такой красивый и определенно не простое украшение.

— Это Ван Клиф, и я ужасно расстроилась, что потеряла его. Элоиза такая молодец, что нашла! Мне очень хочется повидаться с ней до того, как я завтра уеду обратно в Лос-Анджелес, если вы не против.

— Буду рад все устроить, — сдержанно ответил Хьюз и вышел из комнаты. Чуть позже он рассказал обо всем Элоизе и добавил, что мисс Адамс хочет встретиться с ней завтра. Элоиза пришла в восторг и помчалась с новостями к

Эрнесте. К тому времени горничная уже получила чек и очень обрадовалась вознаграждению.

— Я должна отдать его тебе, — стараясь быть честной, сказала Эрнеста, но Элоиза только улыбнулась и помотала головой.

— Папа все равно не разрешит. Мне нельзя брать деньги у гостей, только у миссис Ван Дамм за то, что гуляю с Джулиусом. Ради этого он сделал исключение. Так что оставь себе.

Эрнеста, знавшая, что этими деньгами она сможет заткнуть множество дырок в своем хозяйстве, широко улыбнулась и вернулась к уборке номеров. Мисс Адамс куда-то ушла вместе со своей свитой, поэтому горничная не смогла лично поблагодарить ее, зато оставила у нее на подушке записку и лишнюю коробку шоколадок.

На следующее утро Хьюз напомнил Элоизе, что она должна надеть красивое платье и нарядные туфли, поскольку мисс Адамс хочет с ней до отъезда повидаться, а уезжает она в час дня.

Ева Адамс позвонила в кабинет Хьюза в полдень и спросила, не может ли он привести Элоизу в ее люкс. Он перезвонил Элоизе в их апартаменты и велел приготовиться. Когда Хьюз пришел, она ждала его в бледно-голубом платье с оборками, которое до сих пор надевала только несколько раз на свадьбы, в белых носочках и туфельках «Мэри Джейн». Выглядела она очень хорошенькой, да еще завязала волосы лентой, и с возбуждением ждала встречи с кинозвездой.

Ева Адамс сама открыла им дверь, широко улыбнулась Элоизе, наклонилась и поцеловала ее в щеку, кинув поверх головы девочки быстрый взгляд на ее отца. Элоиза вспыхнула, сравнявшись цветом со своими волосами, и с откровенным обожанием уставилась на актрису.

— Ты совершенно потрясающий ребенок, ты знаешь об этом? Нашла мой браслет, Элоиза! А я думала, что потеряла его навсегда. — Улыбаясь, Ева протянула девочке две коробки, большую и маленькую. Элоиза изумленно смотрела на нее.

— Спасибо, — сказала она, не открывая коробки. Люди в номере мисс Адамс бегали туда-сюда в предотъездной суматохе, собачки лаяли, кто-то из детей плакал — не самое подходящее время, чтобы рассматривать подарки, да мисс Адамс, похоже, и не ожидала этого. Элоиза поблагодарила кинозвезду, поцеловала ее в щеку, и они с отцом вышли, направившись в свои апартаменты. Там Элоиза могла спокойно развернуть подарки. Девочку переполняло волнение от встречи с кинозвездой и такой щедрой благодарности. Первой она стала открывать большую коробку, а отец наблюдал за этим, с облегчением думая, что браслет нашел свою хозяйку. Меньше всего ему требовался скандал в отеле. Как же, в «Вандоме» пропало дорогое ювелирное украшение! Элоиза оказала огромную услугу не только Еве Адамс, но и собственному отцу, да еще и Эрнесте с чеком на тысячу долларов.

Элоиза разорвала бумагу и открыла коробку. Внутри лежала упаковочная бумага, и когда она вытащила ее, то увидела необыкновенно красивую куклу с тонким, изысканным лицом, немного похожую на саму Элоизу. Мисс Адамс справилась у стойки портье, и ей сказали, что у Элоизы рыжие волосы. У куклы они тоже были рыжими. Кроме красивого платья на кукле, в коробке лежало еще несколько нарядов, а длинные шелковистые настоящие волосы можно было расчесывать. Элоиза вытащила куклу из коробки и благоговейно уставилась на нее, а потом прижала к груди и посмотрела на улыбавшегося ей отца.

— Очень симпатичная. Как ты ее назовешь?

— Ева. Я возьму ее с собой, когда поеду к маме.

Это была самая красивая кукла на свете! Элоизе не терпелось показать ее всем своим друзьям в отеле. Ева Адамс выбрала самую подходящую награду для восьмилетней девочки. Тут Элоиза вспомнила про небольшую коробочку — бархатную. Она открыла ее и увидела маленькое бриллиантовое сердечко на цепочке, внутри которого виднелась буква «Э» — первая буква ее имени. Это потрясло Элоизу даже сильнее, чем кукла. Отец застегнул на ней цепочку. Драгоценное украшение было таким небольшим, что вполне подходило ребенку ее возраста, но очень красивым и, безусловно, дорогим.

— Ооо, папа! — воскликнула Элоиза, растеряв все слова, и уставилась на себя в зеркало, по-прежнему прижимая куклу к груди.

— Почему бы нам не спуститься в вестибюль и не сказать мисс Адамс «до свидания»? Заодно скажешь спасибо за подарки, а потом напишешь и отправишь ей домой благодарственное письмо.

Элоиза кивнула и вслед за ним вышла из апартаментов, с украшением на шее и куклой в руках. Спустя несколько минут в вестибюль спустилась Ева Адамс со своей свитой. Элоиза робко шагнула вперед и сказала «спасибо», а Ева наклонилась и снова ее поцеловала. На руке у нее был браслет, и в своей огромной соболиной шубе и соболиной шапке, с бриллиантовыми серьгами в ушах она выглядела стопроцентной кинозвездой. Стоило ей шагнуть за дверь, папарацци, дежурившие здесь всю неделю, словно обезумели, но служба безопасности отеля помогла Еве и ее сопровождающим быстро сесть в два лимузина. Элоиза с отцом стояли на тротуаре и махали вслед, затем Хьюз обнял дочь за плечи и вместе с ней вернулся в отель, в свой кабинет. Элоиза сияла, зная, что никогда этого не забудет, а Дженнифер ей улыбалась.

— Все это очень волнующе. А что еще ты собираешься делать сегодня? — тепло спросила Дженнифер, полюбовавшись новым медальоном Элоизы.

— Мы с Евой в три часа пойдем на свадьбу в бальном зале.

Отец серьезно посмотрел на нее от своего стола:

— Смотри, чтобы ни ты, ни она не выпрашивали торт и не ловили букет. Понятно?

— Да, папа. — Элоиза широко ему улыбнулась. — Мы будем вести себя хорошо, обещаю.

С этими словами она вышла из кабинета, прижимая к себе куклу, чтобы погулять по отелю и показать всем своим друзьям оба подарка Евы Адамс.

— Это было очень мило с ее стороны, — заметил Хьюз, обращаясь к Дженнифер, когда дочь ушла. Он вспоминал, как красива актриса и как по-доброму отнеслась к его дочери.

— Это было только справедливо, — отозвалась Дженнифер. — Она едва не потеряла очень дорогую драгоценность, пусть даже и застрахованную.

Дженнифер искренне радовалась за Элоизу, получившую такие замечательные подарки.

— Нужно что-то делать с ее страстью ходить на все свадьбы, — с озабоченным видом сказал Хьюз. — Однажды кто-нибудь пожалуется.

— Думаю, ничего страшного, — заверила его ассистентка. — Она прекрасно воспитана, всегда прилично одета и такая ужасно прелестная.

С этим Хьюз не спорил.

В последнюю минуту Мириам все-таки связалась с Хьюзом, чтобы договориться о поездке Элоизы в Лондон на Рождество. Девочка очень тревожилась, что мать не позвонит, но та все же вспомнила о ней. В день перед сочельником Хьюз посадил Элоизу, прижимавшую к груди куклу, на самолет в Лондон. За последние четыре года она впервые собиралась провести Рождество с матерью.

Хьюз очень нервничал из-за этой поездки, но считал, что должен хотя бы попытаться сохранить мать в жизни Элоизы. Мать у нее одна, пусть даже Мириам не проявляет к дочери интереса. Его страшно бесило, что Мириам постоянно расстраивает и разочаровывает девочку, хотя, конечно, это скорее невнимательность и эгоизм, а не намеренная жестокость. Если все пойдет хорошо, Элоиза проведет там две недели, и Хьюз искренне надеялся, что все будет в порядке.

Он не видел свою бывшую жену со дня развода и не испытывал ни малейшего желания увидеться с ней. Надо отдать ей справедливость, она не стала требовать с него денег, поскольку сама прекрасно зарабатывала, кроме того, сразу после развода она вышла замуж за Грега. И даже тогда она не просила опеки над Элоизой. Все, чего она хотела, — это Грег. Мириам была буквально одержима им, и судя по сообщениям в прессе (если можно на них полагаться), с тех пор ничего не изменилось. А теперь у них двое общих детей.

Мать бросила бедняжку Элоизу и вычеркнула ее из своей жизни. И не имело значения, что Хьюз говорил или делал, пытаясь пролить бальзам на эту рану, ребенка это до сих пор страшно задевало. Но в некотором смысле Хьюз даже радовался тому, что Элоиза осталась только с ним, хотя и понимал, что это эгоистично с его стороны. Он по закону имел единоличную опеку над Элоизой, а в действительности казалось, что у нее вовсе нет матери. Была только боль в глазах Элоизы, когда она заговаривала о ней, и всякий раз это словно пронзало сердце отца кинжалом.

Когда самолет приземлился в Лондоне, Элоизу встречал водитель на «бентли». Он получил багаж девочки и всю дорогу до дома в Холланд-парке разговаривал с ней. В самолете Элоиза выспалась, а в машине обнимала свою куклу. Это ее немного утешало, и она не так сильно боялась.

Водитель поднялся с Элоизой на крыльцо. Дворецкий впустил их в дом, улыбнулся, увидев девочку, и проводил ее наверх, в солнечную гостиную, где сидела Мириам, кормившая своего маленького сына. Ее полуторагодовалая дочь, покачиваясь, бродила среди моря игрушек.

Элоиза целый год не видела свою мать, но успела привыкнуть к ее новому облику по фотографиям в журналах. Фотографии Мириам не сходили со страниц журнала «Пипл», и Элоиза хранила их все. Бросив Хьюза, Мириам покрасилась, превратившись в яркую блондинку, и коротко постриглась. В ушах у нее были тоннели, утыканные бриллиантиками, а на обеих руках — татуировки. В футболке и облегающих джинсах она кормила сына, но протянула Элоизе руку. Элоиза еще не видела этого ребенка, зато со сводной сестрой Ариэль познакомилась год назад. Та восторженно запищала, увидев куклу Элоизы.

— Какая красивая кукла. — Мириам улыбнулась, словно какому-то постороннему ребенку.

— Мне ее подарила Ева Адамс. Я нашла в полотенцах ее бриллиантовый браслет, она его чуть не потеряла, — робко начала объяснять Элоиза. С каждым разом мать становилась ей все более чужой. Мириам заменила старшую дочь двумя детьми от мужчины, которого любила, а Элоиза напоминала ей о мужчине, которого она хотела забыть. Но у Элоизы не было другой матери, чтобы заменить эту, только женщины, работавшие в отеле. Из двоих родителей у нее остался только отец, но, несмотря на всю свою к нему любовь, ей очень не хватало мамы, к которой можно крепко прижаться.

Мириам перегнулась через голову младенца и поцеловала Элоизу. Мальчик взглянул на нее и снова начал сосать. Это был полнощекий, счастливый на вид ребенок. Его старшая сестренка Ариэль забралась на колени к матери и обняла их обоих. Для Элоизы ни на коленях матери, ни в ее жизни места не осталось. А несколько минут спустя в комнату вошел Грег, увидел Элоизу и удивленно взглянул на жену.

— А я и забыл, что ты приезжаешь, — сказал он Элоизе с сильным акцентом кокни. У него было намного больше татуировок, чем у Мириам, сделанных как «рукава» на обеих руках, одет он был в джинсы, футболку и черные ковбойские сапоги. Они оба резко отличались от людей, живущих в мире Элоизы, в первую очередь от ее отца, хотя девочка иногда видела в отеле рок-звезд. Теперь она никак не могла представить мать рядом с отцом. Элоиза совсем

не помнила того времени, когда родители еще были женаты, а теперь они не имели между собой ничего общего. Мириам стала почти копией Грега и находилась с ним в полной гармонии.

Грег довольно любезно обращался с Элоизой, но она
все время чувствовала себя не в своей тарелке. Он очень
много курил, сильно сквернословил и почти постоянно держал в руке стакан с выпивкой. Хьюз предупредил Мириам, что пока Элоиза у них, ни о каких наркотиках не может быть и речи, и она пообещала, хотя обычно Грег в от-
крытую курил дома марихуану. Она попросила его не делать
этого, пока здесь Элоиза, и он сказал, что постарается не
забыть, однако почти не выпускал «косяк» из рук.

На следующий день они все вместе отпраздновали канун Рождества. Мать подарила Элоизе черную кожаную
куртку, которая оказалась ей велика, и черные часы от Шанель с бриллиантами на циферблате, совершенно не подходившие девочке ее возраста. Это лишь в очередной раз
подчеркнуло, как мало она знает о дочери. Даже посторонний человек, Ева Адамс, выбрал для Элоизы куда лучшие
подарки. Грег подарил ей маленькую гитару, на которой
она не умела играть. На Рождество они поехали к его родителям в Уимблдон.

А после этого Элоиза их почти не видела. Грег записывал альбом, и Мириам сидела в студии вместе с ним, за-
брав с собой малыша, потому что кормила его, а Элоиза
оставалась дома с Ариэль и ее няней. После студии Грег с
Мириам почти каждый вечер ходили с его группой в бары
и пабы. Мириам не делала никаких попыток куда-нибудь
сводить Элоизу, но когда звонил Хьюз, Элоиза храбро отвечала, что прекрасно проводит время. Она не знала, что
еще сказать, и не хотела показаться невежливой по отношению к матери, которую толком не знала и которую почти потеряла.

Так что большую часть времени она проводила, играя
с Ариэль и с малышом Джои, если он вдруг оказывался

дома. Няня отнеслась к ней очень мило, водила Элоизу в Хэрродс, чтобы купить ей кое-какую одежду, в Гайд-парк, в Королевские конюшни и посмотреть смену караула.

Элоиза почти всю неделю провела в доме, мечтая снова оказаться в отеле. Она чувствовала себя здесь чужой, гостьей, а не членом семьи. Мириам с Грегом даже не пытались сделать так, чтобы она стала своей, а временами полностью про нее забывали, так что няне приходилось напоминать. На Новый год Элоиза поссорилась с матерью, рассказывавшей Грегу, как она ненавидела жизнь в отеле, как это было скучно, особенно в те два года, пока Хьюз занимался ремонтом, какая это тоска и какой занудливый человек Хьюз.

— Никакая это не тоска, и папа не занудливый! — неожиданно закричала Элоиза. Мириам изумленно на нее уставилась. Обычно Элоиза вела себя очень тихо и послушно, и эта горячность удивила ее саму. — Отель очень красивый, а сейчас стал еще красивее, и папа очень хорошо работает! — с жаром защищала она отель и отца. Он так старался, чтобы все шло безупречно, и Элоиза любила отель. Он был ее домом, и она очень разозлилась на Мириам, ругавшую перед Грегом отель и, что еще ужаснее, отца.

— Мне просто не нравилось там жить, — попыталась объяснить Мириам. — Вокруг постоянно куча народу, а твой папа всегда был слишком занят, и на меня ему времени никогда не хватало. Не то что Грегу, — добавила она.

На глаза Элоизы навернулись слезы. Она не могла слышать, как ее отца осуждают и сравнивают с Грегом. Неделя и так выдалась тяжелой — чувствовать себя посторонней в их доме и в их жизнях, видеть двух детей, занявших ее место в сердце матери. Мириам не делала из этого никакого секрета, и все это понимали, в том числе и сама Элоиза. Дворецкий и няня потихоньку возмущались, что на Элоизу никто не обращает внимания, что Грегу и Мириам нет до нее никакого дела. Все слуги искренне жалели маленькую девочку, она им по-настоящему нравилась и рассказывала забавные истории про отцовский отель.

— Мне нравится жить в отеле! — крикнула матери Элоиза в ответ на то, что та сказала Грегу. — Там все меня любят, и у нас останавливаются всякие важные люди! Как Ева Адамс, например, и другие кинозвезды, и сенаторы, и один раз даже сам президент! И президент Франции тоже! — Она хотела произвести на них впечатление, но сразу поняла, что ничего не вышло. Ни сама она, ни ее отец ничего для них не значили. Грега и Мириам интересовали только их дети и они сами.

Элоиза вся в слезах убежала в свою комнату. К ней пришла няня с чашкой горячего шоколада и попыталась утешить девочку. Элоиза рассказала ей про английские чаепития, которые они устраивают в отеле, и няня согласилась, что это чудесно и что она не сомневается — их отель очень красивый. Она по-настоящему жалела девочку.

Элоиза провела у матери уже десять дней, когда Хьюз позвонил снова. Он ужасно скучал по ней, но изо всех сил сдерживался и не названивал туда, чтобы не мешать. Однако когда Элоиза подошла к телефону, ему сильно не понравился ее несчастный голос. Он спросил, хорошо ли она проводит время, но дочь разрыдалась и сказала, что хочет домой. Она чувствовала себя слишком одинокой в доме матери. Он пообещал обо всем договориться с Мириам и этим же вечером позвонил ей. Мириам обрадовалась возможности отправить Элоизу домой, сказав, что у нее совершенно нет на нее времени, потому что Грег записывает новый альбом, а она хочет быть рядом. Хьюз вежливо произнес, что Элоиза все поймет, тем более что ей пора готовиться к школе. Это, конечно, было неправдой и довольно жалким предлогом, но Мириам поспешно согласилась и пообещала завтра же посадить Элоизу на самолет до Нью-Йорка.

Совершенно очевидно, что поездка оказалась неудачной. Хьюз печалился за дочь и хотел как можно быстрее обнять ее. Он так сильно ее любил, она так много значила в его жизни, но оказалась лишней и ненужной в жизни Мириам, а хуже всего, что Элоиза это прекрасно понимала. Она была еще слишком маленькой, чтобы понять — это роковой изъян в характере Мириам, серьезный порок матери, зато хорошо чувствовала, что ее отвергли, и хотела скорее вернуться домой. Она оказалась чужой в доме Мириам, и там сделали все, чтобы Элоиза это поняла.

На следующее утро после завтрака Мириам поцеловала дочь, пожелала удачного полета и отправилась в «бентли» в студию, держа на руках малыша Джои. А Грег даже забыл попрощаться с ней. Дворецкий и няня отвезли Элоизу в аэропорт, тепло обняв на прощание. Дворецкий подарил ей свитер с британским флагом, сделанным из разноцветных стразов, причем правильного размера, а няня — розовую толстовку. Оба подарка очень понравились Элоизе. Они помахали ей, когда она прошла через контроль; Элоиза улыбнулась обоим и ушла в сопровождении служащего аэропорта.

Чтобы доставить дочери радость, Хьюз купил ей билет в первый класс. Во время полета она посмотрела два фильма и немного поспала, а когда они приземлились в Нью-Йорке, Элоизу провели через таможню прямо к нетерпеливо ожидавшему ее отцу. Он не успел произнести ни слова, как девочка кинулась к нему и крепко прижалась. На его глаза навернулись слезы, а Элоиза пищала от восторга и обнимала его так сильно, что чуть не задушила.

По дороге из аэропорта Элоиза ни слова не сказала о матери. Она не хотела поступать по отношению к ней предательски, чувствуя, что это неправильно. Но едва они добрались до отеля, Элоиза промчалась сквозь двери и остановилась, оглядываясь и счастливо улыбаясь. Она смотрела на отца так, словно только что вернулась с другой планеты, и была так счастлива, что широкая улыбка не сходила с ее лица. Элоиза видела знакомые лица, видела мир, который знала и любила и где все любили ее. Она вернулась домой.

Глава 3

В течение следующих четырех лет Хьюз продолжал развивать и улучшать отель, добиваясь значительного успеха. «Вандом» стал любимым местом для проведения модных свадеб, там останавливались осведомленные «сливки общества», политики и главы государств. Президент Франции стал одним из наиболее частых гостей, а также британский премьер-министр, американский вице-президент и многочисленные сенаторы и конгрессмены. Персонал Хьюза безупречно справлялся с соответствующими мерами безопасности, устраивая все для удобства гостей. Через десять лет после его покупки и восемь после открытия отель «Вандом» добился неоспоримого успеха, став любимым местом элиты со всего мира.

Личная жизнь Хьюза за эти годы не изменилась. Он сумел втиснуть несколько мимолетных романов между собраниями гостиничной ассоциации, переговорами с профсоюзами и контролем за проводимыми в отеле усовершенствованиями. А Элоиза оставалась самой яркой звездой его мира.

В свои двенадцать лет Элоиза все так же была принцессой отеля «Вандом». Она начала работать в отцовском офисе на подхвате у Дженнифер — выполняла мелкие поручения, занималась организацией ее рабочего места, но по-прежнему любила помогать флористке Джен и у стойки портье, когда там начинался полный завал, находя адреса ресторанов и малоизвестных магазинов, о которых просили гости. Большую часть свободного времени Элоиза предпочитала проводить в отеле. Она как раз вошла в тот непонятный возраст между детством и юностью, когда все интересы еще сосредоточены на доме и не стремятся во внешний мир, когда девочки еще не поглощены мальчиками. А «дом» Элоизы был очень интересным местом. Когда отец приветствовал важных гостей, Элоиза нередко стояла рядом с ним в вестибюле, а после встречи президента Франции на несколько дней стала героиней Французского лицея.

Время от времени она приглашала девочек из школы переночевать у них в апартаментах. Все ее подружки обожали бродить по отелю, заглядывать в кухню, в комнату для встреч с посетителями, причесываться у парикмахеров, если у тех выпадала свободная минутка, или забегать в спа-салон, где им всегда дарили бесплатные образцы средств для ухода за кожей и волосами, а иногда даже делали пятиминутный массаж. Провести ночь в отеле «Вандом» считалось среди ее подружек большим праздником, а отец Элоизы изредка посылал их всех в центр города за покупками. Все ее подруги считали это просто шикарным. А иногда им удавалось заглянуть на свадьбу или большой прием.

Брекеты у Элоизы уже сняли, она выросла довольно высокой и стала красавицей. Фигура у нее еще оставалась детская, но младенческая курчавость из волос исчезла. Элоиза напоминала олененка-подростка, когда шла по коридорам отеля. Дженнифер, личная помощница ее отца, по-прежнему оставалась для Элоизы своего рода суррогатной тетушкой, близким старым другом, которому Элоиза могла довериться в важных вопросах, а для Хьюза она служила источником дополнительной информации о том, что происходит в жизни и мыслях дочери. Он испытывал облегчение от того, что Элоизу еще не интересуют мальчики, но по-прежнему радуют детские забавы, хотя красивую куклу, подаренную Евой Адамс, дочь аккуратно поставила на полку в спальне два года назад.

После того печального неудавшегося визита Элоиза больше не летала в Лондон к матери, но если Мириам с Грегом проезжали через Нью-Йорк, та приглашала дочь переночевать у них в отеле. За эти четыре года Элоиза виделась с матерью трижды. Она иногда пыталась нафантазировать себе жизнь, какая у нее могла бы быть, если бы родители не развелись. Впрочем, этого Элоиза себе представить не могла, но думала, что иметь мать — это чудесно. Мириам была полностью поглощена звездной жизнью своего мужа и ни капли не интересовалась Элоизой и ее делами. Для нее имели значение только Грег и их дети. Дети были симпатичными, но всякий раз, увидевшись с ними, Элоиза думала, что они невоспитанные и совершенно не умеют себя вести. Она говорила это Дженнифер, но никогда отцу, понимая, что Мириам с ним лучше не обсуждать. От простого упоминания ее имени в глазах Хьюза возникала боль. Элоиза знала, что он не одобряет Мириам и до сих пор сердится на нее. Девочка оставалась преданной им обоим, хотя отцу, конечно, больше. Мать с каждым годом становилась для нее все более чужой.

Мир Элоизы состоял из отца, отеля с любящими ее людьми и матери, которая ее, видимо, не любила и появлялась в ее жизни эпизодически, как падающая звезда в летнем небе. Элоизе куда ближе были горничная Эрнеста, флористка Джен и помощница отца Дженнифер, благожелательно за ней приглядывавшая. Хьюз знал, что именно эти женщины, а не мать стали для Элоизы примером для подражания. В таблоидах то и дело появлялись скандальные истории — то Мириам связалась с юным мальчиком в отеле в Мексике, то Грега дважды за год арестовали, один раз за курение марихуаны во время турне по Америке, второй — за пьяную драку в баре. Видеоролики этой драки и последующего ареста появились на ютьюбе, и Элоиза призналась Дженнифер, что смотрела их. В толпе зевак в баре она разглядела свою мать — та в ужасе смотрела, как Грега в наручниках выволакивают наружу. Элоиза жалела мать, но не Грега. Она сказала Дженнифер, что тот выглядел отвратительно и, похоже, сильно ранил того человека, ударив его бутылкой водки. Но выяснилось, что это его ударник, так что позже все обвинения с Грега сняли. Хьюз возмущался тем, что Мириам живет в таком мерзком мире, но дочери об этом не говорил. Он думал, что с его стороны это будет неправильно, и никогда не пересекал эту черту. Дженнифер прекрасно знала, что он до сих пор очень переживает из-за Мириам и считает ее ужасной матерью, но и она никогда не упоминала об этом в разговорах с Элоизой, поскольку очень уважала Хьюза и его дочь.

Хьюз хотел, чтобы его дочь исповедовала истинные ценности и вела здоровую, счастливую жизнь. Он радовался, что пока она не интересуется мальчиками, наркотиками и алкоголем. И хотя в отеле ей приходилось жить не в самом простом окружении, Хьюз старался ее оберегать и следил, чтобы она проводила время только с теми людьми, кто оказывает на нее хорошее влияние. Он внимательно следил за всем, чем она занимается, не подавая виду и притворяясь, что он намного хладнокровнее, чем есть на самом деле. Хьюз вел себя с дочерью очень по-швейцарски, прививая ей традиционные и даже консервативные ценности и идеи, хотя сам иной раз поступал более легкомысленно, пусть и тайком.

Элоиза понятия не имела о его тайных связях с женщинами, и Хьюз старался, чтобы так оно и оставалось. Он очень следил за тем, чтобы сведения о его личной жизни не попали на страницу шесть «Нью-Йорк пост». Дженнифер поддразнивала его, говоря, что он самый таинственный мужчина «Вандома», но эта скрытность дарила Элоизе ощущение, что она — единственная женщина в его жизни. Хьюз предпочитал, чтобы так оно и оставалось, поскольку остальные женщины ничего особенного для него не значили и надолго в его жизни не задерживались. Значение имела одна только Элоиза. Ему пришлось через слишком многое пройти с ее матерью, поэтому он не собирался беспокоиться о незначительных женщинах, с которыми иногда выходил в свет.

Он питал слабость к дамам в возрасте двадцати — тридцати лет, обязательно красивым и некоторым образом ошеломляющим — моделям, актрисам, было несколько кинозвезд и одна богатая наследница, с которой он познакомился в отеле. Ни одна из них не могла бы стать для него надолго парой, и он это знал, но на ночь-другую они развлекали. Элоиза же думала, что после матери он ни с кем не встречался, и Хьюз старательно поддерживал этот миф, хотя Дженнифер предупреждала его, что однажды он может здорово об этом пожалеть. Вдруг ему встретится женщина, которую он полюбит? Ведь Элоиза будет сильно возражать, потому что привыкла считать себя единственной женщиной его жизни и знать не знает о его мимолетных свиданиях. Хьюз не принимал этот материнский (или сестринский) совет всерьез, утверждая, что подобного никогда не случится. Он и представить себе не мог, что снова полюбит и захочет настоящих отношений.

— Если такое случится, — рассеянно говорил он, — я уж как-нибудь разберусь, но скорее рак на горе свистнет.

— Посмотрим, — печально улыбаясь, отвечала Дженнифер. Увы, она хорошо его знала. Хьюз заковал свое сердце в броню и не подпускал к нему ни одну женщину.

Помимо прочих консервативных ценностей, Хьюз старался внушить дочери чувство ответственности за других людей. Они жили в очень комфортабельных условиях, и он не хотел, чтобы Элоиза считала, будто жизнь всегда роскошна, а все люди богаты. Он нередко подчеркивал, что богатство накладывает на человека обязательства перед теми, кому повезло меньше. С момента открытия отель жертвовал неиспользованную еду местному благотворительному продовольственному фонду, и Элоиза гордилась своим отцом.

Хьюз хотел, чтобы дочь поняла, как ей повезло, чтобы она сознавала — в жизни существуют не только шикарные

отели. Элоиза жила в редком, необычном мире, но у нее
имелась и общественная сознательность. По школьной во-
лонтерской программе она дежурила в бесплатной столовой, по собственной инициативе собирала к Рождеству игрушки для местного пожарного отделения, предлагая персоналу отеля жертвовать старые игрушки, уже ненужные
их детям. Она прекрасно понимала, как сильно ей повезло, и была благодарна отцу за тот образ жизни, который
они вели. Элоиза не жалела на благотворительность своих
карманных денег, кроме того, в школе она собирала деньги
для ЮНИСЕФ. Мировые трагедии, в особенности те, что
затрагивали детей, всегда вызывали отклик в ее сердце.
Больше всего на свете Хьюз хотел, чтобы Элоиза сумела
достичь равновесия в своей жизни, никогда не забывала о
тех, кто нуждается в помощи, и о страданиях человечест-
ва, хотя в их условиях и обстоятельствах достичь этого было
очень сложно. Элоиза росла славной девочкой и куда более сознательной, чем многие ее сверстники.

Всю вторую половину дня она провела в цветочном ма-
газине, помогая флористке Джен срезать цветы и очищать
стебли от шипов, и только к вечеру поднялась к себе наверх делать уроки. Ее ждало большое школьное задание, а
на следующий день в бальном зале должна была состояться роскошная свадьба, и Элоиза хотела ее посетить. Как
обычно, она собиралась «заскочить» и побыть там. К обеду она опоздала, и отец решил, что девочка смотрела, как
украшают зал. О свадьбе говорили все; она обошлась в миллион долларов. В стоимость входили цветы, банкет, украшения и платье невесты от Шанель.

— Где ты была? — небрежно спросил Хьюз, когда официант вкатил в номер тележку с обедом. Хьюз бы с удовольствием готовил сам, но ему никогда не хватало времени. В отеле постоянно что-нибудь случалось, и ему приходилось разбираться, кроме того, он сам контролировал
все дела в отеле. «Вандом» пользовался таким успехом, потому что Хьюз из него практически не отлучался, вникая

во все детали. И служащие знали, что он всегда на месте, в курсе всего, что происходит и чем они занимаются. Это держало их в тонусе.

— Весь день провела с Джен, мы готовились к большой свадьбе. У нее полно работы. Пришлось нанимать четырех помощников, и все равно она боится, что не справится. Я немного помогла, — довольно рассеянно ответила Элоиза. Официант подал им бараньи отбивные и фасоль с зеленью. Хьюз серьезно относился к тому, что они едят, и каждое утро перед работой проводил час в спортивном зале. Он выглядел намного моложе своих сорока пяти лет и был в отличной форме.

— Я проходил мимо, но тебя не видел, — заметил отец.

— Наверное, я уже поднялась наверх делать уроки, — невинным тоном произнесла Элоиза.

— Можно подумать, — поддразнил ее отец. Элоиза училась довольно неплохо, хотя и не блистала оценками, а требования в школе были высокими. Она одинаково хорошо говорила по-английски и по-французски, испанский тоже оставался беглым благодаря постоянной стажировке в отеле. — А что собираешься делать в выходные? Пригласишь кого-нибудь ночевать? — сердечно поинтересовался он.

На уик-энд в отеле остановились четверо VIP-персон, а в субботу прибывал глава иностранного государства, что означало дополнительные меры безопасности и секретную службу в вестибюле и по всему отелю. Иностранный сановник забронировал целый этаж за исключением личных апартаментов Хьюза, расположенных здесь же, и им пришлось закрыть этаж над ним и этаж под ним, что несколько раздражало, потому что они не могли использовать два пентхауса на верхнем этаже и президентский люкс на нижнем. Эти номера являлись источником больших прибылей для отеля — президентский стоил четырнадцать тысяч долларов за ночь, а каждый пентхаус по двенадцать тысяч. А теперь на выходных у них окажутся два пустых этажа, и, несмотря на то что иностранное правительство заплатило им целое состояние, дополнительные меры безопасности обойдутся отелю очень дорого, поскольку работать персонал будет сверхурочно.

— Да, подружка придет, может, две, — сказала Элоиза, глядя в свою тарелку. Хьюз отметил, что она необычно тихо себя ведет, но подумал, что дочь еще не оправилась после простуды. Последние недели им обоим дались нелегко. Стоял весьма холодный январь, и все вокруг болели. В сезон гриппа болезнь распространялась по отелю, как лесной пожар, слишком уж много народу тут работало. Развешанные всюду таблички напоминали служащим, чтобы те не забывали мыть руки. — Думаю, сегодня придет Мария Луиза и, может быть, Жозефина. Мы будем спать внизу.

Хьюз предоставлял ей эту привилегию, в особенности в это время года, когда в отеле оставались свободные номера. На втором этаже имелась небольшая комната, куда поселяли помощников важных гостей или телохранителей.

— Только смотрите, не сводите с ума своими просьбами обслуживание номеров. Никаких сырных сандвичей на гриле и банановых коктейлей в четыре утра. Все заказы, пожалуйста, делайте до полуночи. Там и так слишком многие болеют, им некогда заниматься еще и вами.

— Да, папа, — послушно ответила Элоиза, улыбнувшись. На какую-то долю секунды Хьюз задумался — что она такое затевает? Не знай он ее лучше, решил бы, что тут замешан мальчик, но Дженнифер заверяла его, что ничего такого пока нет. Впрочем, Хьюз знал, что однажды настанет день, когда он будет оплакивать ее прошедшее детство и то, как Элоиза обожала отца. Ему нравилось быть центром ее вселенной, каким для него была она.

Они быстро закончили обед — Хьюза ждали внизу, на встрече со службами безопасности по поводу завтрашнего прибытия иностранного президента. Элоиза пошла к миссис Ван Дамм и предложила выгулять ее собаку. Пожилая вдова очень обрадовалась. Недавно ей сделали операцию на бедре, и она больше не могла выгуливать Джулиуса сама.

Ей нравилось, когда с ним ходила Элоиза — они гуляли долго, девочка возвращалась с розовыми от холода щеками, а Джулиус мог побегать и поиграть, не то что с посыльными, которые быстро обходили с ним вокруг квартала и возвращали его хозяйке.

Несколько минут спустя Элоиза вышла из отеля в теплой куртке, джинсах, шерстяной шапочке, длинном вязаном шарфе и перчатках. Холод стоял ужасный, поэтому она бегом побежала с пекинесом за угол и остановилась у подъезда, где под картонной коробкой лежал человек в спальном мешке. Элоиза вежливо постучала по коробке, словно это была входная дверь. Оттуда выглянуло сморщенное старческое лицо и улыбнулось ей. Человек казался немного выпившим, новый спальный мешок, который купила ему Элоиза неделю назад из своих карманных денег, он обмотал грязным одеялом. Элоиза уже несколько недель носила ему остатки еды, которые ей отдавали на кухне. Никто не спрашивал девочку, зачем ей это, повара просто решили, что у нее здоровый аппетит, а может быть, она носит еду наверх подружке.

— Ты готов, Билли? — спросила Элоиза лежавшего на тротуаре человека. Тот кивнул. Она казалась ангелом, спустившимся к нему с небес. Элоиза обещала, что сегодня ночью он сможет поспать в помещении. Он не очень-то ей поверил, поэтому искренне удивился, что она пришла. Он осторожно поднялся на ноги. Элоиза помогла ему сложить одеяло и спальник. От него отвратительно воняло, и девочка старалась задерживать дыхание. Пекинес с интересом наблюдал.

— А куда мы идем? — спросил Билли, когда она повела его за угол, в сторону от главного входа в отель. Там была дверь, ведущая на черную лестницу, которой пользовались некоторые служащие. Ее запирали на ключ, и сегодня Элоиза этот ключ взяла. Они медленно шли к неприметной двери, находившейся с задней стороны отеля. Девочка быстро отперла дверь и объяснила, что им придется подняться на второй этаж.

Днем она сама заблокировала эту комнату в компьютере. Элоиза знала, что горничные уже закончили уборку, значит, горизонт чист. Правда, есть еще камера наблюдения, но она понадеялась, что никто не будет наблюдать слишком пристально. Элоиза отсчитывала пролеты, пока они не поднялись на нужный этаж. Билли медленно брел за ней, а собака тяжело дышала. Элоиза встретила Билли две недели назад и остановилась поговорить. Он сказал, что болеет, но крыши над головой у него нет, и Элоизе захотелось укрыть его от холода. Номер в отеле был единственным, что она смогла придумать, и планировала она это все две недели. Сегодняшняя ночь подходила идеально. Отель не заполнен до отказа, многие в службе безопасности болеют, и она не сомневалась, что сумеет провести Билли в отель хотя бы на одну ночь. Как вывести его отсюда — это уже другая проблема, но Элоиза считала, что справится и с этим, так что никто не догадается о его ночевке. Она собиралась повесить на дверь табличку с надписью «Не беспокоить», а после его ухода убраться в номере самой. Но прежде всего нужно увести его с улицы, накормить и согреть. Это будет ее подарок Билли.

— Ты как? — с улыбкой обернулась Элоиза, прежде чем открыть дверь, что вела в коридор второго этажа. Джулиус по-прежнему с интересом осматривался, крутя головой во все стороны.

— Все нормально, — заверил ее Билли. — Мне нравится твоя собака, — вежливо добавил он.

Элоиза улыбнулась:

— Это не моя собака. Я просто выгуливаю ее по просьбе одной дамы. — Она приложила палец к губам, открыла дверь и повела Билли к номеру, находившемуся всего в нескольких шагах. Отперев ее, она быстро затолкала Билли внутрь.

Бездомный огляделся и захныкал.

— Что ты делаешь? — в панике воскликнул он. — Я не могу здесь остаться, меня посадят в тюрьму!

— Не посадят, я не позволю. Мой отец — владелец этого отеля.

— Он тебя за это убьет! — сказал Билли, теперь заволновавшись за нее.

— Нет, он хороший человек. — Элоиза включила свет. Это был один из самых маленьких номеров, поэтому она знала, что у нее все получится. В него заселяли гостей в последнюю очередь, а во время мертвого сезона, как в январе, такой номер никому не требовался. Билли изумленно смотрел на роскошь и комфорт, в которые попал. Ему казалось, что он в раю. Большая двуспальная кровать, огромный телевизор, везде антиквариат и безукоризненно чистая ванная. Глаза его на помятом морщинистом лице широко распахнулись, он взглянул на девочку, которая привела его сюда.

— А твоя мама? Разве она на тебя не рассердится? — Похоже, он искренне за нее тревожился.

— Она замужем за другим. — Билли все стоял и осматривался. Элоиза мягко предложила ему сесть. — Я должна отвести обратно собаку. Посмотри пока телевизор. Я вернусь через несколько минут и закажу тебе поесть.

Он, лишенный дара речи, только кивнул. Элоиза с Джулиусом вышли из номера и поднялись к миссис Ван Дамм.

— Как вы долго гуляли. — Хозяйка Джулиуса понятия не имела, что Элоиза едва ли обошла с собакой квартал, а все остальное время пес находился в отеле. Она сняла с Джулиуса кашемировый свитер, Элоиза поцеловала ее в щеку и торопливо выскочила в коридор. Меньше чем через пять минут она снова оказалась на втором этаже, отперла дверь и вошла.

Билли сидел на самом краю кровати с ошеломленным видом и боялся прилечь. Он выглядел перепуганным до смерти и одновременно счастливым и очень обрадовался, снова увидев Элоизу. Девочка уже поняла, что сегодня ночью ей придется где-то спрятаться; она не могла вернуться к себе в апартаменты, потому что считалось, будто у нее ночует Мария Луиза. И конечно, она не могла остаться в одном номере с Билли, хотя не сомневалась, что он не опасен. За эти две недели она с ним много разговаривала. Он был стар, все время мерз и устал жить на улице. Он рассказал, что ему шестьдесят два года, и ей очень хотелось сделать для него что-нибудь особенное, показать, что ей не все равно.

— Что ты будешь есть? — спросила Элоиза, протягивая ему меню. Билли сильно смутился. Может быть, ему нужны очки, которых у него нет? — Что ты больше всего любишь?

— Бифштекс, — широко ухмыльнулся он, не стесняясь отсутствия многих зубов. — Бифштекс, и картофельное пюре, и шоколадный пудинг на десерт!

Элоиза набрала номер и заказала все это в обслуживании номеров, добавив еще салат, шоколадный мусс вместо шоколадного пудинга и большой стакан молока в придачу. Билли взял пульт и включил телевизор. Элоиза повесила на дверь табличку «Не беспокоить» и села рядом с ним.

— Я в жизни не видал такой комнаты. Я когда-то был столяром, еще мальчишкой работал на мебельной фабрике, но мы ничего такого не делали.

Элоизе стало очень интересно, что с ним случилось потом, но она не решилась спросить.

Полчаса спустя в номер постучались. Элоиза ответила, не открывая дверь, но официант узнал ее голос.

— Спасибо, Дерек. Мы не одеты. Просто оставь снаружи, и спасибо.

— Конечно. И повеселитесь там хорошенько!

Элоиза дождалась, когда закроется дверь лифта, и вкатила в номер тележку. Глаза Билли опять распахнулись от удивления. Еда пахла просто восхитительно. Элоиза подвинула стул к столу.

— Приятного аппетита, — негромко сказала она, записала номер своего мобильника и велела звонить ей, если ему что-то потребуется или он захочет еще поесть. — Завтра утром я накормлю тебя завтраком, но уйти придется рано, пока в отеле не начнется обычная суматоха. Я выведу тебя через ту же дверь.

— Спасибо, — сказал Билли, принимаясь за еду. Глаза его снова наполнились слезами. — Должно быть, ты ангел небесный, переодевшийся девочкой.

— Все хорошо, — заверила его Элоиза. — Дверь не отпирай, закрой ее на цепочку и не выходи в коридор. — Ей даже в голову не приходило, что на следующий день он может просто отказаться уходить. Пока все шло согласно ее плану. — И не отвечай на телефон.

Он кивнул и, давясь, жадно начал есть свой бифштекс. Элоиза выскользнула из номера и пошла вниз по лестнице, радуясь тому, как хорошо все получилось. Выражение лица Билли стоило ее стараний.

Она посмотрела, как идут дела в бальном зале, где декораторы и флористы готовились к завтрашней свадьбе, поболтала немного там, потом спустилась в винный погреб, затем заглянула в помещение, где хранилась униформа, висевшая в аккуратных чехлах из химчистки. Элоиза понимала, что ночь ей предстоит долгая и главное — это не попасться на глаза отцу. Больше никто не удивится, увидев, как она бродит по зданию. В конце концов она остановилась на пункте неотложной медицинской помощи, где имелись кровать и стол для осмотра больных. Если повезет, ночь она сможет провести здесь. Однако после полуночи туда вошла работница из службы обслуживания номеров за средством от ожога и очень удивилась, увидев девочку.

— Что ты тут делаешь? — спросила она Элоизу. Та слушала в темноте музыку на своем айподе и почти заснула на смотровом столе. Перепугавшаяся Элоиза вскочила на ноги, испугав и служащую.

— Играю в прятки со своей подружкой, — с нервной улыбкой ответила девочка. — Здесь она меня ни за что не найдет.

— Задумала какое-нибудь озорство? — с подозрением спросила служащая.

— Нет. Только, пожалуйста, папе не говорите!

— Возвращайся-ка ты к себе наверх. — Эта служащая не так давно работала в отеле и не относилась к лучшим друзьям Элоизы. Девочке пришлось вернуться в бальный зал, но оттуда все уже ушли. Там висели пышные атласные занавеси, за одной из которых Элоиза и спряталась на остаток ночи. Теперь главное — вовремя проснуться, чтобы вывести Билли из отеля. К счастью, утренняя команда уборщиков начала пылесосить в шесть утра, разбудив ее. Элоиза выбралась из-за занавесок, поднялась на второй этаж и постучалась в номер к Билли. Она услышала, что в комнате работает телевизор, и назвалась сквозь дверь.

Он прошептал из-за двери:

— Это ты?

— Да, — шепнула в ответ Элоиза. Он впустил ее в комнату, и девочка отметила, что Билли, похоже, принял ванну, побрился и причесался. Он обрадовался, увидев Элоизу. — Ты поспал хоть немного?

— Да. Это была лучшая ночь в моей жизни. — Рядом с кроватью стояла пустая винная бутылка из мини-бара, но он не выглядел пьяным и, похоже, проснулся задолго до ее прихода. Билли давно привык вставать очень рано, чтобы вовремя убраться из подъезда, где ночевал.

— Я закажу тебе завтрак. Чего ты хочешь?

— Можно яичницу-глазунью? — осторожно попросил он. Кроме яичницы, Элоиза заказала маффины, корзинку пирожных, бекон, апельсиновый сок и кофе. Через двадцать минут завтрак принесли, и Билли умял все минут за десять. Элоиза сказала, что пора уходить. Надевая свое потрепанное пальто, он с благодарностью смотрел на девочку и выглядел намного лучше, чем вчера. К счастью, ночь

прошла без неприятностей, и теперь оставалось только украдкой вывести его из отеля.

Они бесшумно спускались вниз по лестнице. Всего два
коротких пролета, не так уж много времени, чтобы камеры наблюдения смогли их засечь. По крайней мере Элоиза очень на это надеялась. А потом она вернется и как следует уберет номер. Когда они дошли до лестничной пло-
щадки, Элоиза натянула капюшон и отвернулась, на случай
если служба безопасности все-таки следит за камерами.
Она не хотела, чтобы ее узнали. Отперев заднюю дверь, девочка выпустила Билли на улицу. Было еще совсем темно.
Он посмотрел на нее с такой благодарностью, что на глаза
Элоизы навернулись слезы.

— Я никогда не забуду, что ты для меня сделала. За это
ты непременно попадешь на небеса, — сказал он, ласково
прикоснувшись к ее руке. — А я буду помнить всегда.

Он поплотнее закутался в свое пальто, засунул под
мышку одеяло и спальник и зашаркал прочь. Элоиза увидела, как он завернул за угол, вернулась в отель и пошла
убираться в номере. Она прекрасно знала, где горничные
ставят свои тележки, и тысячу раз помогала им с уборкой.
За полчаса Элоиза успела сменить постельное белье и вы-
мыть все в ванной комнате. Никто и не догадается, что в
этом номере ночевали. Она поставила тележку на место и
поднялась вверх по лестнице в свои апартаменты. Было
около восьми утра. Отец завтракал, читая газету, и в своем
темном костюме выглядел просто неотразимо.

— Что это вы, девочки, так рано проснулись? — удивленно спросил он. — И где Мария Луиза?

— У нее в субботу утром занятия балетом, так что ей
пришлось рано уйти. Номер я убрала. А Жозефина не пришла, она заболела, — беззаботно ответила Элоиза, взяв
маффин с черникой, в точности такой же, какие два часа
назад заказала для Билли.

— Ты не обязана это делать, но ты молодец, — одобри-
тельно улыбнулся отец. Ему предстоял тяжелый день —

должны были прибыть несколько VIP-персон и президент иностранного государства.

Едва он вошел в свой офис, как появился Брюс Джонсон, глава службы безопасности. Хьюз предположил, что то хочет обсудить с ним приготовления и координацию действий с секретной службой иностранного сановника. Брюс, крепкий крупный мужчина, работал с Хьюзом со дня открытия отеля. В руке он держал пленку с камеры наблюдения и выглядел весьма озабоченно.

— Я хочу, чтобы вы кое на что взглянули, — негромко произнес он.

— Что-то случилось? — спросил Хьюз.

Брюс, выглядевший намного серьезнее, чем обычно, вставил пленку в видеомагнитофон, стоявший в офисе. Они много раз вместе просматривали пленки, когда какой-нибудь служащий подозревался в воровстве, пьянстве или приеме наркотиков на рабочем месте или же вел себя неподобающе.

— Не знаю точно. Вы мне сами скажите. Задняя дверь, вчерашний вечер. Я увидел это только утром — пришел пораньше и просмотрел ночные пленки. Полагаю, вошли сразу после семи вечера, а ушли еще до семи утра. Мне кажется, вчера ночью в отеле был непредвиденный постоялец. Увидев это, я проверил все остальные камеры и нигде больше его не заметил. Тот, кто привел и увел его, отлично знает наш отель.

У Хьюза застыла кровь в жилах. Он решил, что вчера Элоиза тайком привела не безобидную Марию Луизу, а какого-то мальчика. Если так, началась новая эра, и вовсе не та, которая ему понравится. Хьюз собрался с силами и приготовился смотреть.

Брюс Джонсон включил магнитофон. Они увидели растрепанного, грязного на вид бездомного, входящего через заднюю дверь. Его сопровождал кто-то хрупкий в куртке с капюшоном. Сопровождающий старательно отворачивался от камер. Они быстро поднялись наверх, исчезли из виду и больше ни разу не появились. Затем Хьюз увидел этих же двоих, но уже спускающихся вниз по лестнице сегодня утром. Бездомный выглядел не так неаккуратно, как вечером. Он помылся, причесался, улыбался, и в его походке появилась живость. Тот, кто его сопровождал, снова отворачивался от камер. Через несколько минут сопровождающий вернулся в отель и взбежал вверх по лестнице.

— Что это? — недовольно осведомился Хьюз. — Кто это? Что за чертовщина происходит? У меня здесь что, приют для бездомных? Вы думаете, его привел сюда кто-нибудь из кухонных работников?

— Посмотрите еще раз, — усмехнувшись, предложил Брюс. Он был одним из самых преданных поклонников Элоизы и сам носил ее на руках, когда ей было два года, чтобы она не поранилась во время реконструкции отеля. — Вам ничего не кажется знакомым?

Хьюз диким взглядом уставился на экран. Он так обрадовался, что Элоиза не притащила в отель мальчика вместо подружки, но ведь она натворила кое-что похуже и могла очень сильно пострадать! Глядя на бездомного, Хьюз содрогнулся.

— О Боже! — с выражением ужаса на лице произнес он. — Вы хотите сказать, что это она приволокла сюда бездомного? А где он спал?

— Вероятно, в одном из номеров. — Брюс взял телефонную трубку и позвонил в хозяйственную службу, но там ничего не знали о том, занимала ли Элоиза номер. Тогда он позвонил в обслуживание номеров и выяснил, что Элоиза заказывала ужин и завтрак в номер двести два, но на двери висела табличка «Не беспокоить», поэтому все оставляли возле номера. Он повернулся к хозяину и сообщил новости: — Она заказала бифштекс, картофельное пюре, шоколадный мусс, а сегодня утром, в шесть пятнадцать, плотный завтрак — яичницу с беконом и корзинку пирожных.

— Просто поверить не могу, что она сотворила такое, — потрясенно произнес отец, тут же позвонил Элоизе на мобильник и велел немедленно прийти к нему в офис.

Она появилась через пять минут и, стараясь выглядеть беззаботной, широко улыбнулась Брюсу.

— Это очень серьезно, — без предисловия сказал отец и хмуро взглянул на нее. — Ты кого-то приводила в отель вчера вечером? Бездомного?

Элоиза и сама видела изображение на экране. Она немного поколебалась, затем кивнула и выпятила подбородок.

— Да, приводила. Он старый и больной, он умирал с голоду, а на улице ужасно холодно. Он не мог попасть в приют, — добавила она так, словно хорошо его знала.

— И ты привела его сюда? — Элоиза молча кивнула, и на лице отца появилась настоящая паника. — А если бы он поранил тебя или какого-нибудь гостя? Он мог сделать тебе больно... или еще что похуже! Ты вообще понимаешь, до чего это глупо и опасно? И где ты была всю ночь? С ним в номере?

От этой мысли Хьюз пришел в ужас. А что, если бы он ее изнасиловал?

— Я спала сначала в пункте медицинской помощи, до полуночи. А потом в бальном зале за занавесками, до шести утра. Он хороший человек, папа. Он ничего не испортил в номере, а я потом сама там убралась.

Слушая ее, Брюс Джонсон с трудом сдерживал улыбку. Она выглядела такой искренней и серьезной! Он прекрасно понимал, какому страшному риску подвергалась Элоиза, но, во всяком случае, она не пострадала. Он не сомневался, что секретная служба не обрадуется, узнав, что в отель могут проникнуть бездомные и ночевать в номерах.

— Я не позволю тебе больше приглашать подружек, раз ты мне врешь и устраиваешь такие фокусы, — сурово произнес отец.

— Но ты же всегда сам говорил, что у нас есть обязательства перед бедняками и что мы должны помнить — не всем так повезло, как нам. Вчера ночью он мог просто уме-

реть на улице, папа! — Элоиза не просила прощения за
свой поступок и была в восторге, что все прошло без сучка без задоринки. И если ее за это накажут — что ж, оно
того стоило, и ей плевать.

— Мы можем выполнять свои обязательства по-другому, — все так же сурово сказал отец. — Мы жертвуем в бла-
готворительный продовольственный фонд. И я не желаю,
чтобы ты снова устраивала что-нибудь подобное. Он мог
оказаться опасным, мог ранить тебя, или кого-нибудь из
наших гостей, или служащего.

— Он бы ничего такого не сделал, я его знаю, — мягко
ответила Элоиза. В конце концов, все прошло хорошо, разве это не доказательство?

— Ты этого знать не можешь. Он мог оказаться сумасшедшим. — Хьюз с трудом сдерживался, чтобы не кричать,
так его пугало то, что могло бы произойти. Она уже могла
лежать мертвой в этом номере, и никто бы этого даже не
знал!

— Папа, то, что он провел здесь ночь, может изменить
его жизнь или хотя бы подарить ему надежду. Он целую
ночь сумел прожить, как нормальный человек! Не так уж
многого он и хотел.

— Это слишком опасно, — настойчиво повторил
отец. — И я запрещаю тебе делать такое впредь. А сейчас возвращайся в апартаменты и подумай как следует. И
весь день оттуда не выходи. Все, иди, — мрачно сказал он.

Элоиза вышла. Мужчины посмотрели друг на друга,
пораженно качая головами.

— Похоже, у нас объявилась маленькая мать Тереза.
Нужно за ней хорошенько присматривать, — предупредил
глава службы безопасности.

— Я представления не имел, что она может такое выкинуть. Уж не знаю, может, она и раньше такое вытворя-
ла? — с ошеломленным видом произнес Хьюз.

— Сомневаюсь. Мы бы увидели ее на мониторах. Но
вчера вечером она здорово это провернула. Во всяком слу-

чае, тот бездомный отлично выспался и дважды плотно поел. Может быть, она права и это в самом деле изменит его жизнь, — негромко сказал Брюс, тронутый поступком Элоизы.

— Не начинай еще ты, — предупредил его Хьюз. — Я не намерен превращать отель в приют для бездомных.

Ему в голову пришла неплохая мысль, и он собирался поговорить об этом с Элоизой, но не сейчас.

Брюс вытащил кассету.

— Она отличная девчонка, наша маленькая принцесса. И думаю, она еще задаст вам жару в следующие несколько лет.

Хьюз молча кивнул и долго молча сидел у себя в кабинете, думая о том, что учудила его дочь, какая она отважная и сострадательная, а затем пошел к себе наверх. Она лежала на кровати в своей комнате и слушала музыку, но когда вошел отец, села.

— Прости, папа, — тихо произнесла она.

— Я просто хочу кое-что тебе сказать. — Он посмотрел на Элоизу, и на глаза его навернулись слезы. — Это было безумно, опасно и во многих отношениях неправильно, но я хочу, чтобы ты знала — я люблю тебя и восхищаюсь тем, что ты сделала. Я очень горжусь тобой, и ты вела себя храбро. Но все равно я хочу, чтобы ты пообещала мне больше никогда так не делать. И знай — я очень уважаю тебя за этот поступок. Мне бы отваги не хватило.

— Спасибо, папа, — просияла Элоиза и крепко обняла его за шею. — Я так тебя люблю!

Он кивнул, пытаясь подавить переполнявшие его эмоции.

— Я тоже тебя люблю, — прошептал он, обнимая дочь, и по щеке его поползла слеза. Но больше всего он был благодарен за то, что она не пострадала.

Затем Хьюз медленно улыбнулся и посмотрел на Элоизу.

— У меня есть для тебя работа, — серьезно произнес он. — Хочу, чтобы ты работала на кухне вместе с теми, кто

организовывает наши пожертвования в благотворитель-
ный продовольственный фонд. Я хочу, чтобы ты всему
там научилась, а когда станешь немного постарше, я на-
значу тебя ответственной за этот проект. Это тебе такое
задание.

Она опять засияла и обняла отца. Но у Хьюза имелась
и еще одна идея.

— А если тебе этого мало, можешь стать волонтером в
семейном приюте. Но не смей приводить их в отель!

— Обещаю, папа! — торжественно сказала Элоиза. Брюс
уже успел побывать наверху и тоже прочитал ей нотацию.

Хьюз понял, что его дочь хочет заниматься настоящей
филантропией, и был готов помочь ей в этом. Он все еще
не пришел в себя от ее поступка, от его искренней наив-
ности и доброты. Такая молодчина! Ему, как отцу, есть чем
гордиться.

Глава 4

Слухи о проделке Элоизы и о бездомном Билли быстро разнеслись среди персонала. Никто не говорил об этом
открыто, только шепотом. Элоиза начала работать в кухне, занимаясь пожертвованиями в продовольственный
фонд, и через несколько недель о Билли узнали все, считая этот поступок безумным, но храбрым. А Элоиза трудилась без устали, даже сама таскала ящики с продуктами в
грузовик. Кроме того, отец подыскал ей работу в семейном приюте, куда она ходила дважды в неделю.

Гуляя с Джулиусом, Элоиза все время искала Билли, но
он куда-то исчез. Она надеялась, что он нашел себе место
в приюте, и до сих пор радовалась, что хотя бы на одну ночь
привела его в отель. Может быть, ей удастся увидеть его в
бесплатной столовой, где она тоже иногда работала.

Две недели спустя Салли Бьенд, ресторанный менеджер, упала в бальном зале со стремянки и сломала ногу. Она хотела проверить, не нужно ли мыть люстру перед назначенной на следующую неделю свадьбой (всего их на февраль запланировали четыре). К огромному облегчению всех, это была только нога.

Элоиза пошла к ней в больницу. Салли относилась к тем, кого девочка любила больше всех, и всегда позволяла ей потихоньку пройти на свадьбу. Помощница Салли находилась в декрете, так что пришлось звонить в агентство и просить немедленно прислать кого-нибудь на ее место. Ни одна из кандидаток не выглядела подходящей для «Вандома», но в конце концов одна появилась — на вид настоящий ангел, с превосходными рекомендациями из Бостона, просто находка. Ее наняли временно, на три месяца, пока не вернется Салли (надеялись, что вовремя, потому что в июне было запланировано много свадеб).

Хилари Картрайт поработала ресторанным менеджером в нескольких отелях, прежде чем попала в Бостон, и, похоже, дело свое знала. Да еще и выглядела как модель в отличие от большинства служащих — с прямыми светлыми волосами, длинными ногами и огромными голубыми глазами. Рекомендации она предоставила превосходные. Привлекательная, с хорошей речью, она прекрасно показала себя на собеседовании и заверила, что вполне в состоянии справиться со всеми заказанными свадьбами. Она даже сказала начальнику отдела кадров, что надеется получить в отеле постоянную работу. Пока вакансий не было, но компетентных работников найти тоже не очень просто.

Элоиза впервые увидела ее за день до первой порученной ей свадьбы и заявила флористке, что считает Хилари очень симпатичной. Джен почему-то промолчала, что совсем на нее не походило, а затем сильно удивила Элоизу. Обычно славная и дружелюбная, Джен повернулась с очень напряженным лицом:

— Малышка мисс Невинное Ангельское Личико на самом деле первоклассная стерва.

Элоиза в жизни от нее ничего подобного не слышала, и это ее ошеломило.

— Правда?

— Она не разрешает мне заняться украшениями до завтрашнего дня. Всех выгнала и заперла бальный зал. Сказала, что все мои композиции выглядят убого, и намекнула твоему отцу, что я завышаю цены, раздуваю счета и, возможно, обманываю и его, и клиентов. Заявила, что она может раздобыть лучшие цветы гораздо дешевле у своей подруги. Твой отец мне уже звонил по этому поводу. — Джен рассказывала это со слезами на глазах. За восемь лет в «Вандоме» у нее ни разу не возникло ни одной проблемы. До сих пор. Благодаря Хилари Картрайт. Джен снова заплакала и высморкалась.

Элоиза обняла ее и попыталась утешить:

— Наверное, у папы просто плохое настроение. Я видела, у него на столе валяются тонны счетов. Он всегда бесится, когда такое происходит.

— Нет, он ей поверил! — Джен снова заплакала. Ведь она считалась одним из самых уважаемых флористов в Нью-Йорке и уже получила несколько наград за свою работу в отеле.

Все стало еще хуже на следующий день. Перед свадьбой Хилари устроила Джен полномасштабное сражение. Она наорала на официантов и заставила их заново сервировать столы. Она управляла бальным залом железной рукой. Результаты получились неплохие, но подобного агрессивного стиля в отеле «Вандом» еще не видели. Салли всегда вела себя дружелюбно, тем самым добиваясь прекрасной отдачи от всех. Хилари же была сущим дьяволом, заставляла людей носиться как ненормальных и доводила их до слез, хотя выглядела ангелочком. Ничто из сказанного или сделанного ею нельзя было назвать милым.

Но стоило спуститься вниз Хьюзу, она превратилась в ласкового ягненка, обратив на него невинный взгляд. Оскорбленные ею люди смотрели на нее, не веря собственным глазам. Элоиза даже вообразить такого не могла — ее отец купился на это и растекся лужей у ног Хилари. Элоиза никогда ничего подобного не видела, и это ее потрясло. Выходя из комнаты, отец казался околдованным.

— Ты видела? — шепнула Элоиза Джен. — Он просто спятил! И поверил всей той чуши, которую она несла.

Да, Элоиза была в ужасе.

— Нам предстоят долгие три месяца, пока не вернется Салли, — грустно сказала Джен. Похоже, ее босс влюбился в женщину с белокурыми волосами, голубыми глазами, внешностью ангела и характером бойца штурмового отряда.

После того как отец Элоизы покинул бальный зал, Хилари обратила внимание на его дочь, поинтересовавшись, что она тут делает.

— Просто зашла, — вежливо ответила Элоиза. В конце концов, это была ее вотчина, и она не даст себя прогнать, какой бы крутой ни стремилась быть Хилари.

— Нам на свадьбе не нужны незваные гости, ведь так? — многозначительно сказала та, окинув взглядом новое платье Элоизы — темно-зеленое бархатное, с белым кружевным воротничком. Еще девочка надела блестящие черные туфли-лодочки без каблука и белые колготки. Она смотрелась как реклама того, как должна выглядеть девочка ее возраста, но Хилари определенно не считала это привлекательным. Она велела Элоизе уйти из бального зала до начала свадьбы. Элоиза напрямик ответила, что никуда не уйдет, что она с шестилетнего возраста ходит на все свадьбы в отеле. Повисло долгое молчание, но в конце концов Хилари кивнула.

Она решила пока не трогать Элоизу, позволив ей стоять в сторонке и смотреть, но сама наблюдала за ней, как ястреб, дожидаясь, пока девочка совершит какую-нибудь ошибку. Как только Элоиза попросила проходящего мимо официанта принести ей кока-колу, Хилари мгновенно отменила ее просьбу и напомнила Элоизе, что она не гость. Но все же это был мир Элоизы, а не Хилари, и здесь все шло по-другому. Дочь владельца отеля не могла поступить неправильно; она росла на глазах у служащих. Хилари явно не считала ее очаровательной, интересовал ее только Хьюз.

— Ты не будешь заказывать тут напитки, — твердо сказала она Элоизе. — Хочешь увидеть невесту — пожалуйста. Но если хочешь поесть или попить, ступай наверх, в свои апартаменты. И не смей танцевать или разговаривать с гостями. — Она говорила очень жестким тоном, а ее голубые глаза излучали холод. Остальные служащие внимательно наблюдали за ней.

— Я всегда разговариваю с гостями, — не менее твердо ответила Элоиза, не дрогнув. Она не допустит, чтобы чужой человек прогнал ее отсюда! Это ее дом. — Я представляю тут моего отца. — Голос звучал храбрее, чем она себя чувствовала, и Хилари немного испугалась.

— А я отвечаю за свадьбу. Ты здесь незваный гость, и я уверена, что твой отец со мной согласится.

Элоиза сомневалась, что отец примет ее сторону, поэтому решила не настаивать. Но двое официантов, ставших свидетелями этой стычки, вернулись на кухню и рассказали шеф-повару, что начались проблемы — новый ресторанный менеджер запретила дочери босса заказать кока-колу.

— Ну, так она далеко не уедет, — засмеялась одна из поварих, возводя глаза к потолку. И все согласились, что Хилари не продержится и трех месяцев, если будет обижать Элоизу. Ее отец этого не потерпит.

Свадьба прошла безупречно. Элоиза пробыла там долго, но ушла до того, как стали резать торт, что было для нее необычно. После того, что сказала ей Хилари, девочка чувствовала себя неуютно и все время ощущала на себе ее взгляд. Она поднялась наверх, посмотрела кино, а когда свадьба закончилась, спустилась вниз, в отцовский офис. И чуть не упала от удивления, увидев там Хилари, сидевшую с ангельским личиком и весело хохотавшую. Отец наливал им обоим шампанского. Их лучшего, «Кристал».

— Что она здесь делает? — выпалила Элоиза, а Хилари обернулась и кинула на нее победоносный взгляд.

— Мы говорим о следующих свадьбах, нужно ввести Хилари в курс дела, — спокойно ответил он с беззаботным видом.

Его забавляло, что стоит ему пожелать побыть с кем-нибудь наедине, как Элоиза не упустит случая появиться. Кроме того, Хьюз сразу ощутил напряжение между дочерью и временным ресторанным менеджером. Бессмыслица какая-то. Он пригласил Хилари в свой офис, чтобы выпить по глоточку после свадьбы. Она отлично поработала и сказала, что хочет с ним поговорить, и ему хотелось, чтобы она почувствовала себя непринужденно. Да и вообще — она прелестная молодая женщина, и нет ничего плохого в том, чтобы выпить вдвоем по бокалу шампанского.

— Почему бы тебе не подняться наверх, Элоиза? — предложил он. — К обеду я приду вовремя.

Было совершенно очевидно, что он хочет остаться наедине с Хилари. Элоиза с расстроенным видом вышла из кабинета и поплелась наверх.

— Она очень ревниво относится к вам и к своей территории, — с невинной улыбкой заметила Хилари.

Хьюз уныло взглянул на нее и кивнул:

— Она была единственной женщиной в моей жизни с четырех лет, почти всю свою жизнь, и прекрасно это помнит. Ей нравится, когда я принадлежу только ей. — Он виновато улыбнулся.

— Еще несколько лет, и она вас покинет, — задумчиво произнесла Хилари, — вы останетесь в одиночестве. — Голос ее звучал сочувственно. — Нельзя позволять ей распоряжаться вашей жизнью. Она всего лишь маленькая девочка.

Зато сама Хилари была большой девочкой, заметившей золотую жилу, и она собиралась выжать отсюда все, что только возможно. Ей ничего так не хотелось, как стать подружкой, а еще лучше — женой владельца отеля. Хилари не раз читала в гостиничных журналах биографию Хьюза. Временная работа в «Вандоме» стала ее мечтой — и он тоже. Она рассматривала этот шанс как долговременную перспективу и вцепилась в него, когда агентство предложило ей поработать тут. Хилари хорошо подготовилась и намеревалась соблазнить Хьюза Мартина, и она не позволит двенадцатилетней выскочке встать на ее пути.

Они вдвоем выпили полбутылки шампанского, после чего Хьюз поднялся наверх, в свои апартаменты. Его влекло к Хилари, но мешало правило — не связываться со служащими. Она, конечно, очень соблазнительна, и Хьюз напомнил себе, что она всего лишь временный работник. Может быть, после того как кончится срок ее контракта, они смогут изредка встречаться. Его действительно очень влекло к ней, и он не замечал, что это Хилари делает все возможное и откровенно с ним флиртует.

Элоиза с несчастным видом смотрела телевизор. За обедом она почти все время молчала, не обращая внимания на попытки Хьюза вовлечь ее в беседу, а под конец повернулась к нему с полными слез глазами.

— Эта женщина положила на тебя глаз, папа. Она врет и ко всем придирается. Накричала на Джен и довела ее до слез.

— Она добилась отличных результатов, — спокойно выступил он на защиту Хилари. — У нас еще никогда не было такой красивой свадьбы. Сегодня все шло гладко. Она умеет заставить всех ходить по струнке. И я ее не интересую, — заверил он дочь. На самом деле все наоборот — это он положил на нее глаз. — Тебе не о чем беспокоиться. Ты единственная женщина в моей жизни.

Он перегнулся через стол и поцеловал ее в щеку. Элоиза настороженно взглянула на него, мечтая, чтобы это оказалось правдой.

— Ну хорошо, извини меня, — успокоившись, ответила она, и до конца обеда они весело болтали. Но после этого Элоиза возненавидела Хилари сильнее, чем прежде. Она чувствовала, что та нацелилась на Хьюза. И еще в ней было что-то неискреннее, хотя Элоиза не понимала, что именно.

В течение следующих нескольких недель Хилари умудрилась стать врагом чуть не всему персоналу, вложив всю свою энергию в попытки очаровать Хьюза. Она словно выполняла боевое задание — то и дело заходила к нему в офис, пользовалась каждой возможностью поговорить с ним и постоянно спрашивала его совета о том, как у них в отеле принято то или это. Это выглядело чересчур назойливо, но, похоже, Хьюз ничего не имел против, ему это даже льстило. Дженнифер тоже это заметила. Да все заметили. Через месяц всем стало понятно, что она твердо вознамерилась привести владельца отеля к алтарю или хотя бы уложить в постель. Она просила его появляться на каждой свадьбе, бесстыдно с ним флиртовала, и хотя Хьюз по-прежнему вел себя благоразумно и осмотрительно, все видели, что его к ней тянет, а Дженнифер однажды застала их целующимися в его кабинете. Такого она за ним еще никогда не замечала. Хилари преследовала его упорно и непреклонно.

Дженнифер все это очень не нравилось. Все ухищрения и уловки Хилари лежали на поверхности, но она умела быть настолько убедительной и казалась настолько невинной, что Хьюз проглотил крючок, грузило и леску, что для него было крайне нехарактерно. Обычно он вел себя куда разумнее, но эта женщина превосходно освоила правила игры. В свои двадцать семь она была на восемнадцать лет младше его и казалась Дженнифер очень опасной. Элоиза чувствовала то же самое. Да все, кроме Хьюза, ощущали в Хилари эту неискренность, но она играла на Хьюзе, как на скрипке.

Хилари с каждым днем вцеплялась в него все сильнее. Стоило ей войти в комнату, и он становился как одурманенный. Элоиза была просто вне себя и постоянно разговаривала об этом с Джен и Дженнифер. Она хотела защитить отца, но не знала как. И тут вмешалось провидение.

На десятой неделе работы Хилари в отеле, когда все без исключения служащие ненавидели ее, а босс, как казалось, уже сидел у нее в кармане, судьба выступила на стороне Элоизы. Она делала в школе научный проект, и ей не хватило времени на ленч. Вернувшись домой, она буквально умирала от голода, но вместо того чтобы просто заказать еду в обслуживании номеров, как она частенько поступала, Элоиза спустилась в кухню, чтобы найти там что-нибудь самой. Она вошла в холодную кладовую, еще не зная точно, чего хочет, и обнаружила там Хилари, обвившуюся, как змея, вокруг одного из помощников повара. Ее юбка задралась до талии, а он засунул ей руку между ног.

Элоиза еще никогда не видела ничего настолько откровенного, но сразу сообразила, что к чему. Все это слишком ошеломило ее, и она не могла произнести ни слова, а помощник повара прижал Хилари к стенке и засунул руку в свои клетчатые брюки. Элоиза так ничего и не сказала, но с поразительной ясностью сознания подняла свой мобильник и сделала снимок. Помощник повара был итальянцем, молодым, лет двадцати четырех, и невероятно красивым. Даже Элоизе стало понятно, что тут происходит.

Она выскочила из кладовки до того, как они успели остановить ее или отнять мобильник, и уже взлетела до середины лестницы, когда эта парочка со смущенным видом вышла из кладовой. Хилари пыталась принять достойный вид, но только выглядела глупо, а молодой итальянец ухмылялся. Все работники кухни уже несколько недель знали, чем она занимается в промежутках между преследованием Хьюза. Таким образом Хилари удовлетворяла свою похоть, а вот Хьюз был для нее долгосрочным проектом, инвестицией в будущее. В общем, та еще штучка.

Задыхаясь, с растрепавшимися волосами, Элоиза вошла в кабинет отца и уставилась на него через стол.

— Где ты была? Выглядишь так, будто пробежала целую милю, — улыбнулся ей Хьюз.

Элоиза не произнесла ни слова. Она открыла на мобильнике фотографию Хилари и итальянца, положила телефон на стол прямо перед носом отца и выбежала из кабинета, тем самым проиллюстрировав старый афоризм — одна картинка стоит тысячи слов.

Никто никогда не узнал, что произошло потом. Этим же вечером Хьюз молча вернул Элоизе ее мобильник. Фотография Хилари и помощника повара с него исчезла. Хьюз ничего не сказал об этом ни Дженнифер, ни кому-либо другому. Два дня спустя, немного раньше, чем собиралась, вернулась Салли, все еще опиравшаяся на трость, но очень счастливая. А Хилари бесследно исчезла на следующий день после того, как ее сфотографировали с итальянцем. Никто не решался упомянуть ее имя, а самому итальянцу хватило ума молчать. Для него это было всего лишь развлечение.

На следующий день после инцидента с фотографией Хьюз вошел в кабинет, смущенно взглянул на Дженнифер и сел на свое место. В общем-то он отделался «малой кровью», еще не успев окончательно связать себя с ней, но был на волосок от этого. Хилари строила в отношении него громадные планы, и теперь это понимал даже он. И она вовсе не была той невинной овечкой, которой казалась. По чистой случайности дочь уберегла его от ужасной судьбы.

— Полагаю, никогда не поздно побыть дураком, — сказал он с глуповатой улыбкой Дженнифер, наливавшей ему кофе.

— Она очень хорошо знала, что делала, — мягко ответила Дженнифер и вышла из кабинета.

Все они испытывали искреннюю благодарность к Элоизе, видевшей Хилари насквозь и разоблачившей ее перед отцом. Элоиза спасла его.

Глава 5

И в семнадцать лет отель «Вандом» оставался единственным миром Элоизы. Она закончила первый год старшей школы, сдала в лицее экзамены на бакалавра, и отец подыскал ей работу на лето. Пока Элоиза работала у стойки портье, одетая в красивую темно-синюю униформу, как и остальные женщины. Она заполняла документы, но отец организовал ей стажировку в небольшом тихом отеле в Бордо. Им управлял его старый друг по Школе отельеров, и Хьюз подумал, что это будет неплохая летняя работа и прекрасный опыт. Он не ожидал, что Элоиза тоже займется отельным бизнесом, и не думал, что ему этого хочется, но не хотел, чтобы она без дела околачивалась в отеле. Кроме того, часть августа она собиралась провести в Сен-Тропезе с матерью и Грегом. Хьюз был убежденным сторонником того, что свободное время необходимо заполнять с пользой. Он хотел, чтобы осенью Элоиза поступила в колледж, лучше всего в Барнард или в Нью-Йоркский университет, чтобы она могла остаться дома, и считал, что две летние стажировки будут очень выигрышно смотреться в ее заявлении — в его отеле и в Бордо. Элоизе эта мысль тоже понравилась. Она, как и отец, не любила праздности.

Почти в восемнадцать лет в жизни Элоизы возникли большие перемены — в ней появились молодые люди. Она иногда флиртовала с мальчиками в школе, а миссис Ван Дамм представила Элоизу своему внуку Клейтону, приехавшему к ней в гости из Сент-Пола. Они встречались, когда обоим было по тринадцать, а потом забыли друг о друге. Клейтон четыре класса старшей школы проучился в пансионе и закончил его как раз перед тем, как Элоиза начала свою летнюю стажировку в отеле. Бабушка пригласила его пожить у нее в отеле, и он с радостью принял приглашение. И Элоиза ему понравилась. Они вместе пообедали, несколько раз сходили в кино и на концерт в Центральном парке. Осенью он начинал учиться в Йеле, и они с удовольствием вместе проводили время, пока Элоиза не уехала во Францию. Ничего серьезного в этом не было, оба они быстро поняли, что хотят быть просто друзьями. Никакой «химии» между ними не возникло, зато зародилась настоящая дружба. Он на год обогнал Элоизу в школе, оба они немного нервничали из-за поступления в колледж и много об этом разговаривали. Он оказался славным мальчиком, и бабушка с удовольствием видела их вместе. Она их обоих очень любила.

Элоиза выросла красивой девушкой. Работая за стойкой портье, она скалывала свои рыжие волосы в пучок, и Клейтону нравилось поддразнивать ее, когда он пробегал по вестибюлю на улицу. Остальные служащие за стойкой подшучивали над ними обоими, но Элоиза не обращала на это внимания. Ее постоянно спрашивали, есть ли у нее бойфренд, но она честно отвечала, что нет.

В этом году Хьюзу исполнилось пятьдесят, и работал он еще больше. Виски его слегка посеребрились, седина органично вплеталась в темные волосы. Он гордился Элоизой сильнее, чем раньше, очень радовался тому, что она сдала первую часть экзаменов на бакалавра и к концу учебного года собиралась сдать вторую. И еще он хотел, чтобы Элоиза подумала о своей будущей карьере и о том, чем она хочет заниматься. Его мечта о том, что дочь будет работать с ним в отеле, давно потускнела. Хьюз хотел для нее большего, советовал подумать о юридическом факультете, но Элоизу это не прельщало. Он считал, что юридическая карьера откроет Элоизе многие двери, а отель просто сожрет ее жизнь. Единственное, чего он никак не хотел, — это чтобы дочь уехала учиться куда-нибудь далеко. Он знал, что будет скучать без нее, и часто ей об этом говорил. Но она и сама не хотела уезжать. Пока Элоиза не стремилась покинуть уютный кокон отеля и ни разу не бунтовала против него. Вся ее жизнь сосредоточилась тут.

Особенно она обрадовалась, когда у стойки портье появился летний практикант, хорошо воспитанный, интеллигентный юноша из Милана, учившийся в гостиничной школе в Европе и на три месяца приехавший на стажировку в «Вандом». Между ними мгновенно вспыхнуло влечение, и они часто вместе работали у стойки. Звали его Роберто, ему исполнился двадцать один год, и Хьюз ужасно занервничал, увидев однажды вечером, как они шепчутся за стойкой. На следующий же день он заговорил об этом с Дженнифер, бывшей для него лучшим источником материнских советов и женской интуиции.

— Я не хочу, чтобы она ввязывалась в отношения с этим мальчишкой, — несчастным голосом сказал он Дженнифер.

Та засмеялась.

— Не думаю, что вы можете ей запретить, и сомневаюсь, что безмятежность продлится долго. В один прекрасный день она по уши влюбится в какого-нибудь парня, а вам останется только молиться, чтобы он оказался хорошим.

Ее собственные дети успели вступить в брак, и Дженнифер уже стала бабушкой. Больше всего она беспокоилась за Хьюза, боясь, что однажды Элоиза встретит мужчину своей мечты и оставит отца с разбитым сердцем. Дочь давно стала неотъемлемой частью его повседневной жизни, тем более что она редко виделась и общалась с матерью. Между отцом и дочерью возникли необычно близкие узы, и Дженнифер знала, что оба они будут страдать, когда пуповина оборвется.

Хьюз уже тревожился из-за мужчин, которые когда-нибудь будут искать любви Элоизы.

— Роберто меня беспокоит. Он разобьет ее сердце.

Роберто был на четыре года старше Элоизы, более искушенным, чем она, и флиртовал со всеми женщинами, работавшими в службе портье. Элоизу он просто очаровал, и она говорила Дженнифер, что он сексуальный и красивый, с чем трудно было поспорить.

— Через несколько недель она уедет, — напоминала Дженнифер, стремясь успокоить Хьюза по поводу Роберто. — Но раньше или позже она все равно кого-нибудь встретит, и вам лучше привыкнуть к этой мысли, — предупреждала она.

— Я знаю, знаю, — отвечал он с обеспокоенным видом. Дженнифер всегда возвращала его к реальности. — Но все равно приглядывайте за ними и дайте мне знать, если услышите что-нибудь. Он для нее слишком взрослый и, на мой вкус, чересчур льстивый.

В последующие недели они услышали, что Элоиза по уши влюблена в Роберто и ему она вроде бы нравится. Но Роберто не был дураком. В первую очередь ему требовались рекомендации от Хьюза, и он не собирался все портить, развлекаясь с его дочерью, поэтому вел себя осмотрительно и уважительно. Он несколько раз водил Элоизу обедать, в выходные дни она показывала ему Нью-Йорк, а в перерывах в работе они гуляли по парку. Но насколько Хьюз понимал, Элоиза не спала с Роберто. И как раз вовремя уехала в Бордо. Вряд ли бы он рискнул позволить им провести вместе целое лето — слишком уж Роберто был красивым и обаятельным. Дженнифер рассказала Хьюзу, что, по словам Элоизы, она уехала во Францию девственницей. Они, конечно, целовались и обжимались в задней комнате у стойки, но ничего опасного не произошло. А когда в конце августа она вернется из Сен-Тропеза, Роберто уже уедет. Хьюз испытал искреннее облегчение.

Элоиза улетела в Париж первого июля, а оттуда собиралась ехать в Бордо поездом. Друг Хьюза в шато, где она собиралась проходить стажировку, пообещал, что будет хорошо о ней заботиться. У них с женой есть дочь такого же возраста. Элоизе придется работать за стойкой портье и помогать везде, где потребуются дополнительные руки. Они содержали маленький семейный отель с хорошо налаженным бытом, где люди редко останавливались больше, чем на несколько ночей, пока осматривали регион.

Элоиза испытывала радостное возбуждение по поводу своего путешествия и новой работы, хотя слегка разочаровалась, когда приехала туда. Полусонный отель, и работы в нем меньше, чем у отца в Нью-Йорке. Шато де Бастонь был маленьким и спокойным, но ей понравилась дочь хозяев, которая возила ее по окрестностям и знакомила со своими друзьями. Элоиза многое узнала о вине и о том, как выращивают виноград. Все здесь было естественным, никакого орошения, как в Калифорнии, а один из виноградарей поведал ей, что виноград должен «пострадать», чтобы из него получилось хорошее вино. Да, Элоиза многое сможет рассказать отцу, когда тот позвонит, и это ее радовало.

— Эта стажировка будет выигрышно смотреться в твоем заявлении, — не раз подчеркивал он. И Элоизе нравилась французская молодежь ее возраста, с которой она познакомилась в Бордо. Первого августа она уезжала в Сен-Тропез и жалела, что покидает Бордо, тем более что представления не имела, с чем ей придется столкнуться при встрече с матерью. Уезжая из Бордо, она чувствовала, что завела здесь настоящих друзей, и пообещала им, что однажды непременно вернется.

Мать с Грегом купили в Сен-Тропезе дом. Элоиза не видела мать больше года. Она не знала, как пройдет эта поездка к ним, но Сен-Тропез в любом случае стоило посетить, и ей уже не терпелось все увидеть.

Из Бордо в Ниццу она добиралась самолетом, а туда мать отправила за ней вертолет, на котором Элоиза и долетела до Сен-Тропеза. До дома она добралась в десять вечера. Мириам повела себя так, будто просто в восторге от встречи, и все восклицала, какая Элоиза хорошенькая, словно это чужой ребенок. Сводные брат и сестра Элоизы бегали по дому. Ариэль исполнилось десять, а Джои девять, и они были все такими же неуправляемыми, как и раньше, и английская няня ничего не могла с ними поделать.

Мириам открыла дочери дверь в прозрачном кружевном платье, под которым не было вообще ничего. В свои сорок два года она по-прежнему оставалась красавицей. У них гостили несколько знаменитых рок-звезд со своими женами. Грег помахал Элоизе от ударной установки, на которой как раз играл, а Мириам с бокалом с руках повела дочь в ее комнату. Но когда она открыла дверь, на кровати совокуплялась какая-то пара.

— Ой, ошиблась комнатой! — хихикнула Мириам. — Как глупо с моей стороны. Но у нас столько гостей, что я просто не помню, кто где живет. Думаю, твоя вот эта. — Она шагнула к следующей двери.

Комната оказалась небольшой, но красивой, украшенной белыми кружевами и голубыми лентами, с кроватью под балдахином. В ней никого не было. Мириам вернулась к гостям, а Элоиза в замешательстве закрыла за ней дверь. Похоже, это будет дикая ночь. Такой красивый дом с видом на океан и бассейном, в котором все плавали нагишом. Спустившись к гостям, Элоиза обнаружила, что все они много пьют и балуются наркотиками. Одни вдыхали дорожки кокаина, другие передавали друг другу «косяки». Элоиза, чувствуя себя отвратительно, отказалась от всех предложений и незаметно вернулась в свою комнату, желая снова оказаться в Бордо со своими французскими друзьями. Сцена с матерью, Грегом и их друзьями произвела на нее тяжелое впечатление, и ей не хотелось иметь с этим ничего общего. Мир матери в Сен-Тропезе пугал Элоизу, но она все же решила попытаться и продержаться до конца. Ей слишком редко удавалось увидеться с матерью, и она хотела дать ей шанс, надеясь, что все как-нибудь уладится.

Утром Элоиза позвонила отцу в Нью-Йорк. Он уже два года не отдыхал и сказал, как сильно завидует, что она проведет месяц в Сен-Тропезе, хотя сам он такие места не любил.

Большая часть гостей Мириам и Грега были англичанами из музыкального мира. Секс и наркотики казались их основным родом деятельности, но отцу она об этом рассказывать не стала. Элоиза не хотела его расстраивать. К ленчу все опять сильно напились.

Когда отец спросил об этом по телефону, он изо всех сил постарался, чтобы его голос звучал небрежно и беспечно. Элоиза сделала то же самое, желая ободрить отца. Он не хотел забирать ее от матери, Элоиза и так слишком редко с ней виделась. Но все же Хьюз знал, что стиль жизни Мириам далек от нравственного.

— Да, тут все немного странно, — призналась Элоиза, но не стала рассказывать, что тут все поголовно, кроме детей, употребляют наркотики. Вчера вечером она видела, как мать тоже нюхала кокаин. — Все ведут себя довольно раскованно.

Именно такой Мириам стала за эти годы, а может, и всегда была.

— Но с тобой все в порядке? Тебе никто не надоедает? — Он боялся, что к дочери начнет приставать какой-нибудь из звездных друзей Грега, но все же верил, что она сумеет с этим справиться. Однако его беспокоило, что Элоизу там защитить некому. Дома ее очень оберегали, и все служащие отеля за ней присматривали.

— Все замечательно. Просто тут все равно что на сцене с рок-звездами.

Утром она попыталась поболтать с Ариэль и Джои, но так и не сумела наладить с ними отношения, как ни старалась. Они вели себя расхлябанно, что неудивительно при жизни, настолько отличающейся от ее. По сравнению со всеми ними Элоиза была страшно консервативна.

— Они принимают наркотики? — Теперь голос Хьюза звучал встревоженно. Он совсем не доверял своей бывшей жене и ее мужу.

— Не знаю, — соврала Элоиза. — Да все нормально, пап. Просто мы с ними давно не виделись, и после Бордо это в некотором роде шок.

Ах, как ей было там весело и хорошо! Намного лучше, чем она ожидала.

— В общем, если все станет слишком странно, просто уезжай. Можешь сказать матери, что у нас тут непредвиденный случай и тебе нужно срочно домой. Полетишь из Ниццы.

— Не волнуйся, папа. Я уже большая девочка, — успокоила его Элоиза. — Посмотрю, как оно пойдет. А по пути домой я могу на пару дней остановиться в Париже.

Две ее школьные подруги как раз сейчас находились в Париже, приехали на лето погостить у родственников.

— Я не хочу, чтобы ты оказалась в Париже одна. Может быть, в Сен-Тропезе все будет хорошо. Попытай удачи, — спокойно сказал отец, не имевший представления о том, что тут происходило. Но Элоиза не хотела ему рассказывать, чтобы не тревожить его лишний раз.

Этим вечером она чувствовала себя еще ужаснее, чем предыдущим. Все опять напились, нюхали кокаин и занимались сексом во всех свободных комнатах, в том числе мать с Грегом и с еще одной парой, о чем они вслух объявили всем и каждому, прежде чем вчетвером подняться наверх. Это было больше, чем Элоиза могла выдержать или знать о собственной матери, и приводило ее в страшное замешательство. Она чувствовала себя втянутой во все это по самые уши, хотя никто даже не пытался ее соблазнить. Кое-кто из друзей Грега попытался к ней подкатиться, но все они быстро понимали, что она чересчур правильная. Элоиза не могла найти общего языка со сводными сестрой и братом, слишком дерзкими и дурно воспитанными, и, что особенно печально, не находила ничего общего с собственной матерью, существом из другого мира. Складывалось впечатление, что Элоиза более взрослый человек, чем мать, которая, похоже, не думала ни о ком, кроме Грега. Казалось, что она полностью утратила интерес даже к их общим детям и не обращала на них никакого внимания.

Проведя еще два дня в Сен-Тропезе, Элоиза решила махнуть рукой на этот визит. Все здесь ее смущало, а мать она почти не видела. Да еще постоянные наркотики — нет, это ей не нравилось. Она жалела сводных брата и сестру, вынужденных расти в подобной атмосфере.

Звонить отцу и сообщать, что уезжает, Элоиза не стала, не хотела его волновать. Кроме того, он бы потребовал, чтобы она возвращалась домой, а она хотела сначала побывать в Париже. Элоиза сказала матери, что ей придется уехать раньше, чем она собиралась, но Мириам не стала возражать и даже не спросила, в чем причина. Она видела, что Элоизе здесь не нравится, да и сама Мириам считала, что дочь мешает ей развлекаться.

Элоиза уехала на следующее утро, пока все еще спали, оставив благодарственную записку. До Ниццы она взяла такси, которое обошлось ей в двести долларов, а оттуда улетела в Париж. В четыре часа пополудни она уже оказалась в городе и, взяв такси, направилась в молодежный хостел, расположенный в старом монастыре в Маре, в четвертом округе. Ничего шикарного, зато чисто и вполне прилично. Там было много приятной на вид молодежи с рюкзаками, в том числе несколько американцев, поздоровавшихся с ней, когда она вошла. Были там и англичане, и австралийцы, несколько итальянцев и двое юношей из Японии. За какие-то смешные деньги Элоизе предложили кровать в комнате на двоих размером с гардеробную, но она все равно испытывала невероятное облегчение, оказавшись тут. К тому времени она бы пошла почти на все, лишь бы уехать из Сен-Тропеза. Мать в очередной раз разочаровала ее, но Элоиза к этому уже привыкла, зато теперь она в Париже и сможет самостоятельно открывать для себя этот город, что приводило ее в восторг. Отец привозил ее сюда ребенком, но на этот раз она собиралась изучать его сама — походить по музеям, посидеть в кафешках, питаться в маленьких бистро, а еще сходить в отели, вдохновившие ее отца на создание своего.

Первым пунктом в ее списке значился отель «Ритц» на площади Вандом. Элоизу предупреждали, что в джинсах ее туда не пустят, поскольку она там не живет, поэтому она надела простые черные брюки, белую блузку и стянула свои длинные рыжие волосы в пучок, как делала во время работы. Так она выглядела немного старше своего возраста. Стоило войти внутрь, и ее охватило благоговение при виде элегантного окружения: длинный, весь в зеркалах, вестибюль, деревянные панели, ливрейные лакеи ее возраста, одетые в почти точно такую же униформу, как посыльные в отеле «Вандом». Она прошла через вестибюль и заглянула в бар. Каждая мелочь в отеле была прекрасна, от цветов до люстр, и теперь она понимала, отчего это так вдохновило отца на создание собственного отеля в таком же стиле.

Воспользовавшись картой города, Элоиза пошла в «Крийон», еще один элегантный старый отель, расположенный на площади Согласия. В купленном путеводителе она прочитала, что много лет назад перед отелем стояла гильотина. «Крийон» тоже был прекрасен. А оттуда Элоиза направилась на улицу Рояль в отель «Морис». Во время Второй мировой войны в нем располагался немецкий штаб. «Морис» тоже относился к лучшим отелям Парижа.

«Плазу Атени» и «Георга V», называвшегося теперь «Четыре сезона», Элоиза приберегла на завтра. Они точно так же впечатлили ее своей элегантностью и красотой. Но сердце ее пленил «Ритц», и она возвращалась туда снова и снова. Она пила чай в саду, воскресным утром завтракала в салоне «Цезарь» и присматривалась к тому, какие идеи можно позаимствовать для «Вандома».

Она сфотографировала на мобильник цветы в «Георге V», чтобы дома показать их Джен. Американский дизайнер Джефф Литэм создал совершенно новый стиль, и его расстановка цветов полностью отличалась от всего, виденного Элоизой раньше. Он ставил длинные стебли в высокие прозрачные вазы под неожиданными углами, и композиции становились настоящими произведениями искусства. Элоиза решила попытаться повторить это в вестибюле своего отеля. Впервые в жизни она ощущала себя полноправным партнером отца и сильнее, чем раньше, гордилась тем, в какую жемчужину тот превратил «Вандом». Париж казался ей меккой гостиничной индустрии, так что она посетила и несколько небольших элегантных отелей вроде «Сент-Джеймса» в шестнадцатом округе, где элегантность Франции сочеталась с атмосферой британского клуба для мужчин — фамильные портреты, деревянные панели и глубокие кожаные диваны в баре.

Элоиза провела в Париже неделю, разыскала каждый отель, о котором когда-либо слышала, и даже несколько совсем маленьких на Левом берегу. А вечером возвращалась в молодежный хостел и планировала, что посмотрит завтра. Через несколько дней ей пришлось поменять хостел, чтобы не превысить разрешенный в нем для проживания лимит дней. Элоиза переехала в другой, неподалеку, тоже расположенный в Маре.

Национальные памятники интересовали ее гораздо меньше, чем отели. Она записывала все, что увидела, и фотографировала то, что, как ей казалось, можно будет повторить дома.

В конце концов ей дозвонился очень расстроенный отец. Сначала он несколько дней подряд названивал в Сен-Тропез, но там никто не брал трубку, а потом Мириам сообщила, что Элоиза больше недели назад уехала в Нью-Йорк. Тогда он попытался дозвониться на мобильник дочери, но она не отвечала. Он звонил и в Бордо, где дочь хозяев сказала ему, что Элоиза в Париже (Элоиза звонила ей, чтобы рассказать о своих приключениях). И только через два дня он отыскал саму Элоизу.

— Где ты остановилась? — раздраженно спросил он, недовольный тем, что Элоиза ему ничего не сообщила. За одно лето она вдруг стала слишком независимой, и это ему не нравилось. Но Элоиза выполняла свое собственное задание и не хотела, чтобы ее заставили вернуться домой, поэтому и старалась как можно дольше оставаться недоступной.

— Я в Париже, осматриваю отели, а живу в очень славном молодежном хостеле в Маре. Папа, здешние отели такие красивые, что мне просто плакать хочется. — Она говорила о них, как о святынях. — А «Ритц» — самый прекрасный отель на свете, после нашего, конечно.

Несмотря на свое недовольство и беспокойство, Хьюз рассмеялся, услышав это.

— Я знаю об этих отелях все. Я в них работал. Но почему ты не позвонила мне, когда уехала из Сен-Тропеза от матери? Что, было так плохо?

— Не так чтобы замечательно, — расплывчато ответила Элоиза.

Хьюз и сам понимал, что она бы не уехала, не будь там все ужасно.

— И не заставляй меня возвращаться домой, — честно предупредила она. — Я все равно хотела посмотреть Париж, причем сама. И очень рада, что приехала сюда.

С тех пор как она оказалась здесь, все стало проясняться, и теперь Элоиза точно знала, чего хочет, но собиралась обсудить с ним это не по телефону, а по возвращении домой.

— Ну а я говорю, чтобы ты немедленно возвращалась. Сажай свою задницу на самолет. Не хочу, чтобы ты одна болталась по Парижу, ты там и так слишком долго пробыла.

Элоизе хотелось остаться тут навсегда.

— Со мной все хорошо, папа. Можно мне остаться еще на несколько дней? Я еще не хочу уезжать.

Хьюз заворчал, но в конце концов позволил ей остаться при условии, что она будет звонить ему дважды в день.

— Конечно, обещаю.

В глубине души Хьюз очень впечатлился тем, что она прекрасно справилась самостоятельно. Дочь действительно выросла.

— И не езди поздно вечером на метро! Бери такси. Деньги нужны?

— Нет, спасибо. Мне хватает.

Он потрясенно понял, что Элоиза вполне уверена в себе. Она покинула дом матери, не важно, по какой причине, отправилась в Париж и, видимо, прекрасно проводит там время. Ему не терпелось скорее ее увидеть, но он понимал, что это очень полезный для нее опыт. Она поработала в Бордо, уехала из Сен-Тропеза и отлично себя чувствует в Париже. Лето оказалось для Элоизы крайне интересным, и ей это нравилось.

Она горячо поблагодарила отца за разрешение задержаться еще на несколько дней и пообещала, что через неделю вернется домой, потому что еще через неделю начинался ее последний учебный год в лицее. Время своего путешествия Элоиза рассчитала блестяще.

Она вернулась, как и обещала, через восемь дней, еще несколько раз заглянув в «Ритц» и в последний вечер выпив что-то в баре «Хемингуэй». Раза два Элоиза встречалась со школьными подружками, да еще несколько раз ее пытались подцепить мужчины в бистро и барах, но она отлично сумела постоять за себя. Из «Ритца» в хостел Элоиза уехала на такси, а рано утром полетела в Нью-Йорк. Поездка в Париж прошла исключительно успешно.

Весь полет до Нью-Йорка она сидела молча, с мечтательным видом. Таможню прошла быстро. Перед отлетом Элоиза позвонила отцу, сообщив номер рейса, и он встречал ее в аэропорту на «роллс-ройсе» с водителем. Счастливо улыбаясь, она прыгнула к нему в объятия, радуясь, что снова дома. Хьюз скучал по ней сильнее, чем готов был признаться.

— Смотри, поступай в Барнард или в Нью-Йоркский университет, — предупредил ее отец, когда они ехали в отель. — Больше я тебя так надолго не отпущу.

Элоиза несколько минут молча смотрела в окно, затем обернулась к отцу с серьезным и решительным видом. Такого он за ней еще никогда не замечал. Она посмотрела ему в глаза, и Хьюз внезапно понял, что перед ним не ребенок, а взрослая женщина.

— Я не буду поступать ни в Барнард, ни в университет, папа. Я собираюсь подавать документы в Школу отельеров в Лозанне, — произнесла она спокойно. Речь шла о той самой школе, в которой когда-то учился Хьюз, но меньше всего он хотел, чтобы Элоиза делала себе карьеру в гостиничной индустрии. Ей придется жертвовать слишком многим, не имея никакой другой жизни. — Я посмотрела в Интернете. У них есть двухгодичная программа, которая мне подходит, и один год из двух — стажировка в гостиницах. Я хочу управлять отелем вместе с тобой, и у меня есть множество идей, которые мы можем попробовать воплотить в жизнь прямо сейчас.

— Когда-то я мечтал, чтобы ты занималась отелем вместе со мной, — печально сказал Хьюз. — Но мне хочется, чтобы ты жила более счастливо. У тебя не будет никакой личной жизни. Никогда не хватит времени на мужа и детей. Посмотри на меня — я работаю по восемнадцать часов в день! Я хочу для тебя лучшего.

— Это все, чего я хочу и что люблю, — твердо произнесла Элоиза и решительно посмотрела на отца. — Я хочу работать с тобой, а не валять дурака, как я делала ребенком. И хочу взять на себя руководство, когда ты состаришься.

После всего, что она увидела летом в Европе, Элоиза хорошенько подумала и была совершенно уверена — она хочет работать в отеле.

— Спасибо большое, пока еще я не дряхлый старец, — засмеялся Хьюз, хотя его это тронуло. — Но ты должна жить лучше, а не работать по восемнадцать часов в сутки всю оставшуюся жизнь. Тебе этого пока хочется, потому что ничего другого ты до сих пор не знала.

Отель для нее — место привычное, но Хьюз хотел, чтобы Элоиза могла вести нормальную жизнь, а не такую, как он.

— Нет, я хочу этого, потому что увидела все до единого знаменитые парижские отели и пришла в восторг от того, каким ты сделал «Вандом». Может быть, вместе мы сделаем его еще лучше. Мне нравится жить в отеле и работать в нем, и это единственная жизнь, которую я для себя хочу.

Стоило ей произнести это, Хьюз почувствовал себя виноватым за то, что так редко вывозил ее из отеля. Нет, он не хочет, чтобы его дочь провела всю свою жизнь в стенах маленькой гостиницы в Верхнем Ист-Сайде на Манхэттене. И остаток дороги он потратил на попытку убедить ее передумать.

— Зачем ты мне все это говоришь? — спросила Элоиза в конце концов. — Ты не любишь то, чем занимаешься, папа?

— Люблю. Для себя, но не для тебя. Мне хочется, чтобы ты увидела жизнь во всем ее многообразии. — И стоило ему произнести это, он словно услышал своих родителей, говоривших ему то же самое тридцать лет назад. Он приводил ей те же доводы, что в свое время они, когда уговаривали его стать банкиром, врачом или адвокатом. Они сделали все возможное, чтобы отговорить его от Школы отельеров, в точности как он пытается сейчас поступить с собственной дочерью. Хьюз взглянул на нее и внезапно замолчал, поняв, что она имеет право сделать свой выбор, и если ей нравится эта работа, если она хочет так распорядиться своей жизнью, он не смеет стоять у нее на пути и разубеждать.

— Я не хочу, чтобы ты принесла свою жизнь в жертву отелю, — печально произнес он. — Мне хотелось, чтобы у тебя был муж, и дети, и более удачная жизнь, чем у меня.

— Разве ты несчастлив в «Вандоме»? — спросила Элоиза, пытливо на него глядя.

Хьюз покачал головой.

— Нет, я его очень люблю, — честно признался он. Свое место в жизни он выбрал давным-давно, что бы родители по этому поводу ни думали.

— Так почему ты не позволяешь мне заниматься тем, что люблю я? Всю свою жизнь я обожала отель, и на свете нет другого дела, которое я полюбила бы больше. Это то, чему меня научил ты, а я хочу научить своих детей, передать им по наследству.

Хьюз негромко засмеялся:

— Вполне возможно, что они захотят стать врачами или адвокатами.

Элоиза улыбнулась:

— Хорошо. В таком случае я буду работать с тобой, пока мы оба не состаримся.

— Ты пытаешься мне сказать, что покинешь меня и на два года уедешь в Швейцарию? — грустно спросил он.

— Ты можешь приезжать в гости. Я буду возвращаться домой на каникулы и праздники, на Рождество, к примеру, или весенние каникулы.

— Только попробуй не приехать! — прорычал он, обнимая дочь за плечи.

Пока она была в Париже, для нее перелистнулась страница, и оба они это понимали. Элоиза шагнула из детства в зрелость, и в этой взрослой жизни она хотела быть рядом с ним, управляя отелем «Вандом».

— Не следовало мне отпускать тебя в Европу, — добродушно пробурчал Хьюз, глядя на дочь и понимая, насколько она повзрослела за эти два месяца. Она выглядела потрясающе и казалась очень уверенной в себе и в своем будущем.

— Это бы все равно произошло. Я не собиралась поступать ни в Барнард, ни в Нью-Йоркский университет. Хочу только в Школу отельеров. Я горжусь тем, чем мы занимаемся, и хочу научиться делать это как можно лучше, чтобы помогать тебе.

— Хорошо, — вздохнул Хьюз, когда они уже подъезжали к отелю, и повернулся к дочери с покорным видом. — Хорошо, ты победила. И добро пожаловать домой.

Вслед за ней он выбрался из машины и вошел в вестибюль. Все посыльные, портье и консьержи радостно приветствовали Элоизу и поздравляли с возвращением. А Хьюз отчетливо видел, что ребенок исчез навсегда, а в отель вернулась взрослая женщина. Где-то между Парижем, Бордо и Сен-Тропезом из куколки выпорхнула бабочка.

Глава 6

Свой последний год в лицее Элоиза начала с куда большей уверенностью в себе, чем до сих пор. Теперь она знала, чем хочет заняться, и поставила перед собой четкие цели. В октябре она отправила заявление в Лозанну, в Школу отельеров, и рассказала об этом миссис Ван Дамм. Старый песик, Джулиус, умер несколько лет назад, его заменила другая собачка, девочка-пекинес по кличке Мод. Миссис Ван Дамм от души одобрила желание Элоизы учиться в Школе отельеров, раз ей это нравится. Ее внук Клейтон учился в Йеле, но собирался заниматься фотографией. Элоиза об этом знала, они несколько раз беседовали об этом летом, а бабушка всячески поощряла Клейтона стремиться к исполнению мечты. Она говорила, что в конечном итоге это все, что есть у человека, и воплощать мечты в жизнь — единственный достойный путь. Элоиза с удовольствием узнавала, как дела у Клейтона, но не видела его уже несколько месяцев. Летом была занята она, а сейчас он наслаждался своим первым годом в колледже и редко приезжал в Нью-Йорк. Но время от времени он звонил Элоизе и рассказывал, что Йель ему нравится, однако он намерен перевестись в Браун, где можно изучать фотодело.

Старая вдова за последний год заметно сдала. Элоиза беспокоилась за нее и все время обещала, что будет заходить чаще, но была очень занята в школе, кроме того, это был ее последний год дома, если она, как надеялась, поступит в Школу отельеров в Лозанне.

После Дня благодарения миссис Ван Дамм заболела. Она подхватила сильную простуду, перешедшую в бронхит, а затем в пневмонию. Хьюз заглядывал к ней по несколько раз в день, а Элоиза добросовестно заходила после школы и приносила небольшие вазочки с цветами от Джен. Из Бостона приехал сын миссис Ван Дамм, и после консультаций с доктором ее положили в больницу. Из отеля старушку увезли в карете «скорой помощи». Элоиза поцеловала ее на прощание и пообещала заботиться о собаке. Хьюз с Элоизой навещали ее, принесли ей большой букет цветов, но миссис Ван Дамм все больше и больше теряла интерес к жизни и за неделю до Рождества, в восемьдесят девять лет, тихо ушла во сне. Она была единственной бабушкой, имевшейся у Элоизы. Ее настоящие бабушки и дедушки умерли еще до ее рождения, и девушка искренне оплакивала смерть старой леди, такой доброй к ней всю ее жизнь. Ее сын позволил Элоизе оставить у себя Мод, за что девушка была ему очень благодарна.

Погребальную службу провели в церкви Святого Томаса, и многие служащие отеля пожелали на нее пойти. Их оказалось так много, что Хьюз попросил Дженнифер организовать автобус. Пришел даже инженер Майк, одетый в темный костюм, а также Эрнеста, Брюс, Джен, несколько горничных, лифтер, двое посыльных, Дженнифер, Элоиза и Хьюз.

Клейтон сидел вместе с родителями, и им с Элоизой едва хватило времени поздороваться. Выглядел он таким же подавленным, какой себя чувствовала она. Причем Элоиза, жившая с миссис Ван Дамм в одном отеле, виделась с ней чаще и, пожалуй, знала ее лучше, чем внук, редко приезжавший в Нью-Йорк. Это был печальный день для Хьюза и Элоизы, наложивший тяжелый отпечаток на Рождество.

В отеле начался горячий сезон. Еще раньше Элоиза ввела кое-какие изменения, вспоминая то, что видела в Париже. Джен пыталась делать цветочные композиции в вестибюле, как это делал Джефф Литэм в «Георге V», руководствуясь сделанными Элоизой фотографиями. Элоиза многое добавила к меню позднего завтрака из того, что подметила в «Ритце». Люди уже отмечали, какими эффектными стали цветочные композиции и каким вкусным бранч. Хьюз гордился дочерью, и она этому радовалась. Кроме того, она вспоминала то, что услышала в Бордо, и применяла это к винам, которые выбирала в винном погребе. Вернувшись из Франции, Элоиза тут же снова приступила к своей деятельности по организации пожертвований в продовольственный фонд и к работе в бесплатной столовой и дважды в неделю семейном приюте в городе. Хьюза все это очень впечатляло.

Но главное событие случилось в январе, когда Элоиза получила из Школы отельеров сообщение, что она принята и может приступать к учебе осенью. Она не подавала документы ни в какой другой колледж и пришла в восторг, получив письмо. Только этого она хотела, только об этом мечтала. Она обзвонила всех своих школьных друзей и рассказала о своей радости. Больше никто, кроме нее, пока не знал, где будет учиться, и узнать они могли только в марте, а дальнейший путь Элоизы определился.

Оставшиеся месяцы пролетели быстро, с обычной работой в отеле, важными гостями, VIP-персонами, зарубежными сановниками, знаменитыми кинозвездами и политиками. Отец с трудом сумел предотвратить забастовку на кухне. Некоторые служащие уволились или вышли на пенсию, появились новые. Элоизе редко хватало времени заглянуть в бальный зал и посмотреть на свадебный прием. Каждые выходные она проводила на ресепшене, набираясь опыта и умений. И все, что она делала, вызывало у Хьюза горькую радость. Он все время помнил, что через несколько месяцев дочь уедет, пусть всего на год или два. Он очень надеялся, что проходить стажировку для получения диплома Элоиза будет в его отеле, но сама она в этом сомневалась. Ей хотелось попробовать свои силы в другом месте, желательно в Европе, и только потом навсегда вернуться в «Вандом».

Хьюз сильно печалился из-за скорого отъезда дочери в Европу и жаловался на это Дженнифер, но та считала, что это только пойдет ему на пользу. Им обоим давно пора было перерезать пуповину, но Дженнифер понимала, что они слишком близки и это будет тяжело.

Той весной Элоиза несколько раз встречалась с мальчиками из класса, но обошлось без серьезных романов. Она полностью сосредоточилась на отъезде и будущем обучении в Лозанне и могла говорить только об этом. Хьюз решил, что за месяц до начала учебы он вместе с дочерью отправится в путешествие по Европе, а затем сам привезет ее в Лозанну. За долгие годы он впервые отправлялся в настоящий отпуск. Дженнифер занялась приготовлениями. Они собирались провести несколько дней в отеле «Дю Кап — Эден-Рок» на мысе Антиб, оттуда перебраться в «Сплендидо» в Портофино, затем улететь на Сардинию, а оттуда — в Рим. Потом поехать на машине во Флоренцию и Венецию, а закончить поездку в Лозанне. Оба очень ждали этого отпуска.

Дженнифер хорошо представляла себе, насколько одиноко Хьюз будет себя чувствовать, вернувшись домой. Она сама прошла через это, когда ее дети уехали учиться в колледж, поэтому подала ему мудрую мысль — начать осенью новый проект. Элоиза поддержала ее идею и убедила отца заняться обновлением некоторых люксов, в особенности президентского и тех, что находились в пентхаусе. Отелю исполнилось уже четырнадцать лет, и необходимость назрела давно. Они, конечно, занимались мелким текущим ремонтом, чтобы содержать номера в хорошем состоянии, но Элоиза предложила заменить в лучших люксах расцветки и ткани и обновить интерьер. Сошлись на том, что потребуется декоратор, так что Дженнифер составила список. В него вошли четверо — три женщины и один мужчина. Хьюз согласился встретиться с ними в конце августа, когда он вернется домой, попрощавшись с Элоизой в Лозанне. Дженнифер с Элоизой считали, что именно это сейчас Хьюзу и нужно — он будет занят больше прежнего, и это отвлечет его от тоски по дочери.

Путешествие по Италии и Франции оказалось для Элоизы просто захватывающим, они чудесно провели время. Останавливались в самых лучших отелях, ели изумительные блюда, восхищались достоинствами и деталями каждого отеля и решили кое-что перенять. Поездка для обоих прошла потрясающе, но все же у Хьюза было тяжело на сердце, когда они прибыли в Лозанну и остановились в «Бо-Риваж Палас», где он в юности проходил стажировку. Хьюз словно совершил путешествие во времени. Вспомнил родителей и то, как упорно они возражали против его учебы в почтенной школе, где вот-вот начнет учиться Элоиза. И как бы сильно он ни печалился, все равно невольно улыбался, видя, как счастлива дочь, как ждет начала занятий, как стремится скорее узнать все, что только возможно, и начать работать вместе с ним в «Вандоме». Это трогало его сердце.

Сама школа оставалась такой же красивой, как он помнил, — просторные современные здания, аккуратные дорожки, чудесные деревья и хорошо ухоженные лужайки. К услугам студентов имелись хозяйственные службы, телефоны в каждой комнате и свободный доступ в Интернет. Школу содержали безупречно. Там даже предоставляли каждому студенту личный компьютер, который он после выпуска забирал с собой.

Элоизе предложили выбрать два из восемнадцати доступных в школе видов спорта. Она записалась на плавание и современные танцы. Здесь стремились поддерживать здоровый дух в здоровом теле, рассчитывая, что так студенты будут учиться намного усерднее.

Еще на территории кампуса имелись превосходная библиотека, ультрасовременные кухни и несколько ресторанчиков, куда любили ходить студенты. В них предлагались курсы энологии (науки о виноделии), на которые Элоиза, заинтересовавшаяся этим еще в Бордо, тут же записалась. Имелись еще два бара, которыми управляли сами студенты, и каждый вечер в них было полно народу.

Элоиза выбрала программу «Управление деятельностью отеля», где преподавание шло на английском и французском языках. В ее отделении было пятьдесят студентов и еще сто тридцать выбрали более длительную программу; представители восьмидесяти пяти национальностей, как мужчины, так и женщины. Ни Хьюз, ни Элоиза даже не сомневались, что ей здесь будет очень хорошо и она выучит все, что хочет знать. Но сердце его все равно ныло.

Стоял поздний август, в воздухе уже ощущалась осенняя прохлада, леса и горы, окружавшие школу, были просто великолепны. Все это так сильно напоминало Хьюзу о его молодости! Он свозил Элоизу на денек в Женеву, расположенную всего в часе езды от кампуса, и показал, где он ребенком жил со своими родителями. Эта поездка стала для него своего рода паломничеством.

Оба они плакали, когда прощались в ее комнате-студии. Элоиза казалась такой же грустной, каким чувствовал себя, уезжая, Хьюз, но уже через час она распаковывала вещи, и какие-то молодые люди приглашали ее на обед, и к вечеру она обзавелась полудюжиной новых друзей. К этому времени Хьюз уже сидел в самолете, уносившем его в Нью-Йорк, смотрел в окно и гадал, что же он будет делать без нее. Добравшись до дома и увидев собачку, он затосковал еще сильнее. Мод смотрела на него выжидательно, словно спрашивала, куда делась Элоиза. Он разобрал вещи, а в шесть утра уже сидел в своем кабинете. Дженнифер, пришедшая в восемь, очень удивилась, увидев босса и стопку уже прочитанных и подписанных документов.

— Что вы тут делаете в такую рань? Разница во времени? — спросила она, налив ему кофе и поставив чашку на стол.

— Возможно, — ответил он. — В апартаментах без нее так пусто... просто невыносимо, так что я решил спуститься и поработать, раз все равно не сплю.

— Вы помните, что мы обещали Элоизе и чем мы будем сегодня заниматься? — спросила Дженнифер материнским тоном.

Хьюз явно ужасно страдал от синдрома опустевшего гнезда. Все эти годы он был своему единственному ребенку и отцом, и матерью, а сейчас просто не мог приспособиться к тому, что дочь оказалась за три тысячи миль от него. Впрочем, они заранее знали, что так оно и будет.

— А что я сегодня должен делать? — Он посмотрел на Дженнифер пустым взглядом.

— Выбрать декоратора, чтобы начать модернизацию люксов на девятом и десятом этажах. — Дженнифер протянула ему список. Хьюз утомленно взглянул на него.

— Это что, обязательно? Мне некогда об этом думать, профсоюз опять угрожает забастовкой.

— Поэтому вам и нужен декоратор, чтобы вы могли заняться другими делами.

— Мы с Элоизой можем выбрать ткани, когда она вернется домой. Это ждало так долго, подождет еще несколько месяцев.

Хьюз явно пытался увильнуть.

— Нет, не подождет. Вы пообещали дочери, и я, в свою очередь, обещала ей, что прослежу за тем, как вы выберете одного из декораторов и начнете ремонт до ее возвращения.

Хьюз что-то недовольно пробурчал, но начал просматривать фотографии апартаментов и отелей, подсунутых ему помощницей. Один показался ему чересчур современным и пустым. Помещения, разработанные мужчиной, были чересчур разукрашенными. Все четверо дизайнеров интерьеров считались самыми успешными в Нью-Йорке. Две последних работы показались ему ближе к стилю его отеля — элегантные и изящные, но не чрезмерно.

— Могу я назначить собеседования вот этим двоим, чтобы вы решили, кто вам больше подходит? Потом пусть представят свой вариант дизайна, планы люксов и примерную оценку стоимости.

— Хорошо, — раздраженно ответил Хьюз, но Дженнифер не дрогнула. Они с Элоизой договорились стоять на своем, нравится ему это или нет. Пока определенно не нравилось. Последнее, что сейчас требовалось Хьюзу, — это декоратор, который будет везде таскаться следом, совать ему в нос образцы тканей и таблицы расцветок. Весь проект казался Хьюзу досадной помехой, но его требовалось осуществить, чтобы отель оставался элегантным и красивым.

Дженнифер забрала фотографии и вышла из комнаты, а Хьюз вернулся к накопившейся работе и тут же обо всем забыл. Днем от Элоизы пришло текстовое сообщение. Она сказала, что разрывается между классами и у нее нет времени поговорить, но все отлично. Откровенное возбуждение в тексте привело Хьюза в еще большее уныние. Он понимал, что тревога его беспочвенна, но вдруг она найдет себе работу в другом отеле, к примеру, в «Ритце», и вообще не вернется? Он терзался тысячей разных страхов и страшно по ней тосковал.

Находясь в таком мрачном настроении несколько дней подряд, Хьюз сильно удивился, когда неделю спустя Дженнифер сообщила, что собеседования с двумя декораторами назначены на сегодня, одно за другим.

— У меня нет времени! — рыкнул на нее он, что на него совсем не походило. Но со времени отъезда дочери Хьюз грубил и Дженнифер, и всем остальным. Он очень страдал. Дженнифер прекрасно это понимала — она сама прошла через это, когда ее дети с разницей в год уехали в колледж. Работа в отеле отвлекала ее и сделала весь процесс менее мучительным, так что теперь она твердо решила помочь Хьюзу преодолеть это. Он долгие годы был для нее хорошим работодателем и хорошим другом, и если Дженнифер в состоянии помочь ему приспособиться к отъезду Элоизы в Швейцарию, она с радостью это сделает. Проект же, придуманный еще его дочерью и одобренный тогда им, казался лучшим способом справиться с болью.

Несмотря на ворчание и жалобы, Хьюз все же появился в офисе за пять минут до прихода первого декоратора и кинул на свою помощницу мрачный взгляд. Она вынудила его провести целых два собеседования!

— Не нужно на меня так смотреть, — улыбнулась Дженнифер. — Люксы на девятом и десятом этажах станут просто великолепными, когда все закончится, и вы сможете повысить за них плату. А если вы никого для этого дела не наймете, Элоиза вернется и убьет нас обоих.

— Знаю-знаю, — вздохнул он с измученным видом.

Через десять минут появилась первая женщина-декоратор, представившая поистине блестящие рекомендации. Она занималась отделкой нескольких по-настоящему важных домов в Нью-Йорке, отеля в Сан-Франциско, двух в Чикаго и одного в Нью-Йорке, и все они были примерно одинаковой величины и в том же стиле, что «Вандом». Хьюз побеседовал с ней несколько минут о проекте, и внезапно ему стало страшно скучно. Она говорила о тканях, текстурах, оконных драпировках и оттенках краски так, что он чуть не заснул. Возрастом она приближалась к пятидесяти годам, на нее работала целая армия людей, и она, конечно, легко могла справиться с задачей, но ничего из ею сказанного Хьюза не заинтересовало. Он попросил Дженнифер проводить ее наверх и показать все четыре люкса. Вернувшись, она заявила, что из них нужно все выбросить. Все устарело, поблекло и вообще — все это вчерашний день. Она хочет придать люксам совершенно новый вид. Все это казалось Хьюзу чрезмерным, и он подозревал, что и счет покажется таким же. Он попросил ее предоставить примерную оценку стоимости. Понятно, что цены на ткани и мебель могут разниться, но он хотел иметь примерное представление — и пообещал, что после этого снова с ней свяжется. Однако ничто во время этой встречи не вдохновило Хьюза предложить ей работу. Когда Дженнифер, проводив ее, вернулась, он сидел с утомленным видом.

— У меня такое чувство, что ее интерьер обойдется вам в целое состояние, — заметила Дженнифер. Хьюз с ней полностью согласился.

— Она меня просто измучила одними разговорами. И если ее интерьеры так же скучны, как она сама, люксы будут выглядеть намного хуже, чем сейчас. А ведь сейчас они выглядят вовсе не плохо.

Дженнифер согласилась, а через двадцать минут впустила в кабинет еще одну женщину. Моложе, чем первая, на вид спокойная и консервативная, она держала в руках кейс с эскизами, образцами и предложениями. Более того, она уже успела взглянуть на люксы онлайн, и у нее появилось несколько интересных идей. К своему большому удивлению, Хьюз понял, что ее идеи ему нравятся и она может привнести в проект энергию и жизнь.

Звали ее Натали Питерсон, и известность она заработала, занимаясь отделкой особенно знаменитых домов в Саутгемптоне и Палм-Бич, нескольких в Нью-Йорке и одного небольшого отеля в Вашингтоне, округ Колумбия. Для ее возраста список достижений был не таким внушительным, как у предыдущей дамы, но она уже успела получить несколько наград за свою дизайнерскую работу. Она сумела произвести на Хьюза впечатление презентацией и манерой ее подачи, ему понравился ее энтузиазм. Она казалась живой, энергичной, а глаза светились лукавством.

— А что заставило вас взяться за этот проект? — спросила она Хьюза. Хм, а вопрос-то довольно интересный! — У вас есть какая-то скрытая цель? Осовременить отель, улучшить его репутацию, повысить плату за люксы?

— Осчастливить дочь, которая все это задумала. И если я не начну до Рождества, она снимет с меня голову.

Натали расхохоталась над предельно честным ответом и улыбнулась ему через стол.

— Похоже, эта юная леди обладает огромным влиянием на отца, — заметила она.

— Совершенно верно. И она была единственной женщиной в моей жизни, начиная с четырехлетнего возраста.

Услышав это, Натали невольно начала гадать, вдовец он или разведен.

— Она сейчас учится где-то в колледже?

Хьюз гордо кивнул:

— Да. В Школе отельеров, гостиничной школе в Лозанне. Начала учебу всего неделю назад. Я был против, хотя и сам ее заканчивал.

— Вам не нравится школа? — с интересом спросила Натали. Она испытывала искреннее любопытство — такой серьезный, успешный мужчина, причем явно помешанный на своем ребенке.

— Мне не нравится, что она так далеко отсюда. И я не хотел, чтобы она занималась отельным бизнесом, но она меня переупрямила. Это будут долгие два года — ждать, когда она вернется, разве только она захочет проходить стажировку в нашем гостеприимном доме. Не знаю, как я дождусь ее возвращения, — честно признался Хьюз, и тоскливое выражение его лица тронуло сердце Натали. Говоря это, он выглядел таким ранимым. Она читала его биографию, знала, что ему пришлось пережить, знала, что ему исполнилось пятьдесят два года. Он выглядел моложе своего возраста и находился в прекрасной форме. — А у вас есть дети? — спросил Хьюз.

Натали улыбнулась:

— Нет. Я никогда не была замужем. Сначала строила свой бизнес, отнимавший у меня все время, а теперь уже поздновато. Зато мне не придется сидеть дома с заболевшим ребенком или справляться с подростковым кризисом вместо того, чтобы заниматься вашим делом. — Хьюз засмеялся. Похоже, ее устраивает быть той, кто она есть. — А ваша дочь кажется мне достойной того, чтобы сделать ее счастливой. Почему бы нам не начать работать с одним люксом и посмотреть, как пойдут дела? Мы можем даже успеть закончить все до Рождества, если сумеем добиться приличных сроков поставки тканей. И мне нравится ваша мебель. Я бы с удовольствием вписала ее в новый дизайн.

Хьюзу все это по-настоящему нравилось, и получалось значительно дешевле, чем предложение предыдущего декоратора, которая хотела просто все выбросить. А ведь в этих номерах стоят очень красивые вещи! Их всего лишь требуется освежить и придать новый вид. Да, ему нравится ход мыслей этой женщины. И мысль испытать ее на одном люксе, а не кидаться на все четыре сразу ему тоже нравится. Репутация у нее, конечно, не такая внушительная, как у первой, но это только потому, что она значительно моложе. И несмотря на это, она готова корректировать цены и стоимость, и времени у нее больше, хотя работников меньше и многое она делает сама. Она сказала, что у нее два помощника и один ассистент по дизайну, так что ей приходится сдерживать затраты. У той, первой дамы имелся офис с штатом в двенадцать человек, трое юных дизайнеров, работающих на нее, и консультант по цвету. Когда Хьюз спросил, Натали ответила, что цвета она подбирает сама, и до сих пор все клиенты оставались довольны. Он слышал только хорошие отзывы об отеле в Вашингтоне, интерьером которого она занималась, так что Хьюз решился и попросил ее представить приблизительный подсчет стоимости работ над первым люксом. Она пообещала положить его к нему на стол в течение недели. Казалось, что она жаждет работать, и это ему в ней тоже понравилось. Натали была человеком практичным, прочно стоявшим на земле, а не витавшим в облаках. Она встала, поблагодарила его за встречу и сказала, что не будет больше отнимать у него время. Хьюз попросил Дженнифер еще раз показать Натали люкс до того, как она уйдет.

— Я постараюсь представить вам расчеты в течение этой недели. А если вы решите выполнять проект со мной, то как раз сейчас у меня есть свободное время, потому что клиент пока достраивает дом, и я думаю, мы можем взять быстрый старт, ведь тут не нужно никаких строительных работ. Но если вам когда-нибудь такое потребуется, учтите, что я работаю в паре с очень хорошим архитектором.

Хьюз действительно получил удовольствие от их встречи. Он пожал Натали руку и проводил ее до двери кабинета. Дженнифер поднялась с ней наверх, а через двадцать минут спустилась с весьма довольным видом.

— Она мне понравилась! — выпалила Дженнифер, не дожидаясь вопроса. — Показалась здравомыслящей, энергичной и молодой.

Натали и в самом деле достаточно пожила, чтобы набраться опыта, но при этом осталась достаточно молодой и не закосневшей, так что умела приспосабливаться.

— Мне тоже, — признался Хьюз. — Думаю, Элоиза пришла бы в восторг от всего, что она нам тут наговорила, и с удовольствием стала бы с ней работать. Кроме того, она хочет оставить нашу мебель, а это большой плюс.

— Вы ее нанимаете? — Дженнифер обрадовалась, увидев, что он снова улыбается. И настроение у него исправилось. Видимо, Хьюз взволнован возможностью сделать что-то, что осчастливит его дочь, когда она приедет домой.

— Еще нет. Она сказала, что пришлет мне на этой неделе расчеты. Но явилась она хорошо подготовленной.

Похоже, это его здорово впечатлило.

Верная своему слову, Натали через три дня положила ему на стол смету. Цена за дизайнерскую работу и наблюдение за выполнением проекта была вполне приемлемой, а расходы оказались еще более сносными, так как она предложила воспользоваться услугами мастеров по внутренней отделке помещений, работавших в штате отеля.

— Ну, что вы думаете? — спросила Дженнифер, когда Хьюз все внимательно прочитал.

Он опять улыбнулся:

— Если она будет этого придерживаться, меня все устраивает. — Он уже хотел попросить Дженнифер позвонить Натали, но вдруг решил сделать это сам.

Натали быстро подошла к телефону. Голос ее звучал, как у человека оптимистичного и счастливого, и это ему тоже понравилось.

— Договорились, — просто произнес Хьюз. — Мне нравится ваша смета. Когда сможете начать?

— Как насчет следующей недели? — Это будет не так-то просто, но она хотела произвести на него такое хорошее впечатление, чтобы он отдал ей и остальные три люкса. — Тогда и начнем. На этой неделе я посмотрю образцы тканей и каталоги расцветок.

Натали предложила сделать спальню в бледно-желтых тонах, а гостиную в теплых оттенках бежевого и темно-серого, что вполне устраивало Хьюза. Ему это понравилось, и она предложила встретиться в понедельник утром, если у него не будет времени на выходных.

— В моей жизни больше нет никаких выходных, — сказал он. Особенно сейчас, когда Элоиза уехала. Раньше он время от времени устраивал себе перерывы, чтобы провести с ней время и чем-то вместе заняться, но сейчас работал семь дней в неделю. В отеле всегда есть дела.

— В моей тоже, — просто сказала Натали. — Вот в чем преимущество отсутствия детей. — Или мужа, могла бы добавить она, но сдержалась. Она никогда не была официально замужем, но жила с одним мужчиной целых восемь лет, пока он три года назад не сбежал с ее лучшей подругой. С тех пор у нее оставалась только работа, и она об этом не сожалела. Бизнес процветал, и Натали считала, что возможность отделать хотя бы один люкс в знаменитом отеле «Вандом» — это большая удача. — В таком случае как насчет воскресенья, только днем? Мне не хочется приходить поздно. Хотелось бы показать вам образцы для этого номера, пока еще светло. Они должны и при электрическом свете выглядеть хорошо, но вы составите себе лучшее представление о палитре, если сначала увидите их днем.

Да, она ведет себя очень профессионально.

— А почему бы вам не прийти на бранч? Поздние завтраки у нас очень хороши, в особенности после того, как моя дочь слегка изменила меню. После еды можно подняться в люкс и посмотреть ткани.

Это казалось Хьюзу вполне разумным. Кроме того, ему нравилось с ней разговаривать, а в воскресенье в отеле не бывало такой спешки, как в будние дни.

— Прекрасно, благодарю вас. Во сколько?

— Давайте встретимся внизу в одиннадцать. Не хочу отнимать у вас всю вторую половину дня, — любезно произнес Хьюз.

— Еще раз спасибо.

Оба повесили трубки. Натали испустила вопль ликования и поделилась новостью со своими ассистентами.

— Мы получили эту работу! — прокричала она. Они поддержали ее восторги. — Работать придется как проклятым, чтобы сделать все быстро. Я хочу, чтобы он отдал мне и остальные три люкса, а потом, может быть, и президентский, так что давайте не будем тянуть время. Я только покажу ему ткани, и сразу начнем. Никаких двухнедельных ожиданий заказа со склада и ничего такого, что уже снято с производства и должно ткаться специально для нас.

— Понятно, — сказала Пэм, ее старший ассистент. Натали сообщила, что следующие два дня будет сама искать ткани, и еще она хотела посмотреть, не найдутся ли для люкса новые картины, не нарушающие бюджет. Впрочем, у нее имелись неплохие источники художественных произведений, так что Натали просто попросила свою вторую ассистентку, Ингрид, проверить их. В воскресенье она хотела показать Хьюзу как можно больше. И скорее начать работать.

Остаток недели прошел в безумном угаре. Они выполняли еще несколько разных заказов, так что пришлось просить заняться ими Джима, ассистента по дизайну, пока сама Натали занималась поисками нужных тканей и идей для Хьюза.

Явившись в одиннадцать утра в воскресенье в отель, Натали тащила две огромные холщовые сумки с образцами тканей и несколько досок с образцами красок, смешанных специально для него. Хьюз спустился вниз из офиса, предложил ей оставить все это у стойки портье, чтобы спокойно пойти в обеденный зал. Подошел посыльный, забрал сумки у Натали, одетой в белый пиджак от Шанель, джинсы и сексуальные туфли на высоких каблуках. Все в ней буквально кричало «респектабельная» и «привлекательная». Свои прямые длинные белокурые волосы она откидывала назад и внешне очень походила на молодую Грейс Келли. Хьюз отметил, что в ушах и на шее Натали носит жемчуг. Ничто в ней не бросалось в глаза, она производила впечатление человека компетентного, обладающего хорошим вкусом. В руках она держала сумочку от Келли нейтрального светло-коричневого цвета с привязанным к ручке шарфом от Гермеса. Он почувствовал, как приятно входить с ней в ресторан. Натали сделала ему комплимент по поводу прекрасного интерьера помещения, выглядевшего одновременно уютным и шикарным. Ресторан давным-давно стал одним из самых популярных в Нью-Йорке, славился отличной едой, превосходными винами и элегантной атмосферой.

За бранчем, который Натали назвала отменным, они беседовали о работе и путешествиях. Она рассказала, что четыре года прожила в Лондоне, но все равно вернулась в Нью-Йорк.

— Вы не скучаете по жизни в Европе? — спросила она. Он по-прежнему выглядел очень по-европейски, как манерами, так и одеждой, и отель, вне всякого сомнения, производил впечатление европейского, в том числе и тем, как им управляли. Пожалуй, именно это гости в нем больше всего и любили.

— В общем-то нет. Теперь мой дом здесь. Я прожил тут почти двадцать лет. Надеюсь только, что по окончании школы в Лозанне моя дочь не решит, будто ей хочется жить в Европе.

— Сомневаюсь. Слишком сложно отказаться от всего этого и от обожающего ее отца в придачу. Я уверена, закончив школу, она непременно вернется. — Натали тепло ему улыбнулась.

— Ну, никогда не угадаешь. Ей всего девятнадцать. В этом возрасте жизнь там доставит ей массу удовольствия.

Элоиза уже собиралась поехать кататься на лыжах в Альпы и писала ему об этом электронные письма.

Натали поделилась некоторыми своими идеями насчет люкса, и ей не терпелось скорее показать ему все, что она принесла с собой. Закончив завтрак, она вытащила свои сумки из-за стойки портье. Хьюз взял ключ, и они поднялись наверх. Натали понравились комнаты. Номер выглядел даже красивее, чем она запомнила. Первое, что она предложила, — это передвинуть кое-какую мебель, чтобы создалось ощущение пространства. Переместившись в спальню, предложила заменить в ней лампы. Хьюзу они никогда не нравились, поэтому он с радостью согласился. Затем Натали приставила к стене каталог оттенков и группами разложила принесенные ткани, объясняя, как она их использует.

Один взгляд на то, что она выбрала, словно придал комнате жизни — теплые темно- и светло-серые оттенки, цвет слоновой кости, несколько смягченных голубых. Все вместе смотрелось очень красиво. Один за другим они исключили те цвета, которые Хьюзу не особенно понравились. Натали предложила заменить ковер, и он согласился. Идеи про оконные драпировки ему тоже понравились, а Натали собиралась оттенить кое-какие лепные украшения темносерым цветом. Ему нравились все ее предложения и манера, в которой она их вносила.

Все выбранное Натали сложила в одну сумку, а все отвергнутое оставили стопкой на кушетке. Затем они перешли в спальню, и все повторилось. Желтые оттенки, выбранные Натали, идеально сюда подошли. Меньше чем за два часа они приняли все самые важные решения, и Натали пообещала, что на следующей же неделе все закажет. А потом они сели на диван в гостиной, и она показала ему фотографии картин, которые ей понравились. Две из них Хьюз одобрил сразу же. Их небольшая цена произвела на него особенное впечатление. Да, Натали просто гениальна во всем, за что берется.

В три часа дня они спустились в вестибюль, оба взволнованные тем, как много успели за такое короткое время. Одна из больших сумок была полна образцами того, что Натали собиралась заказывать, а вторая тем, что Хьюз отверг. Кое-что из этого ему тоже понравилось, но не так, как остальное. Натали предложила ему широкую возможность выбора, и цены на ткани его тоже вполне устраивали. Она не цеплялась за дорогие парчу и бархат, предпочитая ткани прочные, которые будут служить долго.

— Это было здорово, — улыбнулся ей Хьюз. — И весело. Жаль, моей дочери тут нет.

— Да она просто из своих носков выпрыгнет, когда увидит новый изумительный люкс, — пообещала Натали. Ей уже не терпелось скорее начать, и еще она хотела, чтобы Хьюз тоже выпрыгнул из своих носков от восторга. В конце концов, по счетам придется платить ему.

Он снова поблагодарил ее и проводил до выхода. Швейцар подозвал такси и поставил в них сумки. Натали пожала Хьюзу руку и улыбнулась ему.

— Спасибо за бранч и потрясающий день, — тепло произнесла она.

— Спасибо за красивый новый люкс. — Он улыбнулся в ответ, глядя, как она садится в такси, помахал ей вслед и энергичной походкой вернулся в отель со счастливым выражением лица. Он не получал столько удовольствия со дня отъезда Элоизы в Лозанну. Консьерж, мимо которого Хьюз прошел, кивнул ему, гадая, кто та привлекательная женщина. Он уже много лет не видел Хьюза таким умиротворенным и расслабленным.

Глава 7

К среде Натали заказала все — ткани, краску, отделку, две картины, которые ему понравились, а также отыскала лампы и настенные светильники, идеально подходившие к комнате. В четверг она заскочила в отель, чтобы показать Хьюзу образцы ковра, и его по-настоящему поразило, как много она успела сделать. Но Элоизе он ничего рассказывать не стал, решив сделать ей сюрприз.

Хьюз объяснил Натали, что они могут закрыть люкс только на совсем короткое время, вот почему пока он не предлагает ей делать высокодоходный президентский и люксы в пентхаусе. Он хочет посмотреть, насколько быстро она работает. Натали не сомневалась, что если они начнут работу в конце октября, как только прибудут все заказанные ткани, ко Дню благодарения его можно будет открыть снова. Они договорились оставить ванную комнату как есть, сантехника в ней выглядела вполне пристойно, так что достаточно будет ее покрасить. Натали заверила Хьюза, что у нее все под контролем, а он пообещал, что если результат его устроит и будет таким элегантным, как он рассчитывает, то он отдаст ей оставшиеся три люкса, а потом президентский и пентхаусы. Натали пришла в восторг, а Хьюз, волнуясь, сказал, что хочет посоветоваться с ней насчет некоторых других номеров, не переделывая их все.

В следующий уик-энд они снова встретились, чтобы посмотреть другие номера. Натали предложила в них кое-что поправить, добавить кое-какие простые приспособления, которые не будут стоить кучу денег, но немного их осовременят. Они снова вместе позавтракали в ресторане, и казалось, что теперь у них находятся поводы для ежедневных бесед. Дженнифер улыбалась всякий раз, как звонила Натали или Хьюз упоминал ее имя. Похоже, новая декоратор ему по-настоящему нравилась, и Дженнифер радовалась, видя, что он успокоен, заинтересован и получает удовольствие от общества женщины, охотно проводя с ней время. Это никак не походило на его короткие тайные интрижки, которыми он довольствовался все эти годы. На этот раз Натали привносила в его жизнь что-то важное.

— И нечего на меня так смотреть, — заявил он однажды Дженнифер, сообщившей, что ему в очередной раз звонит Натали, в третий за день, да и сам он звонил ей не менее часто. — Это просто бизнес. Она работает превосходно. Элоиза будет в восторге.

Вот в этом Дженнифер была не так уверена. Отец Элоизы заинтересовался Натали не только как декоратором, и Дженнифер опасалась, что Элоиза почувствует в ней угрозу для себя. Последние пятнадцать лет она понятия не имела о тайной личной жизни отца и никогда ни с кем не делила его внимание. Для нее это будет совершенно новое переживание.

Хьюз рассказал Натали про Элоизу, когда они во второй раз вместе завтракали, а потом пошли прогуляться в Центральный парк. Стоял золотой сентябрьский день. Он рассказывал, как важна для него дочь и какая она необыкновенная девушка.

— Мне просто не терпится с ней познакомиться, — сказала Натали, когда они бок о бок шли по дорожке, наслаждаясь теплой погодой. Хьюз оставил свой пиджак в кабинете, а Натали и вовсе ограничилась футболкой и джинсами. — Судя по словам служащих, с кем мне довелось побеседовать, она часть жизненной силы отеля.

— Я купил этот отель, когда Элоизе исполнилось два. Еще через два года, когда ей было четыре, ее мать уехала. С тех пор она свободно бегала по отелю и любит его так же сильно, как и я.

— Должно быть, вам обоим было очень тяжело, когда ее мама уехала, — мягко произнесла Натали, и Хьюз кивнул, думая о Мириам, что делал крайне редко. Все эти годы ее судьба его не заботила. Пустоту заполнила Элоиза. В его жизни больше не появлялись достойные женщины, зато у него была обожаемая дочь.

— К сожалению, Элоиза редко видится с матерью. Та ведет жизнь, совсем не похожую на нашу. Она вышла замуж за Грега Боунза. — Натали даже представить себе не могла, чтобы этот привлекательный швейцарец, владелец отеля «Вандом», был женат на женщине, ставшей затем женой Боунза. — Все это случилось давным-давно, почти пятнадцать лет назад. У нее есть двое других детей, а когда Элоиза все же встречается с ней, понимает, что у них слишком мало общего. Думаю, она чересчур похожа на меня. — Он улыбнулся Натали. Ему нравилось с ней разговаривать.

— Вот это мне нравится, — улыбнулась в ответ Натали. Грег Боунз славился своим пристрастием к кокаину и героину, часто попадал в реабилитационные центры, и даже редкие посещения его мира не казались Натали благотворными.

— Слава Богу, она даже не попыталась отнять у меня Элоизу. И мне кажется, Элоиза была счастлива со мной в отеле. Все ее любят, и это такой безопасный, защищенный мирок. Все равно что расти на корабле.

Возможно, сказано немного смешно, но Натали поняла, что он имел в виду. Отель был автономной единицей, все равно что город внутри города.

— Должно быть, она скучает по всему этому, — сочувственно предположила Натали. Хьюз вздохнул, предлагая ей присесть на скамейку.

— Боюсь, что недостаточно. Там, в гостиничной школе, она только что начала встречаться с каким-то французом и, похоже, влюбилась. Самый мой большой страх — это то, что она захочет остаться там.

— Ни за что, — убежденно ответила Натали. — Здесь ее ждет родной дом. Мне кажется, однажды она начнет управлять отелем вместе с вами.

— Я не хотел этого для нее. Думал, что она должна заняться чем-нибудь другим. Но она решила, что будет учиться в гостиничной школе, и все на этом. Накидывалась на меня, как кошка, когда я пытался ее отговорить. Это вовсе не та жизнь, которой я для нее желал. В ней нет места ничему другому.

Натали видела, что это правда. Когда бы она ему ни звонила, в любой час, он всегда находился на работе.

— И вы никогда не хотели снова жениться?

Ее мучило любопытство. Он всегда вел себя очень сдержанно и немного отстраненно и только с ней слегка расслаблялся. Натали умела сделать так, что он начинал чувствовать себя непринужденно, и он платил ей тем же.

— Да в общем-то нет. Я и так счастлив. Кроме того, я слишком занят, чтобы жениться, и все эти годы у меня была Элоиза. Этого довольно. А что насчет вас?

Хьюз повернулся к Натали. Такая красивая женщина — и никогда не была замужем. Она жила, как и он, ради работы, и даже детей у нее не было. В некотором смысле ему казалось, что это слишком печальная жизнь, тем более без ребенка.

— Я восемь лет жила с одним человеком. Довольно долго все получалось хорошо, но в один прекрасный день все рухнуло. Он не хотел брать на себя никаких обязательств, считая, что совместной жизни достаточно. Кончилось тем, что мы просто жили параллельными жизнями, почти не имея точек соприкосновения.

— И что случилось? — Хьюз чувствовал, что это далеко не все.

Натали посмотрела ему прямо в глаза:

— Он уехал с моей лучшей подругой. Три года назад. Иногда такое случается, вот как с вашей женой и Грегом Боунзом.

— Забавно то, что если бы она осталась, не думаю, что мы бы долго подходили друг другу. Когда мы только познакомились, она меня ослепила, и я безумно в нее влюбился. Но я был молод, а браку требуется куда больше, чем простое ослепление.

Натали улыбнулась его словам. Совершенно очевидно, что он больше не хочет жениться или заводить серьезные отношения. Похоже, он доволен своей жизнью, какая она есть. И еще она гадала, не нанесло ли предательство Мириам такую глубокую рану, что он больше не может доверять женщинам. Она не стала задавать ему вопросов про грядущую жизнь, считая, что не вправе делать этого.

— Вы правы. Стадию ослепления я тоже прошла и понимаю, что это далеко не все.

Хьюз обнял ее за плечи, и они долго умиротворенно сидели так бок о бок. Ему нравилось, как он себя ощущает рядом с ней. Она добрый, легкий в общении, открытый человек, много работает, честно говорит о себе и о других и, видимо, принимает жизнь такой, какая она есть. Ему было с ней уютно. То же самое чувствовала и Натали. Казалось, что они дружили всегда, и совместная работа тоже им удавалась. Оба умели быстро принимать решения, обладали одинаковыми вкусами и во многом сходились во мнениях.

— Как насчет мороженого перед тем, как вернуться на работу? — предложил Хьюз, увидев торговца, толкавшего мимо них свою тележку. Натали улыбнулась. Он купил два эскимо, и они погуляли еще немного, глядя на семьи с детьми и целующихся влюбленных. Чем дольше он находился рядом с ней, тем меньше хотел возвращаться в отель. — Может, как-нибудь вечером пообедаем вместе? — спросил он, когда они неторопливо зашагали назад.

Натали кивнула:

— Конечно. Только давайте не у вас в отеле. Люди начинают болтать. — Она уже поняла, что отель — это настоящая мельница сплетен. — Думаю, ни мне, ни вам не нужна эта головная боль.

Хьюз оценил ее осмотрительность. Он никак не мог понять, что в ней есть такое, но она ему нравилась, пусть даже они будут просто друзьями. Из нее получится хороший друг. И, больше об этом не заговаривая, они дошли до отеля, где Натали, еще раз поблагодарив за бранч, попрощалась.

На следующее же утро он позвонил ей в офис и пригласил на обед. Сказал, что заедет за ней домой, и предложил ресторан в Вест-Виллидж. Натали сказала, что это будет идеальный вечер. В четверг вечером он за ней заехал и нашел ее в прекрасном настроении. Они чудесно провели время и ушли из ресторана последними. Вечер выдался теплым, так что они рука об руку долго шли пешком, прежде чем подозвать такси.

— Вечер был прекрасным, Натали, — улыбаясь, сказал он.

— Мне тоже так кажется. — Она давным-давно не проводила так хорошо время с мужчиной, которого едва знает. Казалось, что они с ним давние друзья. Они обменивались мыслями, разговаривали о том, что бы им хотелось сделать, но на что никак не хватает времени в их вечно занятой жизни. В основном вечер оказался расслабляющим. Оба радовались, что смогли оторваться от своих письменных столов и напряженной работы. Натали тоже была вечно занята, жонглировала целой кучей проектов одновременно, не только этим, и хотя с удовольствием приходила в отель к Хьюзу, у нее имелись и другие важные клиенты.

— Когда мы с вами снова увидимся? — спросил Хьюз, глядя ей в лицо. Он испытывал почти необоримое желание поцеловать ее, но решил, что еще слишком рано и он только напугает Натали, чего ему вовсе не хотелось. Чуть раньше она призналась, что очень давно не ходила на сви-

дания. Если ничего не получится, он хотел бы остаться ее
другом.

— Завтра вечером, — засмеялась она. — Хочу согласо-
вать с вами последние образцы красок.

Хьюз уже начал подумывать, не отдать ли ей в переделку весь отель целиком, чтобы иметь основание находиться
всегда рядом. Ему по-настоящему нравилось проводить с
ней время. Придвинувшись еще ближе и коснувшись ее
волос, он уловил деликатный аромат ее духов. Может быть,
она считает его слишком старым для себя? Он все же старше на тринадцать лет. Хьюз вдруг занервничал — а вдруг
она и в самом деле думает, что у них слишком большая разница в возрасте? Внезапно для него стало очень важным,
что она об этом думает.

— Может быть, мы придумаем что-нибудь на уик-энд?
Не хотите сходить в кино? — осторожно спросил он.

— А что, забавно, — мягко ответила Натали. Хьюз притянул ее к себе и заглянул в глаза.

— Рядом с вами все будет забавно, — прошептал он.
Губы их встретились, едва соприкоснувшись, но поцелуй
словно пронзил обоих. Натали чуть испуганно взглянула
на него, опасаясь, что совершила ошибку. В конце концов,
он ее клиент. Но на какой-то восхитительный миг она об
этом забыла, а когда он поцеловал ее во второй раз, забыла опять. — Вы не против? — спросил он.

Она кивнула, и они снова поцеловались.

Остановиться было трудно. Хьюз обнимал ее и улыбался. Он давным-давно не испытывал такого счастья, забыл,
что это такое, когда тебя тянет к женщине и ты хочешь что-
то для нее значить.

— Лучше мне отвезти вас домой, — произнес он и поднял руку, останавливая проезжающее такси. Завтра обоим
опять придется работать, а уже совсем поздно.

Они сидели в такси, тесно прижавшись друг к другу,
а когда Натали собралась выходить, он ее снова поцеловал.

— Спасибо, — сказала она, с улыбкой глядя на него. — Вечер был просто чудесный.

— Я тоже так думаю, — ответил Хьюз.

Натали повернулась и пошла к дому. Швейцар открыл ей дверь, она обернулась, помахала и зашла внутрь, а Хьюз закрыл глаза и думал о ней всю дорогу до отеля. Было два часа ночи, когда он вошел в отель, поднялся в свои апартаменты и разделся, но усталости он не чувствовал. И просто дождаться не мог, когда снова ее увидит.

Глава 8

В октябре работа над переделкой люкса набрала полные обороты. Натали сочла персонал отеля в высшей степени квалифицированным, так что маляры под ее наблюдением смешивали краски именно так, как требовалось. Она присматривала буквально за всем, поэтому приходила в отель ежедневно. Иногда Хьюз поднимался наверх, чтобы посмотреть, как идут дела, или она заглядывала к нему, чтобы показать образец или задать вопрос. Она не хотела лишний раз его беспокоить, однако оба они использовали любой повод, чтобы узнать друг друга лучше и провести вместе хотя бы минутку даже в самый разгар работы. Он нередко приглашал ее в свои апартаменты на ленч и заказывал сандвичи для обоих. Ему действительно очень нравилось ее общество, и Натали испытывала по отношению к нему то же самое.

— Мне просто необходимо, чтобы ты сделала кое-что и здесь, — сказал он однажды, оглядывая свои апартаменты, в которых ничего не изменилось с тех пор, как он в них поселился. Элоизе по-прежнему принадлежала детская комната, полная сувениров прежних времен. Кукла, подаренная когда-то Евой Адамс, все еще сидела там на полке. — Но я понятия не имею, с чего начинать, — признался он, — и подозреваю, что это будет последним пунктом в моем списке.

Прямо сейчас оба они полностью сосредоточились на люксе, самом большом и самом лучшем в отеле. Хьюз очень радовался тем незначительным переделкам, которые произошли в некоторых других номерах. Натали всего лишь добавила или убрала из них какие-то вещи и переставила мебель, но комнаты стали выглядеть по-новому. Кроме того, она предложила заменить некоторые лампы и приборы, добавить картины, и отель стал выглядеть более современно, не утратив своей элегантности. Она была очень придирчива к деталям.

— Тебе тут всего лишь нужно освежить краску, добавить света и, возможно, повесить новые занавески. Я посмотрю, что у нас останется после того, как мы закончим с люксом.

Идея Хьюзу понравилась, и он улыбнулся ей. Натали и в самом деле была очень практичной, не витающей в облаках женщиной, усердно работающей и обладающей прекрасным вкусом. Превосходное сочетание, а ее рассуждения о жизни и рабочей этике очень походили на мысли самого Хьюза. Но больше всего ему нравилась в ней прямота. Она была человеком честным, но при этом не грубым и очень доброжелательным и уважала те же самые качества в Хьюзе. Помимо всего, между ними существовало влечение, и ни положение, ни ранг, ни возраст не играли тут никакой роли. Их тянуло друг к другу, и Натали нравилась эта легкость общения. Они поели, она вытянула свои длинные ноги, откинула назад прямые белокурые волосы и улыбнулась Хьюзу. Ему очень нравилась ее внешность — Натали умудрялась выглядеть одновременно утонченно и сексуально, впрочем, как и он сам в своей обычной одежде — темном костюме с белой рубашкой и красивым галстуком.

Они встречались и на уик-эндах, но уже вдали от отеля, — ели пиццу, ходили в кино или заказывали гамбургеры в ресторанах даунтауна. Оба они не называли это свиданиями, но с удовольствием проводили вместе время. У Хьюза появилась привычка звонить ей вечером перед сном. Она тоже поздно ложилась спать, и оба они нередко работали за полночь. Звонил телефон, Хьюз желал ей спокойной ночи, и день счастливо завершался. А на следующий день они снова сталкивались, то ли случайно, то ли по делу, и оба уже не могли себе представить время, когда они не были частью жизни друг друга.

— А что после того, как они закончат красить? — спросил Хьюз. Это отняло больше времени, чем он предполагал, хотя маляры работали очень быстро, выполняя дотошные указания Натали, и сейчас наносили последние штрихи на лепнину. Все выглядело даже лучше, чем оба они могли надеяться, а в ванной комнате работы уже закончились — ее заново покрасили и повесили красивую новую люстру, которую Натали разыскала в хранилище отеля. Стараясь снизить расходы, она использовала как можно больше из того, что у них имелось, и Хьюз это очень ценил.

— Теперь все зависит от драпировщика. Я отдала в мастерскую кое-какие картины, чтобы на них заменили рамы. Электрики на следующей неделе установят новые приборы. Еще две недели, и можно укладывать ковер, а после этого расставлять мебель. Обещаю, что люкс можно будет открыть ко Дню благодарения. Мы почти закончили.

Натали выглядела довольной, и Хьюз тоже. Они решили, что пара новых картин добавит комнате энергетики.

Натали не терпелось узнать, что станут говорить про обновленный люкс гости, особенно те, кто останавливался в нем раньше. Очень многие бизнесмены возвращались в отель снова и снова, так что большинство его лучших клиентов хорошо знали этот люкс и расстраивались, узнав, что пока он недоступен. Все утверждали, что любили его и раньше, но менеджер по бронированию заверял, что после ремонта он понравится еще больше. Хьюз и Натали очень надеялись, что так оно и будет.

— На этой неделе на Арсенальной выставке открыли новую экспозицию, — заметил Хьюз, когда они закончили ленч. Как всегда, он был очень вкусным — на кухне отеля даже сандвичи умудрялись делать так, что они стали знаменитыми. — Не хочешь сходить? — спросил он. Теперь Хьюз хватался за любой повод провести время вместе с ней, даже если для этого пришлось бы заново отделать весь отель. Похоже, он по уши в нее влюбился.

— Это будет забавно. — Натали улыбнулась, доедая последний кусочек. — Вот бы мы еще нашли там картину для вестибюля. Что-нибудь мощное, — задумчиво добавила она и объяснила, куда именно ее нужно будет повесить.

Хьюз с довольным видом смотрел на нее. Ему казалось, что она влюбилась в отель, в точности как и он. Тут он не ошибся, но, кроме отеля, она влюбилась и в него.

— Просто жду не дождусь, когда Элоиза увидит новый люкс, — восхищенно сказал Хьюз.

— А я жду не дождусь, когда смогу с ней познакомиться, — добавила Натали, — но, должна признаться, немного нервничаю. Она просто легенда этого отеля, переплюнула даже Элоизу из «Плазы».

— Ее тут очень любят, — согласился Хьюз. — Она росла у всех на глазах, и к ней так чудесно относились, когда она была еще малышкой. И до сих пор так относятся. Она любила толкать тележки вместе с горничными, постоянно торчала то в подвале, то на кухне, ходила по пятам за инженерами. Я даже беспокоился, что она вырастет и станет водопроводчиком. В этом бизнесе поневоле будешь мастером на все руки и только успевай менять разные шляпы.

Натали знала, что он такой и есть.

— Как ты думаешь, что она скажет о том, что мы встречаемся... ну, не только из-за отделки люкса?

Эта мысль уже неоднократно приходила Натали в голову после того, как Хьюз стал приглашать ее куда-нибудь. Пока у них дело не заходило дальше позднего обеда и нескольких очень соблазнительных поцелуев, но дочь была важной частью жизни Хьюза, центром его вселенной, и ее мнение будет очень много для него значить. А Элоизе отец принадлежал целиком и полностью всю ее жизнь.

— Думаю, пусть все идет, как идет. Теперь она большая девочка, у нее своя жизнь и этот французский бойфренд, из-за которого я так беспокоюсь. Думаю, она готова позволить мне иметь собственную жизнь.

Элоиза ему никогда и не мешала. Она просто не знала о женщинах, с которыми он встречался. Но все будет по-другому, если он представит Элоизу и Натали друг другу. Для него это шаг серьезный.

— Не думаю, что тебе есть о чем беспокоиться, — сказала Натали, потянувшись к нему. Он ее поцеловал. Она скользнула к нему в объятия, и поцелуй затянулся. Узы между ними постепенно укреплялись, влечение становилось все сильнее, но оба они не хотели торопить естественный ход событий. Они никуда не торопились, поэтому вели себя крайне осторожно. Кроме того, Натали сильно отличалась от женщин, с которыми у Хьюза возникали короткие интрижки. Она становилась для него все более важной. Натали тоже не торопилась и предпочитала спокойное развитие событий, что вполне устраивало Хьюза. Оба чувствовали — если это должно случиться, если у их отношений есть будущее, они расцветут в свое время. Натали знала, что он против женитьбы и не хочет давать никаких обещаний. Им было хорошо вместе, они каждый день открывали друг в друге что-то новое. Натали не просила большего, и это Хьюзу в ней тоже очень нравилось.

— Пожалуй, мне пора возвращаться к работе, — с сожалением произнес Хьюз, чувствуя, что воздух вокруг них словно накалился. — Возникли сложности с главным сомелье, а терять мне его не хочется. Я обещал встретиться с ним и поговорить. И это помимо того, что один из инженеров объявил об утрате работоспособности и грозил подать на меня в суд.

У него сделался несчастный вид. За прошедшие четырнадцать лет на него подавали в суд только однажды, когда одна постоялица упала в ванной и сильно ушиблась. Она была пьяна и виновата во всем сама, но Хьюз, не желая дурной рекламы отелю, предпочел все уладить, ибо постоялица носила довольно известное имя.

С таким риском он сталкивался ежедневно, проблемы возникали и с гостями, и со служащими, и это не говоря о профсоюзах, — обычные проблемы отеля с бронированием номеров и требовательными гостями. Временами они становились слишком тяжелым бременем, и Хьюз по-прежнему не хотел, чтобы все это свалилось на плечи Элоизе. Он любил свое детище, но успех и репутация отеля даются не легко, к тому же их нужно постоянно поддерживать и оберегать. Все ближе узнавая Хьюза, Натали узнавала и об этих сложностях. Это непростой бизнес, но Хьюз справлялся с блеском и обладал даром общения с людьми, в особенности с теми, кто являлся вероятным источником неприятностей. В любой сложной ситуации он действовал как миротворец и вникал в каждую деталь.

И к Натали он относился очень по-доброму. Она считала его очаровательным человеком и, безусловно, преданным отцом. Она думала, что его бывшая жена поступила очень глупо, бросив его ради того, за кого потом вышла замуж. Грега Боунза ангелом не мог назвать никто, и Натали никогда даже не посмотрела бы на такого мужчину.

Они вместе вышли из апартаментов, в последний раз поцеловавшись перед тем, как шагнуть в коридор, а спускаясь вниз в лифте, оба выглядели вполне официально и по-деловому. Натали вышла на этаже, где находился люкс, а Хьюз направился в вестибюль, чтобы потом вернуться в кабинет. Спустя несколько минут Натали уже с удовлетворением проверяла работу маляров. Дженнифер поднялась к ней в люкс, чтобы посмотреть, как идут дела. Хьюз столько всего наговорил о прекрасных результатах, что она решила взглянуть на них своими глазами. То, чего добилась

Натали от обычных гостиничных маляров, по-настоящему впечатлило Дженнифер. Ее глазам предстала первоклассная дизайнерская работа, и теперь, как и всем остальным, ей не терпелось увидеть все целиком.

— Здесь такое хорошее освещение, и оно очень помогает создать приятное впечатление, — чуть застенчиво заметила Натали. Дженнифер в ней понравилось и это. Она не выпячивает свои заслуги и не ведет себя как звезда. Несмотря на очевидный талант, Натали очень скромна. Дженнифер принесла коробку фирменных шоколадок, и они вместе угостились, отметив, что противостоять такому соблазну просто невозможно.

— Если бы я тут работала, то весила бы уже шестьсот фунтов. У вас в отеле так вкусно готовят! — сказала Натали, доедая шоколадку.

— Мне можете об этом не рассказывать, — скорбно согласилась Дженнифер.

Раз уж они оказались одни, Натали решила спросить о том, что ее особенно интересовало.

— Какая она вообще, Элоиза? О ней все говорят так, будто это пятилетняя девочка с хвостиками, а отец на ней просто помешан, и от него трудно чего-нибудь добиться.

Натали пыталась понять, то ли эта девушка ужасно испорчена, то ли она и вправду очень мила.

— Она во многом похожа на отца, — задумчиво произнесла Дженнифер. — Очень красивая и любит отель так же страстно, как и он. Это единственный дом, какой она когда-либо знала, а давно работающие тут люди — ее семья. У нее нет никого, кроме отца, а он считает, что она чуть ли не святая.

— Это я знаю!

Натали улыбнулась и взяла еще одну шоколадку. Удержаться и в самом деле невозможно, такие они вкусные, и каждая украшена маленькими золотыми прожилками. Изготавливали их специально для отеля — один из тех небольших штрихов, на которых Хьюз настаивал с самого начала, даже когда не мог себе этого позволить. Люди покупали их в магазинчике внизу, который был очень выгодной частью его бизнеса, и посылали друзьям и близким в качестве сувениров.

— Видимо, у них совершенно особые отношения, что вполне понятно, раз девочка росла без матери. Мне кажется, она должна очень ревновать отца. Похоже, в его жизни очень давно не было женщины.

Натали пыталась хоть что-нибудь выведать, и Дженнифер прекрасно это понимала, но не имела ничего против. Она бы и сама сделала то же самое. Кроме того, Дженнифер отчетливо видела, что между ее боссом и дизайнером интерьеров, нанятым для работы в отеле, возникли романтические отношения. Ей очень нравилась Натали, и она думала, что это как раз та женщина, которая нужна Хьюзу. Натали не ревновала его к отелю, она и сама его полюбила, а Дженнифер знала, что это для Хьюза крайне важно. Но еще важнее для него одобрение Элоизы. Собственно, главное — это ее реакция, которая может все разрушить. Натали это почувствовала.

— Ревновать? — Дженнифер засмеялась. — Она считает его своей собственностью. Она навеки завладела его душой и сердцем в день своего появления на свет. И была очаровательным ребенком — рыжеволосая, с большими зелеными глазами и веснушками. А сейчас превратилась в красивую молодую женщину. Отец и этот отель — это вся ее жизнь. То же самое касается и Хьюза. Будь я на вашем месте, я бы вела себя с ней очень осторожно. Если она почувствует, что вы можете отнять у нее отца, то навсегда станет вашим заклятым врагом.

— Я бы в жизни так не поступила, — спокойно произнесла Натали. Она говорила искренне. — Я уважаю их особые отношения. Просто интересно, как бы она отнеслась к появлению женщины в его жизни. Не хочется ее обижать.

— Трудно сказать, — честно призналась Дженнифер. — Раньше ничего подобного не случалось, во всяком случае, ничего серьезного.

Однако Натали начала подозревать, что такое бывало — или же могло произойти со временем.

— Я всегда считала, что для Элоизы было бы лучше, если бы у Хьюза была женщина, пока девочка росла. Тогда ей это очень требовалось, а теперь уже слишком поздно. Ей девятнадцать, можно считать, что она уже взрослая. И ей никогда не приходилось ни с кем делить отца. Вряд ли она ожидала, что он встретит кого-нибудь сейчас. Думаю, для самого Хьюза это неожиданно. Это в новинку для них обоих. — Дженнифер говорила все это с весьма задумчивым видом. — Полагаю, серьезные отношения Хьюза с женщиной потребуют от Элоизы серьезного пересмотра привычек и взглядов на жизнь. Ей придется привыкнуть к этой мысли, однако потребуется много времени и дипломатические способности. — Натали решила, что это толковое замечание, она и сама к этому склонялась. — Но у девочки доброе сердце, как и у ее отца, — заверила Дженнифер. — Просто она слишком папина дочка, а все это — ее мир. Любой женщине, которая его полюбит, придется все это учитывать.

А вот это уже прямое предостережение, и Натали почувствовала искреннюю благодарность за мудрость и откровенность Дженнифер. Теперь она знала всех игроков и полный расклад.

— Спасибо. Это должно помочь, — улыбнулась Натали, и дамы стали решать, стоит ли съесть по третьей шоколадке. Дженнифер поддалась искушению, а Натали на этот раз устояла. Надо полагать, именно это и объясняло разницу в их весе в целых пятнадцать фунтов. Коробка с шоколадками всегда стояла на столе у Дженнифер. — Примерно так я и думала. Держу пари, Хьюзу тоже придется здорово приспосабливаться, когда в жизни его дочери появится мужчина, а ведь это обязательно случится. Должно быть, ему тяжело видеть, как она взрослеет.

— Это его убивает, — честно ответила Дженнифер. — Он думал, она навсегда останется девчушкой с хвостиками, и этот парень, француз, с которым Элоиза встречается в школе, пугает его до умопомрачения. Он хочет только одного — чтобы она как можно скорее вернулась домой, а не начала новую жизнь там, в Европе. Но мы не можем вечно цепляться за своих детей, как бы сильно мы их ни любили. У меня один живет во Флориде, другой в Техасе, и они все, что у меня есть в жизни. Они и эта работа. И я безумно скучаю по своим детям. — Дженнифер уже перевалило за пятьдесят, она была замужем за своей работой и много лет не встречалась ни с одним мужчиной. Только начав работать в отеле, она влюбилась в Хьюза, но очень быстро преодолела это чувство, поняв, насколько профессионально он относится к своим служащим. Он всегда говорил, что она его лучшая помощница, и этого Дженнифер было достаточно. Она гордилась тем, что делает, и очень тепло относилась к боссу и его дочери, что проскальзывало в каждом ее слове. — Постарайтесь не волноваться из-за Элоизы, — посоветовала она Натали и ласково похлопала ее по плечу, собираясь уходить. — Она хорошая девочка и любит отца. И вас тоже полюбит. Раньше или позже она все равно поймет, что для него лучше, хотя это может занять немало времени. Они многое пережили вместе. В таких случаях иногда бывает трудно подпустить к себе еще кого-то, но это нужно им обоим.

Натали кивнула и, попрощавшись с Дженнифер, вернулась к малярам. Мудрая женщина, так хорошо знавшая их обоих, дала ей богатую пищу для размышлений, а Натали хватало разума, чтобы прислушаться к ее советам. Теперь требуется только одно — время. Она в любом случае не собиралась кидаться с головой в омут, и Хьюз тоже. Натали продвигалась вперед маленькими шажками и не осталась глуха к предостережениям Дженнифер насчет Элоизы.

Глава 9

Как Натали и обещала, люкс, который она приводила в порядок почти два месяца, был готов за неделю до Дня благодарения и выглядел безупречно. Нисколько не сомневаясь в том, что уложится в график, Натали сказала Хьюзу, что он может спокойно принимать бронь на уик-энд Дня благодарения. Это ему идеально подходило. Один из постоянных гостей, сенатор из Иллинойса, хотел забронировать этот люкс и еще несколько номеров, чтобы провести День благодарения в Нью-Йорке с детьми и внуками, и теперь отель мог подтвердить ему бронь.

В понедельник перед Днем благодарения Хьюз вместе с Натали стоял в люксе, с благоговением и восхищением рассматривая все в подробностях. Она создала нечто уютное, элегантное, больше напоминавшее домашний очаг, чем гостиничный номер. Собственно, именно такого эффекта они и добивались. А новые картины смотрелись тут особенно впечатляюще. Натали весь уик-энд занималась расстановкой мебели и пригласила Хьюза посмотреть на результат только после того, как повесила последнюю картину. Очень многим она занималась сама, как делала всегда, кроме того, давала указания по драпировке окон, очень красиво выполненной француженкой, с которой Натали работала уже несколько лет. Люкс выглядел великолепно. Натали даже поставила несколько горшков с орхидеями. Хьюз с откровенным восторгом рассматривал все это, затем обнял Натали и расцеловал. Отношения, развивавшиеся между ними с момента знакомства, неожиданно оказались бонусом для обоих, хотя вовсе не тем, на что он рассчитывал, когда нанимал ее.

— Тебе нравится? — счастливым голосом спросила она, как ребенок, и чуть не захлопала в ладоши, когда увидела его восхищенное лицо.

— Я в восторге, — признался он. Результат оказался даже лучше, чем он ожидал, а Натали надеялась. Хьюз прошелся по номеру, вглядываясь в детали, потом повернулся и взял ее за руку. — И что еще важнее, я люблю тебя... и это не имеет никакого отношения к тому, понравилась мне твоя работа или нет. К счастью, очень понравилась. Ты необыкновенно талантлива. — Ко всему прочему, Натали умудрилась даже снизить расходы, использовав то, что имелось в отеле. — Два последних месяца были самыми счастливыми в моей жизни, — сказал Хьюз и потянул ее за руку, усаживая рядом с собой на диван. — Я так рад, что мог ежедневно с тобой видеться!

— Я тоже! — сказала она, трепеща от его слов — ведь она тоже влюбилась в него. Хьюз еще раз поцеловал ее, позвонил в службу обслуживания номеров и заказал шампанское.

Когда бутылку «Кристала» принесли, он сам ее откупорил. Официант быстро удалился, отметив, что номер выглядит чудесно. У Хьюза уже сложился план. Они сделали по глотку шампанского, и он нежно обратился к Натали:

— Старший менеджер, под началом которого я работал в «Ритце», однажды сказал, что пока сам не поспишь в номере, не поймешь, насколько он комфортный. И я подумал... может быть... если ты согласишься... может быть, сегодня ночью мы это проверим? Мне бы хотелось, чтобы мы с тобой стали первыми, кто здесь переночует, пока все еще новенькое, с иголочки... Как тебе эта мысль? — Он снова поцеловал ее. Натали улыбнулась и обняла его. Она еще никогда не была так счастлива с мужчиной. Он добрый, внимательный, чуткий и такой любящий!

— Просто чудесная! — ответила она. Они еще раз поцеловались, но тут Натали встревоженно взглянула на него. — Но ведь в отеле начнутся разговоры? — Это ее всегда волновало.

— Нет никаких причин, по которым мы не можем здесь пообедать, и это вполне прилично. Что случится потом, касается только нас двоих. Я хозяин этого отеля и имею полное право ночевать тут, если пожелаю. Ну а ради спасения твоей репутации могу завтра утром вывести тебя по черной лестнице. Моя дочь однажды такое проделала с одним бездомным, причем весьма удачно. Если это удалось ей, нам тем более удастся.

Натали улыбнулась:

— Должно быть, это было что-то!

— Еще бы! Она всегда стремилась заниматься благотворительностью и решила доказать, что милосердие начинается в собственном доме. В лютый холод он провел здесь ночь и дважды как следует поел, а потом она тайком вывела его обратно. Это обнаружилось только на следующий день на пленках службы безопасности. В нашем случае глава службы безопасности поведет себя еще более деликатно, Брюсу я доверяю полностью. Ну, что скажешь? — Он смотрел на нее с надеждой и каким-то мальчишеским выражением. Они встречались вот уже два месяца и были оба готовы к развитию отношений.

— Думаю, я люблю тебя, Хьюз, — мягко ответила Натали. Правду говоря, она в этом не сомневалась, и он тоже.

Вечером они заказали в люкс обед и устроили себе праздник. Хьюз включил музыку, оба они расслабились и проговорили почти до полуночи. Официант, доставивший обед и убравший потом посуду, не увидел ничего необычного в том, что они обедают в только что заново отделанном люксе, чтобы отпраздновать завершение работы, и даже в кухне ни словом об этом не обмолвился. А потом они повесили на дверь табличку «Не беспокоить», так что горничные в номер не заходили — впрочем, это и не требовалось, так как постояльцев в нем еще не было. Хьюз оставил мобильник включенным на случай, если в отеле произойдет что-нибудь непредвиденное. Именно таким образом служащие связывались с ним, если не знали точно, где он находится. А если владелец захотел лично опробовать новый

люкс, так они не видели в этом ничего удивительного. Хьюз
пригасил свет, поцеловал Натали и повел ее в спальню.

Он откинул на кровати новое покрывало, они вместе
убрали его на кресло, и Натали упала в его объятия, забыв-
шись в ласках и поцелуях. Кровать обволакивала, как об-
лако, и желание, которое они сдерживали последние месяцы, и годы, и всю жизнь, проведенную друг без друга,
унесло их в место, о котором они и не мечтали, которое не
надеялись отыскать. Натали казалось, что она принадлежала ему вечно. Она лежала в его объятиях, а он смотрел
на нее с нежностью мужчины, который долгие годы не ве-
дал любви. Он просто не мог оторваться от нее, и часа в
четыре утра они вдвоем оказались в огромной ванне, а когда вернулись в постель, то мгновенно заснули, обнимая
друг друга, как счастливые дети.

На следующий день, когда они проснулись, солнце за-
ливало комнату, и Хьюз не смог устоять, и они снова занимались любовью, хотя уже было позднее утро. Но он все
еще надеялся, что сможет незаметно вывести Натали из
отеля, чтобы избежать сплетен. Впрочем, занявшись любовью, оба об этом забыли, а потом вместе отправились в
душ. Натали одевалась, а Хьюз не мог отвести от нее глаз.
Он любил ее ум, душу и тело.

— Я уже сказал тебе сегодня, как сильно тебя люблю? —
прошептал он ей в волосы. Они уже оделись, но он снова
начал целовать ее, жалея, что нужно уходить. Он хотел
остаться с ней навсегда.

— Я тоже тебя люблю, — прошептала она в ответ.

Они с трудом оторвались друг от друга, поцеловались
еще раз и вышли из номера. Хьюз повесил на дверь табличку для горничных и повел Натали вниз по черной лестнице, в точности как Элоиза когда-то вела Билли. Он знал,
что они появятся на мониторах службы безопасности, но
знал также, что Брюс Джонсон не скажет ни слова, даже
если их заметит. Впрочем, и остальные тоже. Работники
службы безопасности постоянно имели дело с гостями, со-

вершавшими неосмотрительные поступки и вступавшими в сомнительные любовные связи, но держали язык за зубами. Гости отеля «Вандом» полагались на них, зная, что те будут молчать, и Хьюз тоже. Он открыл дверь и выпустил Натали в холодное ноябрьское утро.

— Хочешь сегодня вечером прийти ко мне? — спросила она. Хьюз кивнул. Оба они знали, что никогда не забудут свою первую ночь в новом люксе. Им казалось таким правильным, что они будут в нем первыми гостями. И то, что наконец случилось с ними после двух месяцев ожидания, тоже казалось абсолютно правильным. — Я люблю тебя, — шепнула Натали, когда Хьюз поцеловал ее.

Он подозвал такси.

— Увидимся вечером, — сказал он, помахал вслед увозившей ее машине и почувствовал, что с ней исчезла и часть его — его лучшая часть. Его сердце, в котором было место и для Натали, и для дочери. Он не видел тут никакого противоречия — он любил обеих, ведь это так просто!

Хьюз завернул за угол, подошел к главному входу и поздоровался со швейцаром. Тот слегка удивился, так как не видел, чтобы босс выходил из отеля, но тут же выкинул все из головы, будучи слишком занят. Мгновение спустя Хьюз вошел в офис с умиротворенным, счастливым лицом и улыбнулся своей помощнице.

— Доброе утро, Дженнифер, — сказал он, проходя в кабинет.

Она тут же схватила трубку и заказала как обычно капуччино, а через пять минут вошла в кабинет с чашкой.

— Хорошо спалось? — Этот вопрос Дженнифер часто задавала ему в начале рабочего дня.

— Отлично. Сегодня я ночевал в новом люксе, хотел перед приездом сенатора убедиться, что там все в порядке.

— И как? — с интересом спросила Дженнифер.

— Просто безупречно. Вам следует подняться и посмотреть лично. — Хьюз знал, что вчера, после расстановки мебели, Дженнифер просто не хватило времени. — Натали совершила нечто фантастическое. Кстати, я хочу, чтобы сразу после Рождества она приступила к работе над тремя остальными люксами, как мы и говорили. Только подождем, пока Элоиза увидит этот.

Несмотря на то что изменения были почти незаметными и не бросались в глаза, люкс стал выглядеть свежее и современнее. Дженнифер ничуть не удивилась, что он решил отдать Натали в переделку и остальные люксы. Она по многим причинам ожидала этого. И на какую-то долю секунды ей в голову пришла мысль, провел ли босс там ночь один или с женщиной. Дженнифер почти надеялась, что так оно и случилось, но тут же решила, что ее это не касается. Главное, что он выглядит более счастливым, чем обычно, и это сразу заметно.

Проверив сообщения и выпив кофе, Хьюз позвонил Натали. Он сидел за столом, думал о ней и решил, что позвонить необходимо. Увидев его высветившийся номер, Натали просияла и схватила трубку. Голос ее звучал так же радостно, как и его.

— Я просто с ума по тебе схожу, — признался Хьюз. Самым лучшим во всем этом было то, что любовь к ней вовсе не являлась безумием. Наоборот, оба они считали ее правильной и разумной.

— Я тоже. Просто не знаю, как доживу до вечера.

— Если хочешь, мы с тобой можем днем пробраться наверх. Сенатор приезжает только завтра.

Оба одновременно расхохотались. Понятно же, что для них самое безопасное место — ее квартира. Во всяком случае, до тех пор, пока они не решат поделиться своей тайной с миром. Но сначала Хьюз хотел рассказать все Элоизе. Это элементарное проявление уважения к дочери, и Натали с ним согласилась. Они обсуждали это ночью, когда вместе принимали ванну. Хьюз сказал, что сообщит обо всем Элоизе на Рождество, и ни в коем случае не по телефону. Натали тоже считала, что это будет самым правильным. Элоиза должна была приехать через четыре недели, и они вполне могли дождаться ее возвращения. Это будет даже забавно.

— Кстати, я хочу, чтобы ты взялась и за остальные три люкса. Поговорим об этом, когда у тебя будет время.

— Спасибо, — улыбаясь, ответила Натали. Она очень обрадовалась, но гораздо больше ее волновал он и все, что случилось ночью.

— Увидимся позже.

И начался новый день. Хьюз был занят до позднего вечера, но как только смог вырваться, он взял такси и поехал в даунтаун к Натали. Она оделась в симпатичный свитерок и новые джинсы, но Хьюз даже не успел открыть шампанское, как они оказались в постели, продолжив то, что начали предыдущей ночью, и никак не могли насытиться друг другом. Оказаться вне отеля и не бояться, что их обнаружат, было особенно приятно.

Потом Хьюз лежал в постели и смотрел на нее с любовью и удивлением.

— Почему же мне так повезло, что я все-таки сумел тебя найти?

— Я чувствую то же самое. Такое ощущение, что все эти дурацкие годы без тебя прошли впустую.

Натали его поцеловала, и он улыбнулся:

— Нет, не впустую. Это цена, которую мы заплатили, чтобы заслужить друг друга. И мне все равно, как долго это тянулось и каким одиноким я тогда был. Ты стоишь того, чтобы тебя ждать, Натали. Я бы прополз на коленях вокруг земного шара, лишь бы тебя найти.

Она улыбнулась, услышав такое романтическое признание, и снова прильнула к его губам.

— Добро пожаловать домой, Хьюз, — чуть слышно произнесла она. Он крепко прижал ее к себе, чувствуя, что он и вправду дома.

Глава 10

В день приезда Элоизы из Швейцарии на рождественские каникулы отель гудел как улей. Кондитер испек ее любимый шоколадный торт, Эрнеста проследила, чтобы горничные как следует убрались в ее комнате, Джен послала наверх букет цветов, а вестибюль украсили к Рождеству. Хьюз так радовался, что дочь возвращается домой! Ему не терпелось скорее ее увидеть. Прошло почти четыре месяца — они еще никогда не расставались так надолго. Встречать ее в аэропорт он поехал на «роллс-ройсе».

Они с Натали говорили об этом предыдущей ночью, и она призналась, что сильно нервничает из-за встречи с его дочерью. А что, если она не понравится Элоизе? Хьюз сказал, что ее сомнения нелепы, конечно, понравится, просто он не хочет вываливать эту новость на Элоизу в день приезда, а предпочитает дать ей несколько дней пообвыкнуться. Столько всего случилось! Последние четыре недели они с Натали проводили вместе каждую ночь, и, конечно, им будет этого очень не хватать то время, что Элоиза проживет дома. Каникулы у нее продлятся три недели, и Хьюз сильно расстроился, услышав, что третью она собралась провести, катаясь на лыжах в Гштаадте со своим французским бойфрендом. У его родителей там есть дом. Хьюз попытался возражать, но Элоиза даже слушать не стала, сказав, что туда поедут все ее друзья. Так что он радовался каждой минуте из двух недель, которые она собиралась провести в отеле. Хьюз надеялся, что все будет, как в прежние времена, когда она еще жила дома, и как-нибудь в течение этих двух недель он расскажет ей про Натали и познакомит их.

Ее самолет прилетел из Швейцарии на полчаса раньше расписания, но Хьюз уже был в аэропорту, и дочь обняла его так крепко, что он чуть не задохнулся. Она показалась ему другой — повзрослевшей, вдруг стала немного похожа на европейку и слегка подстригла волосы, что придало ей более искушенный вид. Первый серьезный роман с юношей-французом каким-то образом изменил его дочь. Хьюз оставил в Лозанне девочку, а вернулась к нему взрослая женщина.

Всю дорогу в город Элоиза оживленно болтала о гостиничной школе, а когда они прибыли в отель, служащие, все, кому позволила работа, уже ждали их в вестибюле. В рождественском интерьере происходящее напоминало семейную сцену. Элоизу обнимали, улыбались ей, похлопывали по спине и крутили во все стороны, чтобы рассмотреть хорошенько. Джен принесла охапку роз на длинных стеблях. Дженнифер специально вышла из офиса, чтобы обнять ее. Ни одну VIP-персону не ожидал в отеле такой теплый и радушный прием. Трое посыльных поднялись вместе с ними в лифте наверх, чтобы помочь Элоизе нести ее единственный чемодан. И когда она вошла в апартаменты и снова обняла отца, то была в полнейшем восторге. Впрочем, Хьюз был не менее счастлив.

— Тут все выглядит так чудесно! — воскликнула Элоиза, осматривая безупречно чистые комнаты и увидев расставленные везде цветы. — И ты тоже, — добавила она, сияя. Еще никогда на ее памяти отец не выглядел так хорошо. — Я тааааак по тебе скучала!

— Даже не говори мне об этом, — торопливо предупредил Хьюз, пытаясь скрыть свои чувства. — Мне казалось, что все эти четыре месяца мне не хватает многих частей тела — печенки, сердца и обеих ног! — Тут он вспомнил: — Погоди, ты еще увидишь номер девять-двенадцать. Он полностью переделан.

Хьюз говорил ей, что в нем идут работы, но решил, что их окончание должно стать сюрпризом.

— И что, хорошо получилось? — Похоже, Элоизу это заинтересовало, так что Хьюз вытащил из кармана ключ и усмехнулся:

— Пойдем, взглянешь. Вечером в него заселяются, но пока он свободен. — Он взял дочь за руку, и они вместе побежали по служебной лестнице на девятый этаж. Хьюз первой впустил в номер Элоизу и услышал, как она ахнула.

— О Боже, папа! Это волшебно! Таааак чудесно, и именно то, что требовалось. Он стал современным, и радостным, и элегантным. А новые картины — просто фантастика! Лампы и ковер мне тоже нравятся. — Элоиза пробежалась из гостиной в спальню, и там ей понравилось еще больше. — Должно быть, эта твоя декоратор просто замечательная. Она проделала грандиозную работу. — За прошедшие четыре месяца Хьюз несколько раз упоминал имя Натали, но старался делать это не очень часто, чтобы не возбудить у Элоизы подозрений. И у него это здорово получилось, потому что он не заметил во взгляде дочери даже намека на вопрос, она видела только интерьер. — Я в восторге, я просто в восторге, — повторила Элоиза, усевшись на диван и еще раз оглядевшись. Ей, как и Хьюзу, ужасно понравились всякие добавленные Натали мелочи и аксессуары, а предметы, которые та принесла из других номеров, тут вдруг заиграли новыми красками.

— И она умудрилась даже не израсходовать весь заложенный бюджет. Я только что отдал ей в работу остальные три люкса. В некоторых других номерах она тоже кое-что сделала.

— Прекрасно, просто прекрасно! — восхищенно повторила Элоиза. — Я хочу с ней познакомиться. Она молодая? В том, что она делает, чувствуется свежесть, причем она гармонирует со стилем отеля. Получается элегантность Старого Света, только с современным оттенком.

— Для меня молодая. Для тебя нет, — ответил Хьюз, имея в виду возраст Натали. — Думаю, ей тридцать девять.

Он точно знал, сколько лет Натали, но не хотел показывать, что знает слишком много. Прямо сейчас ему выпала идеальная возможность сказать дочери, что он встречается с Натали и любит ее, но Хьюз боялся испортить ей первый вечер дома и промолчал. Ему не хватило смелости, поэтому он не произнес ни слова, только упомянул о возрасте Натали и похвалил ее талант дизайнера.

— Держу пари, она классная, — предположила Элоиза.

— Это так, — спокойно согласился Хьюз.

Тут дочь пожелала снова вернуться в апартаменты. Им принесли обед, и Элоиза стала рассказывать отцу про школу и про Франсуа, юношу, с которым встречается.

— Ты его любишь? — обеспокоенно спросил отец, боясь услышать ответ.

— Может быть. Не знаю. Но я не хочу отвлекаться от занятий и все испортить. Но мы вместе подали заявления на прохождение годовой стажировки, начиная с будущего лета. В «Ритц», «Георг V» и «Плаза Атени».

Едва она это произнесла, Хьюз помрачнел.

— Я думал, ты будешь проходить стажировку здесь, у меня, — напомнил он.

— Я могу успеть и то и другое, — рассудительно ответила Элоиза. — Например, шесть месяцев в Париже, а остальные шесть у тебя. И тогда к Рождеству будущего года я как раз окажусь дома.

Но он-то рассчитывал, что она вернется на полгода раньше, уже в июне. А теперь это означает, что дочери не будет дома еще целый год, а прошедшие четыре месяца уже показались ему вечностью. Но не ей. Совершенно очевидно, что она чувствует себя в Лозанне как рыба в воде, увлеченная Франсуа, занятиями и новыми друзьями. Элоиза сказала, что в шале родителей Франсуа в Гштаадте поедут десять человек, чтобы встретить там Новый год. Его родители — очень успешные люди, владеют отелем на юге Франции, так что у них много общего. Это был первый роман Элоизы, и хотела она это признать или нет, но отец видел, что она влюблена.

После обеда Элоиза спустилась вниз, чтобы повидаться со старыми друзьями во всем отеле. Она знала весь ночной персонал, забежала поздороваться с телефонистками и на стойку портье, чмокнула в щеку дежурного консьержа и снова поднялась наверх. Когда Элоиза вошла, Хьюз разговаривал по телефону с Натали, но тут же попрощался и повесил трубку.

— И кто это был? — улыбаясь, спросила Элоиза.

Для отца она по-прежнему оставалась ребенком, и ему было очень сложно объяснить ей, что он полюбил Натали. Ему казалось, что если он скажет это вслух, то поведет себя вероломно по отношению к дочери и будет чувствовать себя очень неловко. Хьюз понимал, что это глупо, но таков уж он был.

— Собственно, это как раз и была Натали Питерсон, дизайнер интерьеров, которая делала люкс девять-двенадцать. Я рассказывал ей, как сильно тебе понравилась ее работа. Она говорит, что очень хочет с тобой познакомиться. Может быть, через пару дней?

— Конечно. — Элоиза хотя и обратила внимание, но не стала упоминать о том, что отец звонит в десять вечера. Она решила, что за время работы над люксом они просто подружились. — Это будет весело, — улыбнувшись, добавила она и пошла на кухню апартаментов налить себе вина. Хьюза это удивило. Совсем взрослый поступок, хотя он всегда позволял ей за обедом сделать глоток-другой вина, если Элоиза хотела, что, впрочем, случалось крайне редко. Оставалось надеяться, что она не злоупотребляет алкоголем со своими друзьями по учебе. Теперь, да еще на таком расстоянии, он мало что мог проконтролировать и мало на что повлиять.

Такова доля всех родителей, оказавшихся в подобном положении. Дети вырастают и становятся самостоятельными, сами принимают решения и последствия расхлебывают тоже сами. А ты можешь лишь надеяться, что они не рискуют чересчур и последствия не будут ужасными.

— А что мы будем делать завтра? — спросила Элоиза, усевшись на диван скрестив ноги и прихлебывая вино. Хьюз изо всех сил старался примириться с этим.

— Все, что захочешь. Следующие две недели я полностью в твоем распоряжении.

Ему, конечно, все равно придется работать, но Хьюз предупредил всех, что, пока дочь здесь, он будет не так часто сидеть в кабинете. А еще предупредил Натали, что не сможет часто с ней видеться. На Рождество она собиралась в Филадельфию, к брату и его семье, и ехала туда поездом со старшим племянником, только что начавшим учиться в юридической школе Колумбийского университета.

— Завтра мне нужно заняться рождественскими покупками, — сказала Элоиза. — В Лозанне мне не хватило времени, еще вчера я сдавала экзамены.

— И как сдала? — озабоченно спросил отец. Он боялся, что этот Франсуа ее отвлекает.

— Думаю, нормально. Я знаю многое из того, чему нас учат, еще по нашему отелю, — беззаботно ответила Элоиза.

Они поболтали еще немного — о школе, о Швейцарии, о том, какой школа была, когда в ней учился Хьюз, но в конце концов Элоиза зевнула и отправилась спать. По швейцарскому времени было уже очень поздно. И в точности как все девятнадцать лет до ее отъезда, Хьюз укутал ее одеялом и поцеловал.

— Спокойной ночи, папа... как хорошо дома, — сонно произнесла Элоиза, послала ему воздушный поцелуй, повернулась на бок и уснула еще до того, как он вышел из комнаты.

Хьюз пошел к себе в комнату, минутку посидел в задумчивости, размышляя об Элоизе и о том, как хорошо, что она снова дома, а затем снова позвонил Натали. Та еще не спала, гадая, как все прошло.

— Ну, как она?

— Думаю, влюблена в этого мальчишку. Но кажется, рада, что приехала домой. Говорит, что хочет проходить стажировку в парижском отеле и только потом вернется сюда. А это значит, что ее не будет дома еще целый год.

Чувствовалось, что он разочарован, и Натали стало его жалко — ему так сложно отпустить дочь!

— Год пролетит быстро, — заверила она Хьюза. — А ты всегда можешь полететь навестить ее.

— Мне трудно уезжать из отеля.

Натали знала, что это правда. Он с огромным вниманием относился к отелю, и персонал мог к нему обратиться в любое время. Даже ночью, бывая у нее, он не выключал мобильник и очень редко переключал его на голосовую почту — только если они занимались любовью. В остальных случаях Хьюз на звонки отвечал.

— Ну и когда я смогу с ней встретиться? — Натали с нетерпением ждала этого, стремясь скорее познакомиться с Элоизой.

— Может, зайдешь завтра на бокал вина? После работы.

— Отлично! — радостно сказала Натали. — Прямо дождаться не могу. Такое чувство, что мне предстоит познакомиться с кинозвездой или еще какой-нибудь знаменитостью, — смеясь, добавила она.

— Для меня она такая и есть, — ответил Хьюз. Впрочем, это Натали уже знала. — Часов в семь? Если все пройдет хорошо, мы все вместе можем сходить пообедать.

— Прекрасно!

— Я скучаю, — прошептал Хьюз. Он не хотел, чтобы его услышала Элоиза. Она, конечно, спит, но мало ли что?

— Я тоже. Я люблю тебя, Хьюз.

Натали надеялась, что сможет полюбить и его дочь. Она хотела этого ради них всех. Хотела стать другом Элоизы, а не заменять ей мать, что было бы неправильно. Скорее, очень близкой и любимой тетушкой.

— Я тоже тебя люблю, Натали, — ласково произнес он, и оба повесили трубки.

Хьюз минутку постоял в дверях спальни Элоизы. Она мирно спала с улыбкой на устах. Он осторожно закрыл дверь и ушел в свою спальню, впервые после ее отъезда в Лозанну ощущая покой в душе. Он знал, где она находится сегодня ночью, знал, что ей ничто не угрожает и что за завтраком он ее увидит. В его мире снова все было в порядке.

Утром завтрак им принесли сразу двое официантов вместо одного. Оба радостно расцеловали Элоизу, объявив, что отель без нее не тот и ей лучше поторопиться, скорее закончить учебу и вернуться домой.

А после завтрака она отправилась за рождественскими покупками, причем отец настоял, чтобы она заказала в прокате машин внедорожник, так как идет снег и найти такси будет сложно.

Элоиза весь день ходила по магазинам, за ленчем встретилась со школьной подружкой из лицея, усталая, но довольная вернулась домой к пяти часам и зашла в офис отца, где ее с улыбкой встретила Дженнифер.

— Безусловно, замечательно, что ты снова здесь, — сказала та. Элоиза чмокнула ее в щеку и направилась в отцовский кабинет. Он подписывал чеки, сидя за столом, и, услышав, что входит дочь, поднял на нее радостный взгляд.

— У меня остались хоть какие-то деньги, или сегодня ты потратила все? — с улыбкой спросил Хьюз.

— Почти все. Но оставила немножко, чтобы ты смог купить мне рождественский подарок. — Элоиза прыснула от собственной шутки, а Хьюз засмеялся вслух.

— О, правда? И чего бы тебе хотелось?

— Ну, не знаю. Что-нибудь такое, чтобы я могла этим пользоваться в школе. Например, бриллиантовую диадему или соболиную шубу в пол. — Внезапно Элоиза сделалась серьезной. — Вообще-то я хотела спросить, нельзя ли мне получить новые лыжи. Мои старые совсем никудышные, и я бы с удовольствием каталась в Гштаадте на новых.

Просьба была вполне разумной и понравилась Хьюзу.

— Я и сам об этом подумывал.

Еще он купил ей в «Бергдофе» парку на стриженом овечьем меху, рассчитывая, что она сможет носить ее и в школе, и золотой браслет с ее именем, выгравированным снаружи, и словами «С любовью, папа», выгравированными внутри. Гораздо сложнее оказалось выбрать подарки для Натали, такой скромной и одновременно шикарной, к тому же казалось, что у нее есть абсолютно все, а Хьюз хотел подарить ей что-нибудь сентиментальное, что она могла бы носить. В конце концов он остановился на антикварном медальоне в виде сердечка с бриллиантами, на длинной золотой цепочке, от Фреда Лейтона, и понадеялся, что Натали это понравится.

— Что выбираешь сегодня вечером — пойдем обедать куда-нибудь в ресторан или останемся дома?

Элоиза заметно смутилась. Она не хотела обижать отца и собиралась побыть с ним, но при этом хотела и повидаться со старыми друзьями. С двумя из них она уже договорилась сегодня пообедать, а потом пойти на вечеринку в Трайбеку.

— Прости, папа, но сегодня я встречаюсь с подругами. Как насчет завтрашнего вечера? Я не буду на него ничего планировать.

— Не говори глупостей, все в порядке. Конечно, ты хочешь повидаться со своими приятелями. — Хьюз изо всех сил скрывал разочарование, напоминая себе, что он не единственное, что есть в ее жизни, и что она молода. — Кстати, Натали Питерсон, дизайнер, сегодня в семь придет к нам на бокал вина. Она хочет с тобой познакомиться.

— Я бы тоже не отказалась с ней познакомиться, но боюсь, что не успею. Мы заказали столик в даунтауне на восемь.

— Тебе не нужно оставаться с нами надолго. Она очень рада, что тебе понравился люкс.

Элоиза улыбнулась, собрала свои покупки и поднялась наверх, чтобы приготовиться к вечеру. А Хьюз постарался принять спокойный вид, совсем не соответствующий его состоянию. Он не хотел настаивать на знакомстве дочери с Натали, но для него это было важно, и он пытался вести себя невозмутимо.

В шесть тридцать Хьюз тоже поднялся наверх. Элоиза, замотанная в полотенце, носилась по апартаментам и разговаривала по мобильнику с подругой, обсуждая дополнительно планы на вечер. Она помахала отцу и скрылась в своей комнате.

Ровно в семь позвонили от портье и сообщили, что мисс Питерсон ждет внизу. Он попросил передать, чтобы она поднималась.

Хьюз открыл Натали дверь, но не решился поцеловать, боясь, что именно в этот момент Элоиза выскочит из комнаты. Вместо этого он прошептал:

— У нас тут все вверх ногами. Она собралась куда-то уходить. Я сказал, что ты придешь на бокал вина, потому что ей так понравился люкс.

— Вот и хорошо. — Натали выглядела спокойной. Она привыкла к молодым людям в возрасте Элоизы, общаясь с племянниками и племянницами. У ее брата в Филадельфии было четверо детей, и двое из них, близнецы, ровесники Элоизы.

Хьюз налил ей шампанского. Через полчаса из своей комнаты появилась Элоиза с еще влажными волосами, в черных леггинсах, черной кожаной тунике и в босоножках на высоченных шпильках. Хьюз никогда раньше не видел ее в подобных нарядах и не мог понять, что в данном случае означает туника — платье это или только верхняя часть туалета. Прежде его дочь одевалась намного консервативнее, а в этом сексуальном наряде выглядела весьма искушенной и пугающе взрослой. Очень модной взрослой дамой, как женщины, встречавшиеся в коридорах и в баре отеля.

— Это Натали, дизайнер интерьеров, совершившая чудо с номером девять-двенадцать, — представил ее Хьюз. Элоиза улыбнулась, подумав, что Натали — довольно приятная леди. Она вела себя непринужденно, а улыбалась искренне.

— Мне ужасно понравилась ваша работа, — честно сказала Элоиза. Отец протянул дочери бокал шампанского и предложил сесть. — Я могу задержаться только на пять минут. Должна забрать остальных до без четверти восемь, мы едем в даунтаун. — Снегопад прекратился, но в это время года, перед Рождеством, поймать такси было нелегко. Впрочем, бокал с шампанским Элоиза взяла и села на диван. — Папа говорит, что отдает вам и остальные люксы. Держу пари, они станут великолепными, — вежливо произнесла Элоиза с дежурной улыбкой.

— Может быть, на этот раз ты поможешь мне выбрать ткани? — непринужденно отозвалась Натали, наблюдая за девушкой. Она была очень привлекательной и намного более искушенной, чем описывал ее Хьюз.

— Да, было бы неплохо. Но я скоро уезжаю. И уверена, что вы с папой отлично справитесь сами. — Элоиза взглянула на часы и с испуганным видом вскочила. — Все, мне пора, — обратилась она к отцу, чмокнула его в щеку и обернулась к Натали, явно не замечая, что между этими двумя происходит. — Рада была познакомиться.

Через две секунды они услышали, как захлопнулась входная дверь.

— Очень жаль, — разочарованно произнес Хьюз. — Я надеялся, что у вас будет возможность поговорить. Она хочет повидаться со старыми друзьями, а я этого не учел.

Прежде всего Хьюз не учел, подумала Натали, что у его дочери давно началась собственная жизнь.

— Все в порядке, — беззаботно откликнулась она. — Дети не любят проводить время со старыми развалинами вроде нас с тобой.

— Может, я и старая развалина, — усмехнулся Хьюз, — но ты определенно нет.

В короткой юбке, красивой блузке, на высоких каблуках Натали меньше всего походила на старушку.

— Для нее — да. — Натали смотрела на мир реалистично. — Для нее мы уже почти покойники, и она приехала всего на две недели. Конечно, ей хочется повидаться с друзьями. Она о чем-нибудь догадывается?

— Нет, — твердо ответил Хьюз. Он вел себя очень осторожно, чтобы дочь ничего не заподозрила. — Я говорил только о твоей работе в отеле. Хотел, чтобы сначала вы познакомились. И потом, она же только вчера прилетела. — Натали кивнула и поцеловала его. Хьюз налил еще по бокалу шампанского. — Она так повзрослела, — пожаловался он. — Наверное, все дело в том мальчишке.

— Думаю, дело в ее возрасте. И в том, что она учится вдали от дома. То же самое произошло с моими племянницами, когда они уехали в Стэнфорд. Отъезд заставляет их взрослеть.

— А меня стареть, — добавил Хьюз. Он все еще жалел, что Элоиза почти не поговорила с Натали. Ему отчаянно хотелось, чтобы та понравилась дочери, а они едва успели познакомиться.

Обедать они пошли в «Ла Гулю» на Мэдисон-авеню и провели спокойный вечер в обстановке, которая нравилась обоим, а потом пешком прогулялись до отеля. Хьюз решил не ехать к Натали, на случай если Элоиза вернется домой рано. Наверху они выпили еще по глотку, и Натали уехала еще до полуночи. Элоиза пришла домой в четыре, когда Хьюз давно спал.

За завтраком она выглядела утомленной, и он не решился снова заикнуться про Натали; не хотел слишком настаивать и тем самым раскрыть свои карты.

— Что будешь делать сегодня? — как бы между прочим спросил Хьюз.

— Иду кататься на коньках в Центральный парк. А вечером намечается еще одна вечеринка в даунтауне. Все приехали из колледжей домой на Рождество.

И до Хьюза начало доходить, что ему придется постоять в очереди, если он хочет хоть немного побыть с ней. Шансы провести вечер с дочерью и Натали, чтобы они поближе познакомились, были почти равны нулю. Элоиза хотела успеть слишком многое за ограниченное время.

До сочельника в плотном графике Элоизы не нашлось ни минутки для новой встречи. Хьюз пригласил Натали на ленч, чтобы обменяться подарками, а вечером она уезжала в Филадельфию. Она должна была прийти в отель, а потом они собирались спуститься в ресторан. Натали вошла в их апартаменты ровно в полдень. Элоиза как раз собиралась уходить на очередную встречу с друзьями.

— О, привет, — сказала она, увидев в дверях дизайнера, и, не понимая, что та здесь делает, озадаченно уставилась на Натали. Элоиза явно не подозревала, что между ее отцом и Натали что-то происходит.

— С Рождеством, — улыбнулась ей Натали. — Сегодня мы с твоим отцом идем на ленч.

— Думаю, он внизу, в своем кабинете. — Не успела Элоиза это произнести, как в апартаменты вошел Хьюз. Он обрадовался и одновременно занервничал, увидев обеих женщин своей жизни вместе и не зная, о чем они успели поговорить.

Хьюз дружески чмокнул Натали в щечку, как поступал со всеми своими знакомыми дамами.

— Привет, папа. Я ухожу, — сообщила Элоиза, надевая пальто.

— Я вижу. Надеюсь, сегодня не намечается никаких вечеринок? Давай проведем вечер по-семейному, вместе, как в старые добрые времена. И сходим на мессу.

— Конечно, — ответила Элоиза, будто ни о чем другом и не думала, хотя до сих пор не бывала дома ни одного вечера. А ведь через шесть дней она уезжает! Эти ее каникулы оказались слишком быстротечными и заполненными другими людьми, но Хьюз все равно радовался, что она здесь. Одно то, что она снова живет в их апартаментах, что он видит ее каждое утро, согревало ему сердце.

Элоиза распахнула дверь, улыбнулась обоим, сказала «пока» Натали и исчезла.

У Хьюза сделался несчастный вид.

— Я ее почти не видел, — пожаловался он Натали, не сумевшей провести с Элоизой и пяти минут. Надежда, что они познакомятся поближе, испарилась окончательно.

— Как по-твоему, ты успеешь рассказать ей о нас до ее отъезда? — спросила Натали с несколько обеспокоенным видом. — Я чувствую себя в некотором смысле обманщицей из-за того, что она до сих пор не знает. Она такая важная часть твоей жизни, что заслуживает уважительного отношения. — «И я тоже», — подумала Натали, но вслух не произнесла. Ей казалось, что они обманывают его дочь, встречаясь украдкой, и это ее тревожило.

— Конечно, она имеет право обо всем узнать, — согласился Хьюз, до сих пор не представлявший, как Элоиза воспримет такую новость. С ее точки зрения, Натали была всего лишь дизайнером, работавшим на отель, и никем больше. Невозможно представить, что она почувствует, если узнает, что Натали стала так много значить для ее отца. — Но только обязательно нужно, чтобы разговор происходил не наспех, а в сочельник я ей об этом рассказать не могу. А меньше чем через неделю после него она уедет. — Это означало, что времени остается все меньше, и вряд ли Хьюз успеет успокоить дочь и дать ей возможность привыкнуть к этому известию. Все очень запуталось. — Я сделаю все, что смогу, — пообещал он, обнимая Натали, но он уже видел, что она разочарована.

— Конечно, все это очень непросто, потому что она учится далеко. Но мне кажется неправильным встречаться, ничего не сообщив ей. — Они начали спать вместе ко Дню благодарения, а встречались и вовсе начиная с сентября, а ведь уже Рождество. — Во всем этом есть что-то трусливое, и мне это не нравится. Может быть, тебе следует просто сказать ей, и пусть привыкает к этой мысли там, в школе.

— Этого я делать точно не буду, — твердо произнес Хьюз. — Все было бы по-другому, будь у меня в прошлом серьезные отношения с другой женщиной, но ты первая, и для нее это может стать потрясением.

Вот для него — точно.

— Наши отношения очень важны для меня, — печально произнесла Натали. — И я твердо верю, что нет ничего лучше правды. Мы любим друг друга. Это не преступление.

Но оба они понимали, что Элоиза может счесть это преступлением. Натали надеялась на лучшее, но слишком тесная связь Хьюза с дочерью делала ситуацию необычной и непредсказуемой.

— Позволь мне самому выбрать подходящее время до ее отъезда. Обещаю, что я это сделаю, — заверил ее Хьюз, и они попытались перевести разговор на другие темы. Вместо того чтобы спуститься вниз, Хьюз заказал ленч в апартаменты, чтобы побыть с Натали наедине, а потом поцеловал ее и вручил свой подарок. Она пришла от медальона в восторг и тут же его надела, горячо поблагодарив Хьюза. Она чувствовала себя виноватой из-за того, что завела речь об Элоизе, но ее расстраивала необходимость таиться от его дочери. Она хотела поступить честно, хотела подружиться с ней, а этого так и не произошло.

Натали вручила ему свой подарок. Она купила для Хьюза набор книг в кожаных переплетах — первые издания французской классики, на которые он так часто ссылался. Всего двадцать книг, прекрасная коллекция, и он мог по праву гордиться, что стал ее владельцем.

Они еще какое-то время посидели, обнявшись. Хьюзу мучительно хотелось заняться с ней любовью, но Элоиза могла в любой момент вернуться домой, так что он не решился. В три часа Натали пришлось уйти, чтобы успеть на поезд до Филадельфии. Она собиралась вернуться через два дня, и у них еще хватало времени пообедать с Элоизой, лишь бы только Хьюз сумел выбрать подходящую минутку и все рассказать дочери.

Они пожелали друг другу счастливого Рождества, Хьюз нежно поцеловал Натали на прощание и вернулся в свой офис. Элоиза вернулась только в шесть вечера и сдержала слово, так что они провели спокойный вечер вдвоем — сначала пообедали внизу, в ресторане, потом поднялись к себе, а в полночь пошли на мессу в собор Святого Патрика. Когда они вернулись со службы, позвонила из Лондона Мириам, сказала, что ей пришлось рано встать, чтобы все подготовить для детей, и поздравила с Рождеством Элоизу и ее отца.

— Спасибо, мама, — вежливо ответила Элоиза. Мириам знала, что, начиная с сентября, она учится в Лозанне, но ни разу не пригласила дочь в Лондон, отговариваясь тем, что очень занята. Грег со своей группой записывал новый альбом. Разговор получился коротким. Элоиза, повесив трубку, пару минут сидела молча. Всякий раз, поговорив с матерью, она ощущала какое-то опустошение. Она попыталась объяснить это чувство отцу, и он искренне опечалился. Мириам, будучи классическим «нарциссом» и совершенно никудышной матерью, никогда не упускала случая лишний раз разочаровать дочь.

— Думаю, нам крупно повезло, что все эти годы мы с тобой прожили вдвоем, — грустно улыбнулась отцу Элоиза. — Не могу представить, на что была бы похожа наша жизнь с ней. Я даже не помню того времени, когда вы еще были женаты. — Ничего удивительного, тогда она была еще совсем маленькой. — И еще я думаю, мне повезло, что ты так и не женился снова.

Элоиза снова улыбнулась, а Хьюза охватила дрожь. Пусть они с Натали даже и не заговаривали о браке, потому что все это было для них в новинку, но он легко мог себе представить, как проводит остаток жизни с ней — разумеется, с одобрения Элоизы. И по сравнению с прошедшими пятнадцатью годами, когда он отказывался от любых серьезных отношений и обязательств, Хьюз совершил огромный шаг вперед.

— Мне нравится, когда ты принадлежишь только мне, — добавила Элоиза. — Не думаю, что в детстве мне захотелось бы делить тебя с кем-то.

Это было серьезное заявление, и Хьюз занервничал.

— А сейчас? — негромко спросил он, глядя ей в глаза.

Элоиза рассмеялась, даже не подозревая, что для него это почти вопрос жизни и смерти.

— И сейчас не хочу. Мне нравится быть единственной женщиной в твоей жизни, папа.

— А что будет, когда ты полюбишь кого-нибудь и выйдешь замуж? — Это был справедливый вопрос.

— Тогда мы счастливо будем жить все вместе до скончания века. Но пока я предпочитаю оставить все, как есть.

Элоиза не строила никаких планов по отношению к Франсуа. Они оба были еще слишком молоды, и мысль о замужестве даже не приходила ей в голову.

Слушая ее, Хьюз вздохнул, но Элоиза не заметила его опечалившихся глаз. Теперь, после всего сказанного, он ни под каким видом не мог рассказать ей про Натали. Хьюз подозревал, что это вызовет настоящий взрыв и приведет к отчуждению между ними, а этого он никак не хотел. Он не хотел ранить свою дочь, достаточно боли, причиненной ей матерью.

— Значит, тебе лучше вернуться домой и снова стать единственной женщиной в моей жизни, — поддразнил он Элоизу, желая как-то смягчить ситуацию. — А если останешься в Париже с Франсуа, я приеду и увезу тебя.

Элоиза расхохоталась и заверила его:

— Не волнуйся, папа. Я вернусь домой к следующему Рождеству, обещаю. — Она придвинулась к отцу и обняла его. — Я собираюсь вечно быть твоей девочкой. — Так оно и было всю ее жизнь, и для Элоизы ничего не изменилось. Ей даже в голову не приходило, что в жизни отца может появиться другая женщина, да и признаков никаких не было. — Я люблю тебя, папа, — ласково добавила она и положила голову ему на плечо. В отличие от матери отец ни разу ее не подвел.

— Я тоже тебя люблю, — прошептал в ответ Хьюз и теснее прижал дочь к себе, чувствуя, что он только что предал Натали, умолчав о ней. Но верность его в первую очередь принадлежала Элоизе — так было всегда и будет всегда. Не зря старая пословица утверждает — кровь не водица. А узы, соединяющие их, были крепче любых других.

Глава 11

На следующий день после Рождества Натали вернулась в Нью-Йорк, но Хьюз сказал ей, что вечером ведет Элоизу в театр на новый, очень успешный спектакль сезона, который они оба хотят посмотреть. Он бы с удовольствием пригласил и Натали, но не решился. В канун Рождества Хьюз понял, что ни под каким видом не сможет рассказать Элоизе до ее отъезда про свой роман с Натали, тем более после того, что она говорила о своем желании навсегда остаться единственной женщиной в его жизни. С учетом этого вряд ли появление Натали станет для нее приятным сюрпризом, а рисковать Хьюз не хотел.

Он не виделся с Натали до того вечера, как Элоиза улетела. Расставание с дочерью прошло мучительно, но Хьюз пообещал Элоизе, что прилетит в Европу на Пасху и свозит ее в Рим. Ждать придется целых четыре месяца, что, конечно, обоим покажется долгим сроком, но раньше он вырваться просто не мог, а Элоиза будет занята в Лозанне учебой.

Когда отец прощался с ней в аэропорту, она плакала, а Хьюзу казалось, что ему нечем дышать. По дороге домой он заехал к Натали. Она удивилась, увидев его. Натали изо всех сил старалась не расстраиваться из-за того, что он так занят, пока Элоиза в Нью-Йорке, но они не виделись с рождественского сочельника. Шесть дней разлуки показались ей вечностью.

— Наверное, ты меня ненавидишь? — спросил Хьюз, когда Натали впустила его в квартиру.

— Не говори глупостей. С какой стати мне тебя ненавидеть? — Она улыбалась, но вела себя заметно холоднее, чем в последнюю встречу, когда они обменялись подарками. Хьюз с радостью отметил, что она надела подаренный им медальон.

— Потому что я не рассказал про нас дочери, — ответил он. Хьюз чувствовал себя виноватым и перед Натали, и перед дочерью, которую обманул. — Когда мы вернулись со службы, она сказала, что ей нравится быть единственной женщиной в моей жизни. Было бы жестоко после этого рассказывать о тебе. Думаю, ей потребуется больше времени, чтобы привыкнуть к этой мысли, чем те несколько дней, что оставались до ее отъезда. Ты станешь для нее большим сюрпризом.

— Надеюсь, хорошим, — огорченно отозвалась Натали, — а не тяжелой травмой.

Она оказалась в очень неприятном положении, и навязанная роль ей совсем не нравилась. Она хотела подружиться с Элоизой, а не разрушать жизнь девушки.

— Когда ты ее снова увидишь?

— На Пасху. Повезу ее на каникулах в Рим. Может быть, тогда и сумею сказать.

— И не раньше?

— Не думаю, что такое можно сообщить по телефону или в электронном письме. А мы с тобой к тому времени будем вместе уже достаточно долго, что тоже немаловажно, — попытался оправдаться он.

Если к тому времени их отношения оборвутся, ему даже не придется ничего рассказывать дочери, и она не расстроится. Натали мгновенно уловила скрытый смысл его слов.

— Почему? Чтобы я успела пройти конкурсный отбор? — Натали постепенно начинала сердиться. В конце концов, она любила его и верила, что он ее тоже любит, а все это выглядело крайне неприятно.

— Ну при чем тут конкурсный отбор? — окончательно расстроился Хьюз. — Ты должна понять, что, по сути, у моей дочери никогда не было матери. Ее семья — это только я, и любая женщина, пытающаяся войти в наш тесный кружок, неизбежно покажется ей угрозой. Ты же знаешь, что такое дети.

Он пытался оправдать в высшей степени необычную ситуацию, и хотя Натали относилась к ней с пониманием, не все происходившее казалось ей осмысленным.

— Она не ребенок, Хьюз, — негромко произнесла Натали. — Ей девятнадцать лет. В этом возрасте у некоторых уже бывают свои дети, как, например, у моей матери. И я пытаюсь понять, но ты поставил меня в очень странное положение. Я не хочу, чтобы меня прятали. Мы не делаем ничего плохого, а в результате взвалили себе на плечи тяжеленную ношу. Мы даже по отелю не можем передвигаться свободно — а вдруг нас кто-нибудь заметит и расскажет ей? Это не мой стиль жизни. Я человек честный, и я тебя люблю. И да, я готова многое принять во внимание и оправдать, но учти — я не намерена всю жизнь скрываться.

На этот раз Натали выразилась совершенно ясно.

— Да я этого и не хочу, — повторил он. — Просто подожди до Пасхи, и я расскажу Элоизе, когда поеду с ней в Европу. Обещаю.

Она медленно ему улыбнулась. Да, ситуация складывается ненормальная, но временами жизнь бывает ненормальной.

— Ты все еще любишь меня? — спросил Хьюз, придвигаясь ближе.

Натали улыбнулась:

— Да. Если бы я тебя не любила, такой проблемы и не возникло бы. Но я очень сильно тебя люблю и хочу жить с тобой открыто, нормальной жизнью, не таиться и иметь право называться твоей женщиной, потому что я этим горжусь.

На Рождество Натали рассказала своей семье про Хьюза, и старший брат очень за нее обрадовался. Ему никогда не нравился тот мужчина, с которым она жила раньше. Брат считал его ничтожеством. А Хьюз показался ему порядочным человеком. Брат Натали, Джеймс, работал в Филадельфии банкиром, а его жена Джин — адвокатом, и у них было четверо замечательных детей. Эта дружная семья была счастлива узнать, что Натали больше не одна.

Хьюз отослал машину с водителем в отель и весь вечер провел у Натали, пытаясь загладить свое невнимание последних двух недель и то, что он так и не рассказал про них Элоизе. Час спустя они оказались в постели и занялись любовью. Он остался у Натали на ночь и собирался провести с ней новогоднюю ночь, желая вместе войти в новый год и начать его правильно. Они договорились провести эту ночь в ее квартире после того, как Хьюз организует празднование в отеле. В новогоднюю ночь у них в баре всегда хватало посетителей, в ресторане устраивали официальный обед, а запоздавшим гостям, пересекавшим, шатаясь, вестибюль, зачастую приходилось помогать добраться до номеров. До тех пор пока Элоиза не узнает об их отношениях, Хьюз с Натали старались вести себя осмотрительно, хотя Натали это очень не нравилось. Ей казалось, что скрывать их роман просто нечестно, это причиняло обоим неудобства, но все же они решили, что это самый лучший способ не дать персоналу отеля выпустить кошку из мешка.

На следующее утро Хьюз вернулся в свой офис. Натали закрыла свой на неделю между Рождеством и Новым годом, но офис Хьюза не закрывался никогда. Более того, перед Новым годом отель удваивал охрану на случай, если слишком многие постояльцы перепьют и что-нибудь выйдет из-под контроля. Хьюз предпочел бы провести эту ночь в отеле, но не хотел разлучаться с Натали, поэтому согласился приехать к ней. Он вернулся в девять часов вечера и привез с собой икру, омаров и шампанское в ящике со льдом. Они лежали на диване, угощались деликатесами, а когда часы пробили полночь, занялись любовью. Идеальный способ встретить Новый год.

Глава 12

После праздников Натали приступила к работе над остальными люксами. Она вкладывала в них столько же энергии и творчества, что и в первый, и к концу марта добилась таких же превосходных результатов. Отель получил четыре обновленных люкса, которые всех очаровали. Гости, останавливавшиеся в них прежде, требовали бронировать им только эти номера. Хьюза это приводило в восторг. Они даже подняли цены на эти люксы и на некоторые другие номера, где успела поколдовать Натали. Для нее работа на отель «Вандом» стала прибыльным предприятием, а сам Хьюз сделался ее лучшим клиентом. Он отложил на несколько месяцев переделку президентского люкса и пентхаусов из-за нехватки денег, но пообещал Натали, что на следующий год отдаст ей и этот проект.

Натали стала завсегдатаем в отеле — она то разговаривала с малярами, то занималась драпировками, то примеряла к номерам картины, которые сама носила по коридорам. Эрнеста призналась, что ей очень нравятся новые картины в номерах, а Джен, увидев обновленные люксы, пришла в такой восторг, что поставила в них горшки с особенно красивыми орхидеями. Даже Брюс, глава службы безопасности, сделал Натали комплимент. Она отыскала для Хьюза несколько новых, очень красивых произведений искусства. Благодаря своему деликатному подходу и большому таланту она придала отелю особый колорит, который всем очень нравился. Хьюз упоминал о ней Элоизе при всяком удобном случае, но всегда так, чтобы она не догадалась об их отношениях. Ему казалось неправильным сообщать о таком по телефону, поэтому он ждал пасхальных каникул, когда собирался заехать за ней в Лозанну, провести вместе ночь в Женеве, а потом полететь в Рим.

Натали по-прежнему чувствовала неловкость, оставаясь тайной для его дочери. Их романтические отношения длились уже полгода, и ей казалось неправильным их скрывать. К этому времени почти весь персонал отеля догадался, что дело не только в оформлении люксов, но никто не задавал лишних вопросов и не осмеливался сказать что-либо Хьюзу. Время шло, и их отношения превратились в своего рода секрет полишинеля. В конце концов Хьюз не выдержал и рассказал все Дженнифер, но она и так знала, Натали призналась ей несколько месяцев назад. Дженнифер была ее самой большой фанаткой и искренне радовалась за них обоих. Хьюз заслуживал другой жизни, не той, что вел все эти годы, и Дженнифер была счастлива, что он нашел женщину, которую может любить, — не свою дочь и не тех мимолетных дам, что возникали в его жизни на пару обедов и проведенную где-нибудь ночь. Столики в ресторанах ему заказывала Дженнифер, а вот о том, где провести ночь, он всегда заботился сам.

Натали уже несколько раз признавалась Дженнифер, как ее удручает то, что Хьюз до сих пор ни слова не сказал Элоизе. Дженнифер гораздо лучше, чем Натали, понимала, насколько щекотливо создавшееся положение, учитывая близость отца и дочери, и уговаривала немного потерпеть. Натали соглашалась, но чем ближе была Пасха, тем сильнее ей хотелось, чтобы Хьюз все рассказал Элоизе. Ей казалось, что пока Элоиза ничего не знает, их отношений словно и не существует. Она не раз говорила Хьюзу, что ощущает себя мрачной тайной, как «другая женщина» в фильме «Любовь и прочие обстоятельства». Он настойчиво повторял, что это не так, что она женщина, которую он любит, — но и его дочь тоже. Все это сильно действовало на нервы Натали, и она лишь надеялась, что скоро завеса секретности, окружавшая их, упадет. Она давно уже была готова встречаться с ним открыто.

Несмотря на напряжение и на то, что Элоиза по-прежнему ничего не знала, их романтические отношения продолжали развиваться. Они любили друг друга даже сильнее, чем раньше. Натали с радостью полетела бы с ним в Европу, но об этом не могло быть и речи, пока Элоиза знает ее только как дизайнера, оформлявшего четыре люкса в отеле. Натали даже предложила Хьюзу встретиться в Париже после того, как он отвезет дочь обратно в школу, но он сказал, что ему придется вернуться в Нью-Йорк, так как в конце апреля к ним приезжают нескольких очень важных гостей, а в мае и июне — еще больше. Его ждала горячая весна.

Хьюз улетел в Женеву в среду перед Пасхой, прибыл туда в четверг утром, забрал Элоизу из школы в Лозанне, и ночь они провели в гостинице «Англетер» в Женеве, настоящей жемчужине среди отелей — небольшом, но изысканном, с очень красивыми номерами, так что путешествие началось чудесно. Утром Страстной пятницы они прилетели в Рим и пошли гулять по виа Венето, бросая монетки в фонтан Треви и угощаясь мороженым. Затем зашли в Сикстинскую капеллу и постояли там, с восторгом рассматривая потолок. Просто оказаться там уже было захватывающе, а они собирались в пасхальное воскресенье прийти на площадь вместе с миллионом других людей, чтобы получить благословение папы. Пожалуй, нет лучше места на земле для празднования Пасхи.

Они остановились в отеле «Эксельсиор», который Хьюз любил с детства, потому что бывал в нем с родителями, и с удовольствием делился воспоминаниями с дочерью. Они любили путешествовать вдвоем и всегда находили, чем заняться, но на этот раз Хьюз твердо решил рассказать ей про Натали. Он обещал и собирался выполнить свое обещание. Поскольку их путешествие было рассчитано на неделю, Хьюз считал, что дочери хватит времени примириться с новостью о его любви к женщине, которая хочет поближе познакомиться с Элоизой.

Они сидели в кафе, наслаждаясь весенним солнышком, и тут Хьюз спросил дочь, как у нее обстоят дела с Франсуа. Элоиза всегда очень расплывчато говорила о нем, и он никогда не знал, отчего это — то ли Франсуа ничего для нее не значил, то ли значил слишком много. Она на удивление уклончиво отзывалась о нем, что было на нее не похоже.

— Все нормально, — ответила Элоиза, глядя в пустоту, а отец внимательно смотрел на нее, выискивая признаки, которые могли бы его встревожить. Он все время был настороже, боясь, что она не вернется домой, но пока, к счастью, ничто на это не намекало.

— Как нормально? Нормально в смысле ты настолько сходишь по нему с ума, что не можешь усидеть на месте, или в смысле он нормальный бойфренд, но ничего особенного?

Услышав отцовское определение, Элоиза рассмеялась. Сегодня она надела джинсы, кроссовки, свитерок, завязала волосы в хвостики в первый раз за много лет и выглядела значительно моложе своего возраста.

— Что-то среднее. Я его люблю, но домой вернусь все равно, если ты об этом. Мы договорились насчет стажировки в Париже, — добавила она, и брови Хьюза взлетели вверх. До сих пор она в этом не признавалась, и он сразу занервничал, хотя понимал, что для нее это будет отличный опыт.

— Где? — Сердце его колотилось как бешеное.

— В «Георге V». Теперь это один из лучших отелей Парижа, и это здорово нам поможет с «Четырьмя сезонами», у которого тот же владелец, если мы когда-нибудь захотим работать в одном из них.

— Что это значит? Тебе не нужна помощь с «Четырьмя сезонами», если ты собираешься вернуться домой и работать со мной. Или у тебя изменились планы?

— Нет. Я же сказала, что возвращаюсь домой к Рождеству. Работа в «Георге V» начинается первого июня. Мы с Франсуа хотим вместе снять студию, только он останется там на весь год, а я всего на шесть месяцев.

Хьюз знал об этом плане, но теперь он стал пугающе реальным, а жизнь вдвоем с Франсуа вообще была чем-то новым.

— Ты собираешься жить с ним?

Элоиза кивнула.

— Не слишком ли это серьезное обязательство?

— Ну не на шесть же месяцев, — здраво ответила Элоиза. — А жить одна я не хочу. Мне уже двадцать лет, папа, точнее, будет к тому времени. В наше время все так делают, это удобно.

— Кому? — раздраженно спросил Хьюз. — Я буду платить за твою квартиру. Тебе не обязательно с ним жить.

— Но я хочу, — улыбнулась Элоиза.

— А если бы я сделал что-нибудь подобное? — спросил он напрямик, пытаясь распахнуть дверь, которую собирался открыть вот уже полгода.

— Не говори глупостей. Ты не будешь ни с кем жить. А если и соберешься, то мне это не понравится. В твоем возрасте это просто неприлично. А я всего лишь студентка, это не одно и то же.

— Почему? А если я кого-нибудь полюблю? — спросил он, пытаясь гипотетическим предположением прощупать почву и выяснить, как она отреагирует.

— Наверное, у меня случится истерика, и я ее убью, — улыбнулась Элоиза, и сердце Хьюза упало. — Ты принадлежишь мне, — без тени сомнения добавила она с уверенностью, которую подарил ей отец, никогда никого, кроме нее, не любивший. Элоизе это нравилось, и она не боялась говорить об этом вслух.

— Я могу принадлежать и тебе, и женщине, которую буду любить, но только немного по-другому, скорее, как своего рода компаньону.

Хьюз ходил вокруг да около, но ему не хватало смелости сказать правду, в особенности учитывая ее слова. В отличие от него Элоиза ничуть не стеснялась вести себя грубовато.

— Нет, не можешь! — отрезала она и отпила через соломинку содовую с лимоном. — Я тебе не позволю. Кроме того, такая женщина скорее всего будет охотиться за твоими деньгами или перепутает все в отеле. Тебе не нужна женщина, папа, у тебя есть я.

Она просияла и откинулась на спинку стула. И Хьюзу не хватило решимости испортить ей остаток каникул, рассказав про свою любовь к Натали. Недели или даже двух определенно не хватит, чтобы сообщить подобную новость, особенно учитывая сопротивление дочери, в котором она открыто признается. Глядя на нее, Хьюз понял, что и сегодня он не храбрее, чем был на Рождество. Ну как можно испортить единственную неделю отдыха с ней, если они видятся всего лишь раз в три-четыре месяца? Нет, он не может рисковать, она слишком много для него значит. И если он потеряет дочь, Натали ничего не сможет исправить. Он хочет, чтобы в его жизни остались обе, а не одна из двух.

— Расскажи мне про свою стажировку. Что в нее входит? — спросил Хьюз безрадостным голосом, но Элоиза не обратила никакого внимания на его грустные глаза. Он понимал, что уже подвел Натали и нарушил свое обещание, а ведь поездка только началась. По возвращении домой придется ей как-то это объяснять, но как? Он очень надеялся, что Натали отнесется к этому рассудительно. Хьюз уже начинал подумывать, что, может быть, лучше всего вообще ничего не говорить Элоизе про Натали до тех пор, пока дочь не вернется домой в декабре. Ведь если он расскажет сейчас, она запросто решит навсегда остаться во Франции. Трудно даже представить себе, насколько обманутой она будет себя чувствовать, как разозлится, невозможно оценить горячность ее реакции, пока слова не будут сказаны. Элоиза — его единственное дитя, любовь всей его жизни, и он не мог полагаться на волю случая. Возможно, это трусость, но Хьюз не хотел терять свою дочь. Он очень любил Натали, но она того не стоила.

Остаток путешествия они ходили по музеям и храмам, наслаждались изысканными обедами — в основном в маленьких частных ресторанчиках в Трастевере, на другом берегу Тибра. В пасхальное утро получили благословение папы, затем пошли в Колизей, в общем, проводили время так чудесно, как только могут отец с дочерью. Элоиза бесконечно разговаривала по мобильнику с Франсуа, рассказывая ему обо всем, что они повидали, но, несмотря на это, Хьюз так и не смог заставить себя признаться, что в Нью-Йорке у него есть любимая женщина и что им обеим хватит места в его жизни. Через неделю они вернулись в Лозанну, но Элоиза так и не узнала, какое важное место в жизни отца занимает Натали. Франсуа уже ждал ее. Элоиза засияла, увидев его, а он поцеловал девушку. Хьюза это рассердило — значит, ей такие близкие отношения позволены, а ему нет? Но на самом деле он сердился только на себя, на свою трусость, на то, что он так и не решился рассказать ей обо всем, боясь, что на него обрушится гнев дочери. Натали утверждала, что Элоиза сумеет с этим примириться. А если нет?

В свой последний вечер в Лозанне он пригласил Элоизу и Франсуа на обед в «Ла Грапп д'Ор» на улице Шене-де-Бург, лучший ресторан Лозанны. Франсуа оказался

славным юношей, хотя чересчур самоуверенным. Поскольку его родители владели популярным отелем, он считал,
что знает о гостиничном деле абсолютно все, что стоит
знать. Но его никак нельзя было назвать плохим, а Элоиза казалась влюбленной в него до безумия. Тем не менее
она готова к концу года расстаться с ним, и Хьюз понял,
что им с Натали придется и дальше таиться, причем столько времени, сколько потребуется. Возможно, через несколько месяцев Элоиза достаточно повзрослеет, чтобы
выслушать новость. Хьюз очень на это надеялся, но сейчас он должен был возвращаться в Нью-Йорк и рассказывать Натали, что он нарушил обещание и Элоиза так ничего и не знает.

Прощаясь, он крепко обнял дочь, а рано утром уже сидел в самолете, взявшем курс на Нью-Йорк и приземлив-
шемся в аэропорту Кеннеди вовремя, в девять утра, так что
Хьюз почти не опоздал на работу. За неделю поездки он
несколько раз звонил Натали. Она не хотела на него давить, поэтому не спрашивала, состоялся ли разговор с Элоизой, но сейчас все равно придется признаваться. Когда
самолет садился, Хьюзу казалось, что это его сердце воло-
кут по взлетно-посадочной полосе. Он боялся встречи с
Натали.

В офисе Хьюз появился в десять тридцать и первым делом разобрал бумаги на своем столе. Затем совершил быстрый обход отеля, проверяя, все ли в порядке, и уже на-
правлялся обратно в кабинет, когда один из консьержей
упомянул, что Натали сейчас наверху, вешает новую картину в каком-то из люксов. Хьюз поблагодарил его, сел в
лифт и поднялся на седьмой этаж. Натали в люксе сража-
лась с большой картиной. Как раз когда Хьюз вошел в номер, она с победным кличем повесила ее на крюк, обернулась и заулыбалась. Хьюз быстро пересек комнату и заключил Натали в свои объятия. Он крепко прижимал ее к себе,
закрыв глаза, и жалел, что пришлось ее подвести. Но ведь
у него не было выбора?

— Ты вернулся! — Она была счастлива снова видеть его. Хьюз поцеловал ее, вложив в поцелуй всю нежность и сожаление мужчины, знающего, что предал свою женщину. Натали отодвинулась и внимательно на него взглянула. Она почувствовала — что-то не так. — Что случилось?

Натали выглядела встревоженной, и Хьюз выложил все. Он не хотел лгать еще и ей.

— Я не сказал ей. Просто не смог. В первый же день в Риме она мне кое-что сказала, и я понял, что для нее это будет большим ударом. Боялся, что она откажется возвращаться домой, если я все ей расскажу. Прости, Натали. Я хотел, но не смог.

В комнате повисло тяжелое молчание. Судя по лицу, Натали сначала рассердилась, потом опечалилась, но под конец она кивнула. Она действительно была разумной женщиной, любила Хьюза и не хотела его терять, так же как он не хотел терять дочь.

— Ладно. — Плечи ее поникли. Оба они ощущали свое поражение. Элоиза загнала их в угол, даже не подозревая об этом. — Раньше или позже это случится. Невозможно вечно держать наши отношения в тайне.

Их прекрасные отношения становились все лучше, за исключением этого пустяка, который превращался в настоящую проблему. Хьюз делил свою преданность между Натали и дочерью, но раньше или позже ему придется решать, как удержать обеих.

— Но тебе понравилась поездка? — великодушно спросила Натали, и он почувствовал, что любит ее еще сильнее — за доброту, рассудительность и любящее сердце.

— Очень! — Он крепче прижал ее к себе. — Но я скучал по тебе.

А невозможность поговорить о Натали сделала эту тоску еще мучительнее, и сейчас Хьюз хотел только одного — обнимать ее, целовать, ласкать, заняться с ней любовью, загладить свою вину за то, чего не сделал, хотя и пообе-

щал. Он просто изголодался по ней, поэтому вывесил табличку «Не беспокоить», запер дверь на цепочку и увлек Натали в спальню. Они в мгновение ока сбросили всю одежду — Натали точно так же изголодалась по нему. Она всю
неделю беспокоилась о том, что будет, и теперь ей было
все равно. Она только хотела снова быть с ним, и плевать,
знает об этом его дочь или нет. И пока они любили друг
друга, значение имела только одна их любовь, а все остальное исчезло, а когда все кончилось, Натали простила его
за то, что он ничего не сказал Элоизе. Они лежали, тяжело дыша, и Хьюз улыбнулся ей и снова привлек в свои объятия. Сейчас он любил ее еще сильнее, если такое было
возможно.

Глава 13

В течение следующих двух месяцев жизнь казалась совершенно нормальной. Брат Натали Джеймс с женой приезжали в город, они с Хьюзом пригласили их на обед, и
мужчины прекрасно поладили. Джеймс счел Хьюза отличным человеком, идеально подходящим его сестре. Они
весь вечер разговаривали о бизнесе, а Натали с невесткой
болтали о детях и о судебных делах, над которыми та работала.

Бизнес Натали шел в гору, но она по-прежнему сама
делала кое-что для Хьюза в отеле. В некотором смысле казалось, что у него и вовсе нет дочери, потому что та так и
не вошла в ее жизнь, и Натали не представляла, случится
ли это когда-нибудь или нет. Она перестала волноваться,
получится ли у нее подружиться с Элоизой — та была от-
дельной частью жизни Хьюза, и свои отношения они строили без нее. Отношения казались надежными и прочны-
ми, и жизни их чудесно переплетались. Они пока не могли съехаться, потому что Хьюз жил в отеле, а Элоиза

возвращалась домой в декабре. Но во всем прочем жизнь шла прекрасно, и соединявшие их узы крепли с каждым днем.

Хьюз, как всегда, был очень занят в отеле и с удовольствием рассказывал о нем Натали. Как женщина умная и заинтересованная, она всегда могла дать ему полезный совет. На День памяти они отправились в Хэмптонс на весь уик-энд, и во время обеда в ресторане «Ник и Тони» Натали сказала что-то о выставке в Музее современного искусства, которую хотела бы посетить, а Хьюз сообщил, что на следующей неделе летит в Париж.

— По делу? — Она удивилась. Он упомянул об этом впервые, и Натали решила, что идея пришла ему в голову внезапно, раз он не рассказал раньше.

— Нет, повидаться с Элоизой. Первого июня у нее начинается стажировка в «Георге V». Я обещал, что приеду до того, как она начнет работать.

Натали минутку помолчала, затем кивнула. Время от времени ей приходилось вспоминать, что у Хьюза имеется целый пласт жизни, который она с ним разделить не может. Это ранило ее чувства, но она старалась об этом не думать. Казалось, что он прячет где-то жену, а сама она всего лишь его любовница, женщина, которую он любит и с которой от жены скрывается. Она бы тоже с удовольствием полетела с ним в Париж и время бы сумела выкроить, но вот возможности такой у нее не было, во всяком случае, до тех пор, пока Хьюз не сообщит о них дочери, а он об этом больше даже не заикался. Они просто выбрали путь наименьшего сопротивления и получали удовольствие от того, что имеют.

— Все это немного странно, — произнесла Натали, но не стала спрашивать, намерен ли он на этот раз все рассказать дочери. Она не сомневалась, что Хьюз опять найдет какой-нибудь предлог, скажет, что это ее ужасно расстроит и что рисковать он не может. А она не хотела лишний раз испытывать разочарование, точно зная, что так и случится. — Я бы тоже с удовольствием побывала в Париже.

— Может быть, на следующий год, — промямлил Хьюз, чувствуя себя подлецом.

Иногда Натали задумывалась, не собирается ли он порвать с ней в декабре, когда вернется Элоиза, и просто боится ей об этом сказать. Это все чаще напоминало ей тянувшиеся восемь лет отношений с мужчиной, не желавшим брать на себя никаких обязательств. Хьюз вроде бы от обязательств не отказывался, но до тех пор, пока он ничего не сказал Элоизе, все это было пустым звуком. Натали стала в его жизни фантомом, иллюзией. Вроде бы он любил ее, но настоящей была только Элоиза.

— А что будет, когда в декабре она вернется? — печально спросила Натали.

— Мне придется все ей рассказать.

Но оба они знали, что он не расскажет. Он мог играть в эту игру вечно — до тех пор, пока Натали ему это позволяет. Услышав, что он летит в Париж увидеться с дочерью, но на этот раз даже не обещает, что скажет ей правду, Натали почувствовала себя так, словно из нее выпустили весь воздух. Оба они знали, что он опять промолчит, боясь расстроить Элоизу, оттолкнуть ее от себя или вообще потерять. Хьюз по-прежнему не хотел рисковать, даже ради любимой женщины.

По дороге в отель Натали молчала. Хьюз чувствовал царившее в машине напряжение и не пытался с ней заговорить, не желая затрагивать больную тему. Он и так чувствовал себя виноватым перед Натали и тревожился из-за дочери. Утром Натали одна пошла прогуляться по пляжу, и Хьюз понял, что она до сих пор расстроена, но не мог сказать ей ничего утешительного, если не пообещает, что при встрече все расскажет Элоизе. Однако он не хотел давать обещание, которое не сумеет выполнить. Хьюз чувствовал себя последним ничтожеством.

До конца выходных Натали больше не сказала на эту тему ни слова, да и что было говорить? В воскресенье вечером, выйдя из машины у своего дома, она не пригласила Хьюза подняться к ней, чего еще ни разу не случалось, и ему пришлось ехать в отель. Через четыре дня он улетал, так что утром позвонил Натали и спросил, можно ли ему к ней заехать. Она вела себя очень мило, приготовила обед, но Хьюз чувствовал, что между ними выросла стена. Он слишком часто разочаровывал ее, обещая, но ничего не говоря Элоизе, и внезапно это превратилось в серьезную проблему, хотя никто из них не мог точно объяснить почему.

— Слушай, я понимаю, что это ненормально, — решился он к концу обеда. — Я понимаю, что скрывать это от Элоизы неправильно, но зато это дает нам время укрепить наши отношения. Разумеется, я все расскажу ей, когда она вернется домой, просто не хочу рисковать раньше времени. У нее сейчас слишком большой выбор, в частности этот мальчик в Париже. Она юная и не такая понимающая, как мы с тобой. Она может принять это чересчур близко к сердцу. Но когда она вернется домой, я со всем этим разберусь, обещаю.

Натали посмотрела на него и покачала головой:

— Я тоже перестала быть понимающей. К тому же я не молода. Это оскорбительно. Я превратилась в женщину в шкафу. Ты вроде бы счастлив, что между нами есть отношения, только не хочешь рассказывать о них своему ребенку. И что это значит? Что ты меня стыдишься? Что я недостаточно хороша? Как, по-твоему, я должна себя чувствовать? Сказать тебе правду, так я чувствую себя полным дерьмом.

— Я все понимаю, и мне очень жаль. Это действительно очень странная ситуация. Нас с ней было только двое почти шестнадцать лет. Я целиком и полностью принадлежал ей. Мы с тобой тысячу раз об этом говорили, ты знаешь, почему я до сих пор не сказал ей.

Хьюз тоже выглядел расстроенным, но Натали чувствовала себя намного хуже.

— Может, ты никогда и не расскажешь. Откуда я знаю, как ты себя поведешь, когда она вернется домой? У нас с тобой роман уже шесть месяцев, а ты все еще ей ни слова не сказал и, может быть, так и не скажешь.

Она уже не знала, чему верить.

— Слушай, я пробуду с ней какую-то неделю, и все. Мы не виделись с самой Пасхи. Может быть, еще раз съезжу осенью, а потом она вернется домой.

— И что тогда? Что, если она велит тебе порвать со мной и будет давить, пока ты не согласишься? Откуда я знаю, какой властью эта девушка над тобой обладает? До сих пор она побеждает очень уверенно, а я могу опять оказаться в лузерах. Спасибо, со мной это уже случалось.

— Это совсем другое. Он сбежал с твоей лучшей подругой.

— Никакой разницы. Он не решался взять на себя обязательства. И ты не можешь, поэтому ничего не рассказываешь дочери. Ты просто трус.

Ничего более жестокого Натали ему никогда не говорила, но Хьюз знал, что заслуживает этого, поэтому не стал возражать. Он не собирался ничего рассказывать Элоизе в Париже и обещать ничего не хотел, что бы Натали ни говорила. Он любил Натали, но добрые отношения с дочерью значили для него слишком много, и рисковать Хьюз не мог. Более того, он не представлял, как поступит, если Элоиза вернется домой и попросит его оставить Натали, и это его ужасало.

Тем вечером Хьюз вернулся в отель, а не остался у Натали, и она не пожелала его видеть до самого отъезда. Хьюз понимал, что это дурной знак, и весь полет до Парижа переживал. Прилетев, он позвонил ей на мобильник, но она не взяла трубку. Хьюз боялся, что на этот раз она решила, что с нее хватит, но изменить ничего не мог. Он не мог выбросить из головы слова, сказанные Элоизой в Риме, —

что она хочет навеки остаться единственной женщиной в его жизни. Да, это неразумно, но тем не менее.

Но как далеко она готова зайти, чтобы подтвердить сказанное? Что, если он на долгие годы потеряет ее? И со стороны Натали нечестно рассчитывать, что он пойдет на такой риск, когда Элоиза живет за три тысячи миль от него и он видится с ней так редко. Хьюз уговаривал себя, что Натали ничего не понимает, потому что у нее нет детей, но в глубине души он знал, что это он ведет себя нечестно по отношению к ней, и ненавидел себя за это. А теперь, похоже, Натали тоже его возненавидела. Она оборвала всякую связь с ним и даже не отвечала на сообщения, где он униженно просил прощения и говорил о своей неумирающей любви к ней. До тех пор пока он будет держать их отношения в секрете, она не поверит ни единому его слову и не захочет иметь с ним дела. Хьюз лишь надеялся, что к его возвращению она успокоится.

Он все равно постарался хорошо провести время с Элоизой в Париже, но времени было мало, и все прошло слишком напряженно. Элоиза пыталась привести в порядок найденную небольшую квартирку, и Хьюз за один день помог обставить ее мебелью из «ИКЕА». Элоиза с Франсуа нервничали из-за стажировки, дергались и постоянно ругались. Кроме того, в Париже началась всеобщая транспортная забастовка, что означало — никаких автобусов, никакого метро, ни такси, ни поездов, и даже аэропорт закрылся. Город превратился в кошмар из личных автомобилей и велосипедов, на которых люди пытались добраться до работы.

Несмотря на все это, «Ритц» оставался таким же приятным, как всегда. Хьюз несколько раз пригласил детей на обед, и тогда они не ссорились. Тем не менее ему слишком мало удалось пробыть с дочерью наедине, а во время обратной дороги на него вновь обрушились все тревоги по поводу Натали. Да, время было опять совершенно неподходящим для того, чтобы рассказать про нее Элоизе. Дочь

слишком нервничала из-за своей работы в «Георге V» и
обязательно отреагировала бы плохо. Было почти облегчением уехать за день до того, как она приступала к стажировке. Элоиза пообещала позвонить и рассказать, как все
прошло, а Хьюз пожелал им обоим удачи.

Странное это было ощущение — оставить дочь с Франсуа. Элоиза уверенно шагала в самостоятельную жизнь, но
не освободила отца, чтобы и он мог начать свою. Хьюз думал, что обе его женщины неразумны, и когда садился в
самолет до Нью-Йорка, чувствовал себя измученным. Да
еще самолет оказался переполненным до отказа людьми,
чьи рейсы отменили во время забастовки. А последним
ударом стало то, что багаж Хьюза не прибыл с этим самолетом.

Его встретили на машине, и он поехал в отель, радуясь
возвращению. Поездка оказалась не из легких. Он снова
попытался позвонить Натали из машины, но, как и всю
предыдущую неделю, попал на голосовую почту. Он позвонил в ее офис, но там сказали, что ее нет на месте. Ее не
было нигде, и где бы она ни находилась, в любом случае
она не хотела с ним разговаривать. Добравшись до отеля,
Хьюз выяснил почему. Дженнифер протянула ему письмо
и сказала, что его оставила Натали неделю назад. На нем
стояла пометка «личное», поэтому Дженнифер его распе-
чатывать не стала, а конверт показался ей слишком тол-
стым. Хьюз вошел в свой кабинет и закрыл за собой дверь,
чтобы прочитать письмо спокойно. Он едва перекинулся
с Дженнифер парой слов. Только успел сказать, что его багаж потерялся, и попросил консьержа позвонить в авиа-
компанию и отыскать чемоданы.

В письме говорилось все то, чего он не хотел слышать.
Что она страстно любит его, всем своим существом, и была
бы рада провести с ним остаток жизни, но она женщина
честная, а не какой-то грязный секрет, который следует
скрывать от девятнадцатилетней девушки. Если он любит
ее недостаточно, чтобы рассказать о ней дочери после семи

месяцев близких отношений, значит, в его жизни места ей нет. Она не позволит ему больше унижать себя, скрывая ее существование и отрицая их близкие отношения. Натали писала, что сочувствует его проблеме и его страхам по поводу дочери, но если шестнадцать лет, полностью посвященных ей, чего-нибудь стоят, то дочь должна простить ему практически все — и, уж конечно, тот факт, что он полюбил женщину, отвечающую ему взаимностью и готовую по-доброму относиться и к дочери. В конце письма Натали говорила, что желает ему всего хорошего, но все кончено, так что она просит его больше ей не звонить. Подписалась она просто: «Я люблю тебя. Натали».

Вот все и кончилось, раз и навсегда.

Хьюз сидел за столом и чувствовал себя так, словно у него в кабинете взорвалась бомба. Он понимал, что заслужил это, но вовсе не хотел, чтобы так получилось. И еще он знал, что исправить все может одна-единственная вещь — его готовность все рассказать Элоизе, а этого он сделать не мог. Не в ближайшие шесть месяцев. А может быть, Натали права. Может быть, не сумеет и потом. Отсутствие мужества ужасало его, но действительность такова, что отношения с дочерью для него важнее, чем отношения с Натали, и они оба это знают. Если он ее уважает, то может сделать только одно — отпустить ее и принять ее решение. Да, он ее любит, но, как едко заметила Натали в своем письме, недостаточно. Недостаточно, чтобы уважать ее и относиться к ней правильно. И да, Хьюз с ней согласен, она заслуживает лучшего. Она вовсе не грязный маленький секрет, а женщина, которая заслуживает всего, чего хочет. Он просто не может дать ей это. Со слезами на глазах Хьюз сложил письмо, сунул его в конверт и запер в ящике стола. Спрятал лицо в ладонях и просидел так несколько минут, а потом встал и с мрачным видом вышел из кабинета.

— У вас все в порядке? — мягко спросила Дженнифер.

Хьюз немного поколебался, кивнул и пошел в вестибюль, проверить, как идут дела у стойки портье. Дженнифер не знала, что написано в письме, но догадывалась. Натали и ей не позвонила, но она знала, как сильно ту расстраивает нежелание Хьюза рассказать о ней Элоизе. И Дженнифер не сомневалась — раньше или позже Натали поймет, что сыта по горло, и спрыгнет с корабля. Судя по лицу Хьюза, именно это она и сделала. Дженнифер надеялась, что ошибается, но семь месяцев — долгий срок, если ждешь, что твой мужчина расскажет о тебе своему ребенку. Она жалела их обоих. Очевидно же, что Хьюз любит Натали, но свою дочь он любит больше. Да даже если бы он и рассказал, легче бы никому не стало. Элоиза ни за что не потерпит в его жизни другую женщину, будь та хоть святая. Дженнифер считала, что Натали просто потрясающая и заслуживает большего. Похоже, Натали тоже так считала.

Дженнифер так и не увидела Хьюза до конца дня. Он ходил по отелю, наверстывая пропущенную неделю, а затем поднялся к себе в апартаменты, запер дверь, повесил на нее табличку «Не беспокоить», упал на кровать и рыдал, пока не заснул.

Глава 14

И для Натали, и для Хьюза это было долгое, жаркое, одинокое лето. Натали взялась за несколько новых оформительских проектов, но ни один из них не доставлял ей такого удовольствия, как работа над люксами в отеле «Вандом». Она согласилась оформить пляжный домик в Саутгемптоне, еще один в Палм-Бич и две квартиры в Нью-Йорке. Все ее новые клиенты были людьми очень приятными, им очень понравилась ее работа, но никогда в жизни Натали не теряла вдохновения, никогда не чувствовала себя такой подавленной, как в эти три летних месяца.

Она каждый день силком заставляла себя тащиться на работу, а в первые несколько недель после того, как оставила Хьюза, чувствовала себя физически больной. Все это уже случалось с ней раньше, и она знала, что обходного пути не существует, придется это пережить. Она искренне любила его, и утрата оказалась слишком мучительной.

Все ее три ассистента беспокоились за нее, а она свалила на них почти всю работу. Натали просто не могла ни на чем сосредоточиться. Но в конце концов она все же вновь погрузилась в работу и нашла в ней утешение. Она дважды слетала в Палм-Бич на встречу с клиентом и архитектором проекта, а пока отсутствовала, ей позвонил новый клиент, желавший, чтобы она занялась интерьером его огромного дома в Гринвиче. Бизнес процветал, но Натали по-прежнему чувствовала себя ужасно.

К сентябрю она так и не вышла из депрессии, но привыкла к ней и много работала. Проталкивала себя сквозь дни и мучилась бессонницей ночами. Она все время думала о Хьюзе, но ей нечего было ему сказать, а после того как он получил ее письмо, он и звонить ей перестал. Натали пыталась преодолеть свое чувство к нему, но не знала, сколько времени у нее на это уйдет. Каждый день тянулся, как целая жизнь, а месяц — как столетие.

Ко Дню труда ей казалось, что она вот уже три месяца бредет под водой, положив цементный блок себе на голову. Никогда в жизни Натали не впадала в такую депрессию, даже тогда, когда мужчина, с которым она жила, сбежал с ее лучшей подругой. Хьюз оказался для нее слишком большой утратой, и она чувствовала, что он так и не дал ей ни единого шанса. В ответ на письмо он прислал ей короткую записку, в которой говорилось, что он очень сильно ее любит и просит прощения. Он признавал, что не совершил единственно верного поступка, но говорил, что в сложившихся обстоятельствах боялся это сделать. И снова признавался ей в любви и желал ей всего самого лучшего.

Хьюз понимал, что Натали была права, оборвав их отношения, но тем летом чувствовал себя так же ужасно, как и она. Чтобы слегка притупить боль, он постоянно работал, не давая себе ни минутки отдыха. Те, кто видел его, когда от него ушла жена, утверждали, что даже тогда он не выглядел так ужасно.

Никто толком не знал, что произошло, но внезапное исчезновение Натали бросалось в глаза. Многие решили, что она просто завершила свою работу, и сожалели, что она исчезла из их жизни. Ее присутствие озаряло все, как солнышко. Эта милая женщина нравилась буквально всем, но тяжелее всех приходилось Хьюзу.

Он начал совершать долгие прогулки по парку и каждый вечер работал за полночь. Он то и дело терял самообладание, что прежде случалось с ним крайне редко, и ни от кого не терпел расхлябанности. Служащие изо всех сил старались не попадаться ему под руку и надеялись, что он скоро снова станет самим собой. Дженнифер пыталась не раздражать его, но даже на нее он несколько раз наорал, что было уж и вовсе из ряда вон. В сентябре он все еще выглядел ужасно, и Дженнифер начала за него по-настоящему волноваться. Она не решалась упоминать при нем имя Натали. Вернувшись из Парижа, он велел оплатить ее последний счет, что она тут же исполнила, и, насколько Дженнифер знала, с тех пор все отношения между ними прервались.

Ко Дню труда температура перевалила за сто градусов*, и кондиционеры на пятом и шестом этажах перестали справляться. Инженеры сходили с ума, пытаясь снова заставить их работать, а гости жаловались. Хьюз велел портье снизить цену за эти номера, но гости все равно остались недовольны. Из-за невыносимой жары во всем

---

* По Фаренгейту. По Цельсию это около +38°.

городе никуда не хотелось идти, никто ничего не мог делать. Несмотря на это, Хьюз решил немного передохнуть и отправился в Центральный парк, где стало чуть прохладнее — температура упала до девяносто градусов, да еще дул легкий ветерок. Он подумывал, не взять ли с собой собачку Элоизы, но для нее тоже было слишком жарко, так что он оставил ее у флористки, где она и проводила почти все свое время в отсутствие Элоизы — Джен любила собачку больше, чем Хьюз.

Он в брюках и рубашке, развязав галстук, шел вокруг искусственного озера, и тут небеса разверзлись, загрохотал гром, сверкнула молния и хлынул ливень — единственное, что могло помочь городу в такой зной. Хьюз мгновенно промок до нитки, рубашка прилипла к телу, но он ничего не имел против. Он шел дальше, вернувшись мыслями в июнь, к письму Натали и ко всем тем делам, которые должен был сделать по-другому. Впрочем, теперь уже слишком поздно, но он до сих пор тосковал по ней.

Под бушующей грозой Хьюз уже почти совершил полный круг вокруг озера, когда заметил женщину в спортивных шортах и футболке, очень похожую на Натали. Она промокла так же сильно, как и он, и сейчас шла, расплескивая грязь. Он сказал себе, что она показалась ему похожей только потому, что он думал про Натали. Длинные светлые волосы женщины, собранные в хвост, прилипли к спине, и Хьюз видел, что дождь не мешает и ей. Женщина, повернув, сменила направление, и Хьюз понял, что это не иллюзия — в его сторону шла Натали. Она выглядела такой же удивленной, как и он, оба они не знали, куда смотреть и куда идти, поэтому продолжали шагать друг другу навстречу. Хьюз никак не мог решить, здороваться с ней или нет, а она уставилась себе под ноги и уже собиралась пройти мимо, как вдруг неизвестная сила толкнула его вперед, заставив перегородить ей путь. Натали подняла на него взгляд, и выражение ее глаз чуть не убило его. Она выглядела такой же несчастной.

— Прости, что я был таким дураком, — сказал Хьюз, не обращая внимания на проливной дождь.

— Да нет, — грустно улыбнулась она, не делая попытки обойти его. — Я тебя все равно любила. Наверное, мне следовало подождать еще, но я просто больше не могла.

— Я тебя за это не виню. Я боялся потерять ее, а вместо этого потерял тебя.

Дождь струился по их измученным лицам.

— Думаю, ты сделал правильный выбор. Ведь она — твое дитя.

— Я люблю тебя, — сказал Хьюз, даже не пытаясь к ней прикоснуться. Он боялся и не хотел ее оскорбить.

— Я тебя тоже. Впрочем, что толку? Скорее всего она бы все равно заставила тебя отказаться от меня.

Его дочь вцепилась в него слишком крепко, теперь Натали знала это точно.

— Я этого не допущу... если... если ты дашь мне еще один шанс. Не знаю, расскажу ли я ей до ее приезда домой, но она возвращается через три месяца, и вот тогда я буду сражаться за нас с тобой, как бешеный пес. — Натали улыбнулась, но не поверила ни единому слову. — Можно мне позвонить тебе?

Оба они промокли до такой степени, что казались полностью раздетыми, против чего Хьюз бы точно не возражал. Он слишком хорошо помнил ее тело, оно снилось ему ночь за ночью, и ее лицо, и глаза. А сейчас он видел это любимое тело, облепленное промокшей футболкой и спортивными шортами.

— Не знаю, — честно ответила Натали. — Я не хочу возвращаться туда, где мы уже были. Не хочу снова оказаться в шкафу, не хочу, чтобы ты скрывал меня от нее.

Он кивнул.

— А если я расскажу ей в декабре, когда она вернется?

— Наверное, она тебя убьет. — Натали улыбнулась, и Хьюз чуть не растекся лужей у ее ног. — Может, хорошо, что у меня нет детей.

— Оно того стоит, — ласково произнес он. — И ты тоже. Я буду счастлив снова тебя увидеть.

Натали не ответила. Она бы тоже была счастлива, даже слишком, но потом они снова окажутся в той же неразберихе, а то и хуже, если Элоиза, узнав обо всем, закатит истерику. Натали не хотела туда идти. Но Хьюз вдруг захотел этого даже сильнее, чем в июне. Он только сейчас понял, как сильно ее любит, это стало очевидно за последние три месяца. Любит так сильно, что готов сражаться за нее с собственной дочерью.

— Я не хочу портить тебе жизнь, — мягко сказала Натали. Похоже, она собралась уходить. Встреча с Хьюзом потрясла ее, но у нее не было для него ответов так же, как раньше их не было у него.

— Береги себя, — печально попросил он и шагнул в сторону. Он просто обязан ее отпустить, у него нет выбора.

Натали пошла дальше и вдруг обернулась. Хьюз стоял на месте и смотрел ей вслед. Дождь все еще лил как из ведра. Натали остановилась и заплакала. Хьюз подошел к ней и нежно обнял. Им нечего было сказать друг другу, оба они знали всю историю и то, как она завершилась. И тут Хьюз поцеловал ее. Он просто не смог удержаться. Натали обняла его за шею, отвечая на поцелуй, и так они стояли под проливным дождем и целовались, прижимаясь друг к другу.

— Я не хочу тебя терять, — прошептала Натали, чуть отодвинувшись и глядя на него.

— Ты и не потеряешь, клянусь. Я больше не буду дураком.

— Ты не был дураком. Ты просто испугался.

— Я стал намного отважнее. — Натали усмехнулась. — Хочешь зайти в отель, чтобы обсушиться?

Она кивнула. Они молча дошли до отеля и вошли в вестибюль. С обоих капала вода. Добежали до лифта, и лифтер им улыбнулся. Он обрадовался, снова увидев Натали, и, конечно, ничего не сказал, но отметил, что мистер Мартин улыбается впервые за последние несколько месяцев.

Хьюз впустил ее в свои апартаменты и пошел за полотенцами. Натали скинула обувь, оставив ее в прихожей, и начала вытирать волосы.

— Если хочешь, я отдам твою одежду сушиться.

— Спасибо, — вежливо ответила она, вошла во вторую ванную и вышла оттуда в толстом махровом гостиничном халате. Хьюз успел надеть такой же халат. Позвонив горничной, он отдал ей мокрую одежду Натали и попросил высушить. Горничная вышла. Натали благодарно улыбнулась ему. Она стояла босая, под халатом у нее ничего не было, но Хьюз не решился к ней подойти.

— Чаю? — предложил он.

— Спасибо.

Она никак не ожидала снова оказаться тут, в отеле, с ним, в его комнатах. Она пыталась закрыть дверь, оставив за ней все, что их связывало, и Хьюз тоже, но ни один из них не преуспел.

Когда принесли чай, Хьюз протянул ей чашку «Эрл Грей», как она любила. Натали села и взглянула на него. Она не знала, как быть. Что это — один миг или вся жизнь? Никто из них не знал, но провидение снова свело их вместе. Она бегала в Центральном парке, когда начался ливень, и вдруг увидела его.

Хьюз не произнес ни слова, но прикоснулся к ее руке.

— Я сказал тебе в парке правду. Я буду сражаться за нас, если ты мне позволишь.

Натали не ответила. Взглянув на него, она поставила чашку и протянула ему руки. Он взял их в свои. Ее халат упал, потом упал и его халат, Хьюз подхватил Натали на руки и отнес в спальню. Положив ее на кровать, он посмотрел на любимую женщину.

— Ты не должен за меня сражаться, — мягко произнесла она. — Я не хочу войны. Я просто хочу стать семьей. Хочу, чтобы все мы могли любить друг друга.

Хьюз кивнул. Он и сам этого хотел, теперь он это знал — и еще знал, как она ему дорога. Он ничего не сказал, но занялся с ней любовью, о чем мечтал эти три месяца, и она отдавалась ему со всей нежностью и страстью, что не желали умирать. А когда все завершилось, они просто лежали рядом, потрясенные тем, что едва не потеряли, но обрели вновь. На этот раз оба они знали — чего бы это ни стоило, они больше не утратят свое чувство.

Глава 15

В октябре Хьюз снова отправился в Париж повидаться с Элоизой. Погода стояла прекрасная, и он так радовался, что снова видит ее, а она уже рвалась обратно домой. Он ни словом не упомянул о Натали, но Элоиза почувствовала что-то непривычное и за обедом прямо спросила его об этом.

— Ты уже выросла, — спокойно ответил Хьюз. — Может быть, мы оба повзрослели. Я думаю, мне это тоже было необходимо. И наверное, когда ты вернешься домой, я буду чувствовать себя немного странно. Тебя не было так долго, ты жила собственной жизнью, даже с мужчиной. — Он улыбнулся дочери. Она с таким удовольствием проходила стажировку в «Георге V»! — И стала совсем независимой.

Мысль о том, что многое изменилось, заметно встревожила Элоизу. Хьюз старался подготовить ее к тому, что произойдет, но на этот раз он приехал всего на четыре дня. У него полно дел дома, и еще по возвращении он собирался сделать предложение Натали.

Он попросил ее оформить очаровательный маленький люкс на пятом этаже для Элоизы. Он знал, для дочери будет шоком, когда он предложит ей переехать туда из их апартаментов, но это необходимо сделать в том числе и для нее самой. А ему нужно место для них с Натали. Он выстилал путь к жизни, которую хотел разделить с ней, а Натали моментально поняла, что Хьюз делает. На этот раз все изменилось в лучшую сторону. Она чувствовала, что ее любят и уважают.

— Как по-твоему, как она себя поведет?

— Расстроится, разозлится, испугается, возможно, обрадуется. В общем, с ней произойдет все то, что происходит с людьми, когда они взрослеют.

Он попросил Натали сделать номер как можно более красивым, не считаясь с расходами. Он хотел, чтобы для Элоизы получился приятный сюрприз, когда она вернется домой. У Натали на работу оставалось два месяца; не так много, но Хьюз знал, на что она способна.

Она приступила немедленно, и ко Дню благодарения люкс был почти готов. Натали пообещала, что через две недели все закончит. Он получался молодежным, стильным, шикарным — в общем, именно таким, какой требовался юной женщине, полгода прожившей в Париже. Хьюз решил пока не трогать старую комнату Элоизы — пусть переезжает в новые апартаменты, когда почувствует себя готовой. Натали тоже сочла это правильным.

Она нанесла последние штрихи за три дня до возвращения Элоизы домой. Хьюз не знал, в каком состоянии будет дочь. Две недели назад она позвонила ему, заливаясь слезами, — они с Франсуа расстались. Элоиза сказала, что они постоянно ссорились, он злился, что она уезжает, а она обнаружила, что он изменяет ей с девушкой, тоже проходившей стажировку в отеле. Все кончилось, и последние недели Элоиза жила у подруги. Мебель из «ИКЕА» она оставила в квартире и очень переживала из-за разрыва. Хьюз сочувствовал ей, но в некотором смысле испытывал облегчение. Больше ее в Париже ничто не удерживало.

Он готовил для нее в бальном зале вечеринку по поводу возвращения. Основную часть организовывала Дженнифер, а остальное Салли, менеджер ресторана. Вечеринку собирались устроить на следующий день после приезда

Элоизы, а после Рождества она договорилась поехать кататься на лыжах с друзьями. Начать официально работать в отеле она должна была после Нового года, потому что хотела сначала немного побыть на солнце. Все же работа в «Георге V» была нелегкой.

Перед ее приездом все в отеле были очень заняты. Новые апартаменты уже ждали ее, вечеринку полностью распланировали. В отеле не оставалось ни одного свободного номера. Натали была очень занята, а Хьюз разгребал обычные проблемы. Пьяный гость упал с лестницы и теперь грозил подать на отель в суд. В кухне началось воровство продуктов, пришлось в самый разгар сезона уволить троих ведущих работников. Но несмотря на все это, Хьюз и Натали чувствовали себя счастливыми и умиротворенными. Она нервничала, ожидая возвращения Элоизы, но знала, что Хьюз намерен уладить все это лучшим способом для всех троих. Натали слишком долго ждала этого и теперь полностью доверилась Хьюзу. Начиная с сентября, после мучительного лета, они снова были счастливы, и Дженнифер радовалась, опять видя их вместе. Когда Натали вернулась, Хьюз стал другим человеком, куда более приятным, и с ним снова стало можно иметь дело. Он просто стал самим собой, только еще лучше. А Натали в отеле чувствовала себя как дома и почти все время оставалась ночевать в его апартаментах.

Встречать Элоизу в аэропорт Хьюз поехал на гостиничном минивэне, чтобы забрать ее багаж. Она провела вне дома шестнадцать месяцев, но, судя по количеству вещей, казалось, что все шестнадцать лет — восемь чемоданов и несколько коробок, полных вещей, купленных на блошином рынке в Париже. Увидев отца, Элоиза кинулась к нему в объятия. В черном пальто от Баленсиага, которое она купила перед отъездом с разрешения отца, в сапогах на высоких каблуках, с длинными рыжими волосами, спрятанными под вязаную шапочку, она казалась очень взрослой и искушенной, выглядела стильно и оживленно болтала всю дорогу до отеля. Элоиза ни словом не упомянула про Франсуа, и Хьюз с облегчением заметил, что она чувствует себя значительно лучше и определенно готова оставить эту историю в прошлом. В любом случае они собирались расставаться, потому что Элоиза уезжала, просто он выбрал самый некрасивый способ сделать это.

Как и год назад, когда она приезжала домой на Рождество, чуть не все служащие собрались в вестибюле, красиво украшенном к празднику. Элоиза год не была дома, и предполагалось, что вечеринка в бальном зале и новые апартаменты станут для нее приятным сюрпризом, но Хьюз не спешил рассказывать ей об этом. Он не хотел торопить события и решил, что даст дочери несколько дней пообвыкнуться, а уж потом покажет ей люкс. Меньше всего он хотел, чтобы она решила, будто отец выгоняет ее из семейных апартаментов, стоило ей вырасти. Натали эти несколько дней собиралась провести дома, пока Хьюз не выберет возможность поговорить с Элоизой, и знала, что на этот раз он это сделает. Теперь он хотел быть с ней так же сильно, как и она, даже если ради этого придется расстроить дочь. У нее есть своя жизнь, и Хьюз тоже хочет жить своей. Однако для Элоизы это будет очень серьезная перемена, и скорее всего не та, что ей понравится. Он надеялся, что дочь поймет, но прекрасно осознавал, что совсем не обязательно, поэтому приготовился к возможному взрыву.

Как и год назад, в первый же вечер после приезда Элоиза пообедала с отцом и ушла куда-то со своими друзьями. Она умирала, так хотела всех увидеть, но сейчас казалась более зрелой и более уравновешенной. Стажировка в «Георге V» многому ее научила. Последние два месяца она работала за стойкой консьержа, где всегда очень суматошно и беспокойно, и теперь могла сохранять хладнокровие под любым огнем.

Хьюз планировал сначала поставить ее на ресепшен, хотя бы на первый месяц, чтобы отточить умение обращаться с гостями. Затем ей придется провести месяц в бухгалтерии, поскольку теперь Элоизе следовало изучить все аспекты бизнеса. Несколько недель в службе обслуживания номеров тоже пойдут ей на пользу, а затем еще несколько месяцев за стойкой консьержа. Он хотел, чтобы Элоиза завершила стажировку к июню, после чего она отправится в Лозанну на церемонию выпуска. Он собирался поехать вместе с ней, и, может быть, к ним присоединится и Натали, если все пройдет хорошо. Хьюз был настроен со сдержанным оптимизмом, и Натали надеялась, что он прав.

Утром после приезда Хьюз и Элоиза позавтракали вдвоем, и она побежала по отелю, раздавая небольшие подарки, которые привезла из Парижа для особо близких ей людей вроде Джен, Эрнесты, Дженнифер, Брюса, главы службы безопасности. Элоиза даже привезла коробку бельгийского шоколада телефонисткам. С каждым она немного поболтала, а потом пошла покупать рождественские подарки.

Элоиза сказала отцу, что вечером опять собирается пойти куда-нибудь с друзьями, но он ответил, что этим вечером она нужна ему в отеле. Элоиза слегка удивилась — она не думала, что он привлечет ее к работе так скоро, но спорить не стала и только уточнила, к какому времени нужно вернуться. После Парижа она и в самом деле здорово повзрослела, в «Георге V» ее отлично вышколили.

— Если придешь к семи тридцати, будет нормально. Встретимся здесь. Сегодня приезжают очень важные гости, — сказал Хьюз, чтобы не сообщать, что вечером в бальном зале для нее устраивают вечеринку-сюрприз. Натали он тоже пригласил. Элоиза сказала, что будет вовремя, и убежала.

Как и обещала, она оделась к семи тридцати. Хьюз в строгом костюме, выглядевший очень официально, спустился вместе с ней в лифте. Он велел Элоизе надеть платье для коктейлей, сказав, что им придется заглянуть в бальный зал, так что она надела очень симпатичное черное кружевное платье, купленное в Париже, туфли на шпильках и уложила волосы в узел. Ему очень понравилось, как она выглядит, и он улыбался, пока они ехали в лифте на второй этаж. Хьюз сказал, что сначала они зайдут в бальный зал, а потом спустятся в вестибюль для встречи VIP-гостей. Не спрашивая, кого именно, Элоиза послушно шагнула за ним в бальный зал. Там играла музыка, везде висели воздушные шары, и стоило им войти, она увидела всех, кого знала, и почти весь персонал. Все закричали:

— Сюрприз!

Ошеломленная Элоиза сначала растерялась, потом повернулась к отцу.

— Это все ради меня? — Она была поражена. Здесь присутствовали даже ее друзья по лицею, и все радостно улыбались. Элоиза пыталась подавить слезы, так ее тронул поступок отца.

— Да, ради тебя. Добро пожаловать домой!

Ее окружили более сотни гостей. Она просто поверить не могла, что для нее устроили такую вечеринку, да еще в бальном зале. Потребовалось несколько минут, чтобы переварить это, прийти в себя и начать общаться с приглашенными.

Элоиза продвигалась сквозь толпу, а Хьюз подошел к Натали. Через некоторое время Элоиза добралась до того места, где они стояли вдвоем, и снова его поблагодарила. Вечеринка получилась чудесная.

— Я уверен, что ты помнишь Натали, — произнес Хьюз, еще раз ее представив и стараясь говорить небрежно. — После твоего отъезда в прошлом году она сделала для нас еще несколько люксов. Думаю, один тебе особенно понравится, — таинственно добавил он, не вдаваясь в подробности. Элоиза была слишком возбуждена, чтобы вслушиваться в его слова. Она что-то вежливо сказала Натали и пошла дальше.

Вскоре Хьюз и Натали ушли с вечеринки, как и остальные взрослые и пожилые служащие, а молодежь танцевала до двух часов ночи. Они с Натали долго сидели в баре, а потом Хьюз отправил ее домой на «роллс-ройсе» с водителем. Он жалел, что не может провести эту ночь с ней, но Натали понимала, что еще слишком рано. Элоиза дома всего второй день.

Утром Элоиза снова поблагодарила отца за фантастическую вечеринку. Она ни о чем не догадывалась и в самом деле думала, что вечером будет помогать отцу в работе. И вдруг девушка лукаво взглянула на него:

— Ты вчера что, флиртовал с этой дамой-дизайнером или мне показалось? Она очень привлекательная, и мне кажется, ты ей нравишься.

Похоже, Элоизу это забавляло, но ничуть не тревожило. Ее отец был красавцем, и женщины постоянно пытались привлечь его внимание. Он над этим немного подшучивал, и Элоиза не сомневалась, что ее отец — убежденный холостяк.

— Надеюсь, что нравлюсь, — спокойно ответил Хьюз. — Мы с ней встречаемся вот уже год. Она совершенно особенная, и я надеюсь, что вы с ней сойдетесь.

Наконец-то он открыл дверь, которую обходил целый год, и ему показалось, что оттуда повеяло свежим воздухом. Он больше не собирался лгать.

Но Элоиза выглядела так, словно он только что опрокинул на нее ведерко со льдом. Она уставилась на отца, не в силах поверить услышанному.

— Что это значит — вы встречаетесь? Ты что, спишь с ней?

Она потрясенно смотрела на Хьюза. Элоиза никак не была готова к подобному заявлению и сейчас хотела только одного — чтобы он сказал, что пошутил и они всего лишь друзья. Но Хьюз ничего подобного не сказал. Маски сняты, и дочери давно пора повзрослеть. Он обещал Натали, и сделать это следовало давным-давно ради них всех, в том числе и ради Элоизы, нравится ей это или нет. Пока, похоже, совсем не нравится.

— Она что, твоя возлюбленная? — Элоиза гневно сверкала глазами, дожидаясь ответа, которого вовсе не хотела слышать.

Хьюз очень спокойно ответил:

— Да, Элоиза, так и есть.

— Почему ты мне раньше не сказал? — Она выглядела одновременно разъяренной и оскорбленной, вероятно, и чувствовала себя так же.

— Я хотел, но никак не мог выбрать подходящего времени. Ты была так далеко отсюда. Кроме того, на какое-то время мы с ней встречаться переставали.

Элоиза не знала, что сказать. Она вскочила, подошла к окну и остановилась там, раздумывая. Потом повернулась к отцу с таким убитым горем лицом, что у него чуть сердце не разорвалось.

— Зачем? Зачем тебе нужна женщина? У тебя никогда никого не было! — Элоиза задавалась вопросом — может, причина в том, что она уехала из дома? — Ты чувствовал себя одиноким? — На ее лице отразилась жалость к нему. Натали, конечно, женщина приличная и респектабельная, но лучше бы он завел собаку. — У тебя никогда раньше не было женщин. Почему сейчас?

— В течение всех этих лет я время от времени встречался с женщинами, — честно ответил Хьюз. Он больше не хотел врать ей, и она уже достаточно взрослая, чтобы знать. Оказывается, говорить правду намного приятнее. — Но ни одна из них ничего для меня не значила, — продолжил он, — поэтому я их с тобой не знакомил. А Натали — совсем другое дело.

— Но как же? — Элоиза в панике уставилась в глаза отцу. Она не собиралась уступать свое место кому-то другому. — Наша жизнь вдвоем была совершенно особенной. Зачем все портить?

— Натали ничего не испортит, — ласково ответил Хьюз. Ему хотелось подойти и обнять ее, но он этого не сделал. Похоже, Элоизе сейчас необходимо личное пространство, а он уважал ее желания. — Кроме того, ведь ты жила в Париже с Франсуа. Почему в моей жизни не может появиться женщина?

Паника в ее лице усилилась. Натали еще достаточно молода, чтобы родить ребенка, хотя Элоиза очень надеялась, что ничего подобного не случится. Она даже не стала упоминать, что отцу пятьдесят три, а Натали на тринадцать лет моложе. Несмотря на шок, она оставалась достаточно вежливой, хотя выглядела сраженной этой новостью.

Отец негромко заговорил:

— Мы с тобой вдвоем провели чудесные годы, и я не променял бы их ни на что в мире. Но ты выросла. Ты полгода жила с мужчиной, и я не возмущался, хотя меня это сильно беспокоило. Я считал, что ты имеешь право самостоятельно принимать решения. Так, пожалуйста, уважай мои. У нас с Натали чудесные отношения, но она не собирается ничего у тебя отнимать.

Да она уже отняла! Элоиза знала, что потеряла часть отца. Теперь все будет по-другому. Она больше не единственная женщина в его жизни. Ей хотелось заползти обратно в утробу матери.

И тогда, видя все это в ее глазах, Хьюз произнес очень отчетливо:

— Ты меня не потеряешь. Это невозможно, и никто никогда тебя не заменит. Нам всем хватит тут места.

Он говорил это, глядя на нее с огромной любовью.

— Нет! — закричала Элоиза, и на глаза ее навернулись слезы. Это было самым страшным потрясением в жизни — ухода матери она просто не помнила. — Я возвращаюсь во Францию, — добавила она, заметавшись по комнате.

Хьюз старался оставаться спокойным, хотя вовсе себя так не чувствовал.

— Нет, не возвращаешься. Ты должна пройти тут стажировку, иначе не получишь диплом. Кроме того, это твой дом.

— Мой, но не ее. Я не желаю ее тут видеть!

— Я не намерен прятать ее от тебя, Элоиза. Я вас обеих слишком для этого уважаю. Мне следовало рассказать тебе об этом год назад, а я этого не сделал. Совершил огромную ошибку, но повторять ее не буду. Надеюсь, ты привыкнешь и к этой мысли, и к Натали. Она хочет стать тебе другом.

— Мне друзей и без нее хватает! Да она вдвое старше меня!

Хьюз ничего не ответил, надеясь, что дочь успокоится, но вместо этого она схватила пальто, обернулась и сказала:

— Спасибо, что разрушил мне жизнь. — С залитым слезами лицом она выскочила из апартаментов и с грохотом захлопнула за собой дверь.

Хьюз не сомневался, что она побежала к какой-нибудь подружке жаловаться на него, но наконец-то он сказал ей правду. Теперь Элоизе придется привыкнуть к тому, что в его жизни есть Натали. Он понимал, что на это потребуется немало времени, и не сердился на Элоизу за ее жестокие слова. Он ей очень сочувствовал.

Чуть позже он позвонил Натали и передал свой разговор с дочерью, пропустив только ее слова о разрушенной жизни. Он честно сдержал свое обещание, наконец-то все рассказал Элоизе, и она отреагировала в точности так, как он и ожидал. Хорошо, не случилось ничего похуже.

— И как она сейчас? — встревоженно спросила Натали, ради отца и дочери очень надеясь, что не слишком плохо.

— Ужасно разозлилась. Возможно, еще испугалась, и, конечно, это ее ранило. Ничего, она сумеет это преодолеть, просто нужно немного времени.

Теперь, выполнив обещанное, Хьюз вдруг почувствовал себя уверенным и спокойным.

На эту ночь Элоиза осталась у подруги, а на Рождество она все еще не разговаривала с отцом. Натали уехала к брату в Филадельфию, как всегда на Рождество, поэтому Хьюз не стал приглашать ее к себе. Впрочем, это было только к лучшему — Рождество прошло очень напряженно. Элоиза отказалась пообедать с отцом, а вместо этого пошла работать вниз, за стойку портье.

Вернувшись в город после Рождества, Натали пришла к Хьюзу. Они спокойно обедали в апартаментах, когда в столовую вошла Элоиза, увидела их, вихрем пронеслась в свою комнату и с грохотом захлопнула дверь, не сказав ни слова. Страх и боль внезапно превратились в бешенство. Она пролетела по люксу, как торнадо, что, конечно, выглядело очень по-детски.

— Ого! — негромко произнесла Натали. Теперь она поняла, почему Хьюз не стал ничего рассказывать дочери раньше. Никакого великодушия та проявлять не собиралась.

Элоиза поговорила с некоторыми служащими отеля, в том числе с Дженнифер, но все они в один голос утверждали, что Натали очень славная и у них с Хьюзом прекрасные отношения. Это еще сильнее расстроило Элоизу. Она хотела, чтобы все ненавидели Натали так же сильно, как она сама, но сторонников не нашла, оставшись в этом сражении одна. Все считали, что Хьюзу давно пора было встретить серьезную женщину. Элоиза объявила их всех предателями и тоже возненавидела. Но больше всех она ненавидела отца за то, что он вероломно заменил ее другой женщиной. Элоиза не собиралась делиться им ни с Натали, ни с другими. Он принадлежал только ей!

— С ней все будет в порядке, — пытался Хьюз заверить Натали, но она слишком расстроилась. Она вовсе не хотела разрушать их семью и портить его отношения с единственным ребенком. А теперь им остается только сидеть и ждать, когда шторм утихнет, и, похоже, ждать придется долго.

На следующий день Элоиза уехала с друзьями в Вермонт кататься на лыжах, причем на прощание не сказала отцу ни единого слова. В некотором смысле с ее отъездом, пусть только на несколько дней, ему стало легче. Натали смогла оставаться ночевать в отеле, они вместе мирно встретили Новый год. Они не строили никаких планов, просто хотели быть вместе, но Натали очень тревожилась из-за того, что может разрушить жизнь Хьюза.

— Может быть, мне лучше снова исчезнуть из твоей жизни? — спросила она, чувствуя себя виноватой за все случившееся.

— Нет! — твердо ответил он. — Я сделал это ради нас, и это был правильный поступок. А ты помоги мне все это пережить. Нельзя выпрыгивать из лодки, как только столкнулся с первой волной.

Натали кивнула, не зная, что она может сделать, чтобы загладить ситуацию. Разве только поддерживать Хьюза и ждать, больше ничего.

— Как по-твоему, она даст мне хотя бы один шанс? — обеспокоенно спросила Натали.

— Пока ни за что. Она всегда была очень упрямым ребенком и ни капли не изменилась. Гроза должна утихнуть сама по себе, и я уверен, что какое-то время всем нам будет очень неприятно.

Он обнял Натали и поцеловал ее. Насколько он боялся реакции Элоизы в прошлом году, настолько уверенным чувствовал себя сейчас и был готов все пережить. Теперь боялась Натали.

Они легли спать, но она крутилась и вертелась всю ночь, а утром выглядела устало.

— Попытайся перестать беспокоиться. Нам просто нужно время, — решительно сказал Хьюз.

К Новому году Натали слегка расслабилась, и они чудесно провели вечер, глядя старые фильмы и попивая шампанское. Хьюз попытался позвонить Элоизе и поздравить ее с Новым годом, как делал всегда, но она не сняла трубку. Тогда он наговорил текст на голосовую почту. Натали просто поражалась, насколько спокойно он себя вел. Теперь, рассказав все дочери, он чувствовал себя прекрасно и категорически отказался разговаривать на эту тему в новогоднюю ночь. Этот вечер принадлежал только им.

Ко всеобщему изумлению, вернувшись, Элоиза продолжала злиться, причем даже сильнее, чем раньше. С ее точки зрения, отец ее предал, а предательство относилось к тем поступкам, которых она не прощала. Через два дня после Нового года она приступила к работе за стойкой портье, но хмурилась, едва заметив отца. Он не нарушал ее личное пространство и не пытался форсировать события. Теперь она знала все, что требовалось, а Натали давно стала частью его жизни, и Элоизе придется к этому привыкнуть, нравится ей это или нет.

Она не смягчилась и в январе, в течение пяти недель едва сказала отцу пару слов и полностью игнорировала Натали. Хьюза это обескураживало, он гадал, сколько еще времени Элоиза будет продолжать эту вендетту. Очевидно, очень долго. Дженнифер попыталась поговорить с ней, но без толку. Элоиза не желала слушать ни ее, ни кого-либо другого. Заявила, что ненавидит Натали, и все на этом. Но Дженнифер решила не сдаваться.

— Это тебе не временный ресторанный менеджер, которая флиртует с твоим отцом и одновременно развлекается с поваром в холодильнике, — напомнила она. Элоиза невольно улыбнулась. Она совсем забыла про Хилари. — Натали — женщина порядочная. Она не собирается устраивать тебе тяжелую жизнь и не пытается отнять у тебя отца. Ты просто обязана дать ей шанс.

— С какой стати? Мне не нужна мать, у меня уже есть одна. И я не желаю делить с ней отца!

По крайней мере это было честно, хотя и выглядело как каприз пятилетнего ребенка, что, собственно, и составляло часть проблемы. В некотором смысле Элоиза так и оставалась маленьким ребенком, незрелым и избалованным. Дженнифер прямо сказала ей об этом, что взбесило Элоизу еще сильнее. Она вылетела из кабинета и протопала прямо к стойке портье, где работала по-настоящему хорошо. Отец был рад слышать это, но обходил ее стороной. Натали тоже держалась подальше от отеля, когда там была Элоиза.

К началу февраля Элоиза по-прежнему злилась, Натали находилась на грани нервного срыва, а Хьюзу все это стало надоедать. Натали то и дело предлагала расстаться, Элоиза была бы счастлива, если бы это случилось, а он хотел, чтобы обе они успокоились. Он каждое утро докладывал Дженнифер о положении дел, а она уговаривала его держаться и потерпеть еще немного. Как будто он не пытается!

— А почему бы вам просто не жениться на ней? — как-то утром спросила Дженнифер. — Помирать, так с музыкой. Раз Элоиза так бесится, она снова начнет психовать, если вы двое когда-нибудь надумаете пожениться. Так почему бы не решить все одним махом? И тогда Натали сможет съехаться с вами.

Хьюз до сих пор не показал Элоизе ее новые апартаменты. Он не хотел все испортить, сделав это, когда она в таком гневе, а хотел, чтобы люкс ей понравился, поэтому ждал, когда же она наконец успокоится. Но этого так и не происходило, и складывалось впечатление, что никогда и не произойдет. Но идея Дженнифер ему понравилась. Он обдумывал ее несколько дней. Элоиза бесится, и тянется это уже почти два месяца, так какая разница? А мысль провести остаток жизни рядом с Натали приводила его в восторг. Они несколько раз говорили об этом, еще до того, как Элоиза вернулась домой и началось это безумие.

Никому ничего не сказав, Хьюз купил Элоизе красивое красное пальто от Живанши на День святого Валентина и подарил ей за завтраком. Он видел, что она чуть не швырнула ему коробку обратно, но любопытство победило. Дочь открыла подарок с кислым выражением лица, исчезнувшим, едва она увидела, что внутри.

— Папа, какая прелесть! — воскликнула она, на какие-то пять минут снова стала прежней Элоизой. Он обнял дочь, а она надела пальто, но тут же ушла в свою комнату и снова захлопнула дверь. Тем не менее среди туч показался просвет, что давало Хьюзу надежду. Может быть, в один прекрасный день ураган унесется прочь. Ее непримиримая ярость постепенно ослабевала.

Тем же вечером он повел Натали обедать в «Ла Гренуй», ее любимый ресторан, а оттуда они пошли к ней, чтобы поболтать, расслабиться и заняться любовью. Прошедшие два месяца оказались для них обоих слишком тяжелыми. Оба много работали, а Элоиза делала их жизнь невыносимой. Теперь Хьюз с удовольствием уходил из отеля, как только мог, чтобы спокойно провести время с Натали.

Они лежали в постели в ее квартире и снова разговаривали об Элоизе, но Хьюз быстро сменил тему. Он не хотел, чтобы Натали опять расстроилась. Сейчас они почти ни о чем другом и не говорили, пытаясь догадаться, как скоро Элоиза сменит гнев на милость. Судя по тому, как дело обстояло сейчас, может быть, и никогда. Да, это были долгие два месяца.

Хьюз начал поддразнивать Натали, пытаясь отвлечь, поцеловал ее, но вдруг взглянул встревоженно, словно увидел что-то, ему не понравившееся.

— Что это у тебя в ухе? — спросил он, и Натали на мгновение испугалась.

— В ухе? У меня что-то в ухе? — Она махнула рукой, отгоняя жучка или что там такое оказалось.

— У тебя в ухе что-то есть, — продолжал хмуриться Хьюз. — Дай-ка посмотрю.

Он заглянул в ухо. Натали хихикнула, ей стало щекотно.

— Что ты делаешь?

— Мне кажется, там что-то застряло. Наверное, нужно взять щипцы или что-нибудь в этом роде.

— Не говори глупостей. — Натали повернулась и поцеловала его.

Хьюз на мгновение отвлекся. Он хотел снова заняться с ней любовью, но сначала сделать кое-что важное.

— У тебя есть щипцы или плоскогубцы?

— Конечно, нет. И я не позволю тебе совать мне в ухо плоскогубцы!

— О, вот оно! Я вытащил! Говорил же, что там что-то есть!

Хьюз протянул ей что-то. Натали сначала не поняла, что именно, но потом с недоверием уставилась на его ладонь. На ней лежало очень красивое кольцо с бриллиантом. Хьюз последовал совету Дженнифер и приобрел его у Картье. Камень был намного крупнее, чем на любом помолвочном кольце, какое только могла себе представить Натали. Она изумленно взглянула на Хьюза:

— Ты это серьезно?

— Мне это кольцо кажется очень серьезным, — засмеялся он. — Хорошо, что я сумел его вытащить, а то пришлось бы сначала отрезать тебе ухо. — И тут же сделался серьезным. — Натали, ты выйдешь за меня замуж? — Он надел кольцо ей на палец и поцеловал Натали.

— Да, — ответила она после поцелуя, хватая ртом воздух. — Я бы вышла и без кольца. В жизни ничего подобного не ожидала.

Это нравилось Хьюзу больше всего. Он с удовольствием ее баловал, она это заслужила. Натали пришлось слишком долго ждать, когда он поступит правильно, но теперь он делал даже больше, чем она могла предположить.

— А когда мы поженимся? — спросил Хьюз, со счастливым лицом ложась рядом с ней. Натали крутила на пальце красивый бриллиант, он то и дело вспыхивал, и она сияла.

— Не знаю. Наверное, завтра будет слишком быстро? А если ты передумаешь?

— Ни за что. — Хьюз минутку полежал молча. — В июне я поеду на выпуск Элоизы в Лозанну и надеюсь, что ты поедешь с нами. А когда мы вернемся, я устрою в ее честь большой прием, заодно отпразднуем ее двадцать первый день рождения. Я не хочу портить ей праздник. Как насчет июля? Тебе подходит?

— Идеально. — Натали поцеловала его. Какой чудесный получился вечер! Они занимались любовью, потом предложение и это великолепное кольцо. И вечная жизнь с ним. Но на ее лице внезапно вновь возникло встревоженное выражение. — А что же мы скажем Элоизе?

— Что собираемся пожениться, — просто ответил Хьюз. — Все равно она меня сейчас ненавидит. Насколько сильнее можно злиться?

— Намного! — окончательно занервничала Натали.

— Ничего, она переживет. — Хьюз по-прежнему верил в это. Кроме того, когда Натали вернулась к нему, он сказал ей, что это навсегда, а он всегда держал свое слово. — Когда она успокоится, я попрошу ее быть моей свидетельницей.

— А я попрошу брата быть моим посаженым отцом, — счастливым голосом произнесла Натали. — Наверное, Элоизе понравится мой племянник. Он ужасно славный. Мы познакомим их на нашей свадьбе.

Она пришла в восторг от сорвавшихся с языка слов: «...на нашей свадьбе...» Настоящее блаженство.

— Да, это может помочь. — Хьюз выглядел не менее счастливым. — Думаю, прием устроим в бальном зале? — спросил он.

— Конечно. И попросим священника провести венчание там.

Натали не была особенно религиозной, а Хьюз состоял в разводе, так что поступить так казалось правильным обоим. Да им все казалось правильным. Свадьба. И жизнь, которая наступит после нее. Он снова обрел жизнь, и у него будет жена, которая его любит. А в один из этих дней он, возможно, снова обретет дочь.

Глава 16

Хьюз решил поговорить с Элоизой на следующее утро. Оставив Натали в ее квартире, он пешком вернулся в отель, увидел Элоизу за стойкой и попросил зайти к нему в кабинет. Выглядел он при этом весьма официально. Элоиза стояла за стойкой в темно-синем костюме; такую униформу носили все клерки-женщины. Несколько минут спустя она вошла в кабинет к отцу.

— У меня неприятности? — обеспокоенно спросила Элоиза, на минуту забыв, что злится на него. Может быть, она сделала что-то неправильно при регистрации или на нее пожаловался гость? Но Хьюз покачал головой и предложил ей сесть.

— Нет, скорее, у меня. Но ты и так на меня злишься. Я хочу еще раз четко тебе сказать, что люблю тебя и что никто и никогда не сможет занять твое место в моем сердце. Ты моя дочь. Но в моей жизни есть место и для тебя, и для Натали. У вас совершенно разные роли. Мы с тобой вдвоем долго вели замечательную жизнь, которая нравилась нам обоим, но ты не навечно останешься одна, и я тоже не должен. Это было бы несправедливо. — Элоиза заерзала на стуле. Хьюз спокойно взглянул на нее и продолжил: — Но поскольку ты и так на меня злишься, я решил, что мне уже нечего терять, поэтому хочу, чтобы ты узнала первой. Вчера вечером я сделал Натали предложение, и она его приняла. Я был бы рад, если бы и ты приняла во всем этом участие. Хочу, чтобы вместо шафера ты стала моей свидетельницей. И не имеет значения, как сильно ты на меня злишься, я тебя все равно люблю и надеюсь, что ты все же дашь Натали шанс и познакомишься с ней поближе. Мы поженимся в июле, после твоей выпускной церемонии, которая является для меня огромным событием.

Элоиза уставилась на него полными безмолвной боли глазами, а по щекам ее катились слезы.

— Как ты можешь так поступить? Ты всегда говорил, что больше никогда не женишься!

Она до сих пор не могла поверить своим ушам. Не могла поверить, что отец действительно это сделает. Известия ужаснее ей еще слышать не доводилось. И тогда Элоиза решила ударить его побольнее.

— Погоди, она еще бросит тебя, как мама! — злобно сверкнула она глазами.

Хьюз постарался взять себя в руки и не вестись на провокацию. Он спокойно произнес:

— Она совсем другой человек, чем твоя мать. Надеюсь, у нас будет удачный брак, но даже если ничего не получится, то только потому, что я все испорчу, а не потому, что она сбежит с рок-звездой или кем-то в этом роде. Она серьезная женщина. Дай ей шанс, и, возможно, ты ее тоже полюбишь.

Слушая его, Элоиза становилась все печальнее и печальнее. Она теряла отца, он уходил к женщине, которую она едва знала. Как она жалела, что уехала учиться в Лозанну! Элоиза не сомневалась, что если бы она осталась дома, ничего похожего не случилось бы. Ей казалось, что сердце ее сейчас разорвется.

Хьюз встал и обошел стол, с любовью глядя на дочь. Он видел, как она огорчена, и заговорил тихо и спокойно. Ему только что пришла в голову мысль, и он надеялся, что правильно выбрал время и это поможет.

— Пожалуйста, вернись к стойке и возьми ключ от номера пять-два.

Они вместе вышли из кабинета, Элоиза пошла за ключом, а Хьюз ждал ее у лифта. Она не стала спрашивать, в чем дело, потому что была слишком удручена. Когда Элоиза сняла ключ, помощник менеджера улыбнулся ей. Он и так давно гадал, когда же Хьюз соберется вручить дочери ключ. Люкс стоял пустым вот уже два месяца.

Они молча поднялись в лифте на пятый этаж, и Хьюз взял у Элоизы ключ. Она понятия не имела, зачем он ее сюда привел. Хьюз отпер дверь, открыл ее, включил свет и поманил дочь в номер. Она вошла внутрь, огляделась и сразу заметила, что люкс недавно приводили в порядок. Гостиную оформили в горчичных и песочных тонах, а спальню — в нежных бледно-розовых. Ткани были необыкновенно красивыми. Картины Элоизе тоже понравились. В номере все еще пахло свежей краской. В окно струился солнечный свет, и создавалось общее впечатление воздушности и пространства.

— Очень мило, — бесцветным тоном произнесла она. — И картины мне нравятся. Предполагается, что я должна восхищаться дизайнерскими талантами Натали или мне просто нужно тут что-то сделать?

Хьюз протянул ей ключ.

— Я вот уже два месяца жду возможности показать тебе этот номер.

— Зачем?

— Потому что оформил его для тебя. Он твой в любой момент, когда пожелаешь. Можешь и дальше жить в наших апартаментах наверху, но я подумал, что тебе захочется уединения. В Париже ты вела весьма независимую жизнь, и вполне возможно, что и здесь тебе потребуется собственное жилье. Я не выгоняю тебя из наших апартаментов, но стоит тебе только захотеть, и этот номер твой. Держи ключ.

Хьюз видел, как во время его короткой речи лицо Элоизы постепенно начало оживать, глаза зажглись возбуждением, и она никак не могла найтись с ответом. Внезапно по ее лицу проскользнуло встревоженное выражение.

— Это что, взятка? Ты подкупаешь меня, потому что собрался жениться?

— Нет. Натали начала оформлять его для тебя в октябре. А жениться на ней я решил всего две недели назад.

— Лучше бы ты этого не делал, — грустно произнесла Элоиза.

Хьюз привлек ее к себе и крепко обнял.

— Обещаю, все будет хорошо. И ты никогда меня не потеряешь, что бы ни случилось. — Он обнимал дочь, а по ее щекам катились слезы. Меньше всего на свете Хьюз хотел причинять ей боль, но он знал, что женитьба на Натали — это правильный шаг. — Можешь переехать в эту свою квартирку, когда захочешь. Или можешь остаться с нами наверху, а здесь будешь просто принимать друзей. Но если решишь жить наверху, я жду от тебя вежливости по отношению к Натали.

Хьюз решил, что лучше сразу донести это до Элоизы. Она долго не произносила ни слова, потом слезы кончились, и она улыбнулась. Поступок отца тронул ее.

— Спасибо, папа. Это очень красивый номер, и я в него просто влюбилась.

Она обняла отца и поцеловала его в щеку. Было очевидно, что ее просто разрывает между обидой и возбуждением по поводу собственного жилья. С момента возвращения домой ее эмоции то взлетали вверх, то обрушивались вниз, словно она каталась на «американских горках». Элоизе не терпелось скорее показать свой новый люкс друзьям и вовсе не хотелось уходить из него прямо сейчас и возвращаться к работе. Она еще раз обошла комнаты — ей тут нравилось буквально все, и теперь Элоиза честно пыталась забыть, что отец собрался жениться на Натали, и просто получать удовольствие от подарка.

— И картины мне правда очень нравятся, — сказала она наконец.

Они были просто классными: современными, яркими и очень молодежными.

— Я специально выбирал их для тебя, — нежно произнес Хьюз. — И рад, что они тебе понравились, иначе бы по-настоящему расстроился, — честно признался он.

— Я все еще злюсь из-за того, что ты на ней женишься, — так же честно сказала Элоиза, но уже было понятно, что основной пыл угас. Шок постепенно проходил, хотя она никак не думала, что он когда-нибудь женится снова.

— Знаю. Но надеюсь, что в один прекрасный день ты с этим смиришься. Ну как, будешь моей свидетельницей? — очень серьезно спросил Хьюз.

— Может быть. — Элоиза еще раз окинула взглядом люкс и снова опечалилась. — Она отличный декоратор. Но тебе не нужна жена, у тебя есть я!

— И всегда будешь. Дочь никем нельзя заменить. Но ты же не будешь держать меня за руку всю жизнь. В моем немолодом возрасте хочется иметь рядом верного друга. Кроме того, я люблю Натали. Но тебя я тоже люблю и всегда буду любить.

Элоиза выслушала и кивнула, а затем сунула ключ в карман униформы, словно боялась, что отец его отберет в наказание за то, что она так злилась на него последние несколько недель.

— Спасибо. Я просто влюбилась в этот люкс.

— Вот и хорошо, — ответил отец, обняв ее за плечи. — И помни, я люблю тебя. А теперь возвращайся к работе.

Элоиза улыбнулась, и они вместе спустились вниз. Все за стойкой встречали ее улыбками. Все знали, куда они пошли, как только Элоиза взяла ключ.

— Ну и как тебе? — спросил помощник менеджера.

Она просияла:

— Просто класс!

И взглянула на отца. Тот улыбнулся и отошел, чтобы сразу позвонить Натали.

— Ей понравилось?

— Шутишь? Она в него просто влюбилась! Я сказал, что мы собираемся пожениться, и хотел сразу дать ей понять, что она не обязана жить с нами, если не хочет. Пусть переезжает в собственное жилье, если ей так больше нравится, но при этом мне не хотелось, чтобы ей казалось, будто мы ее выгоняем. Может поступить так, как пожелает.

— Она сильно разозлилась, узнав, что мы поженимся? — все еще встревоженно спросила Натали. Меньше всего ей хотелось, чтобы падчерица, взбешенная, как все черти ада, жила с ними всю оставшуюся жизнь. А хоть бы и ближайшие полгода.

— Думаю, скорее это ее шокировало. Но она привыкнет к этой мысли, — уверенно произнес Хьюз. — Полагаю, я неплохо ее отвлек, показав личные апартаменты. Она в них действительно влюбилась. А еще сказала мне, что раньше или позже ты поумнеешь и тоже сбежишь с какой-нибудь рок-звездой.

Хьюз усмехнулся — это были в самом деле очень детские слова.

— Какой ужас! — откликнулась Натали. — Нет уж, я такого никогда не сделаю.

— Знаю.

Утро для него выдалось нелегким, и он чувствовал себя выжатым как лимон. Хьюз очень надеялся, что теперь Элоиза постепенно успокоится и начнет понемногу общаться с Натали. Не только ему, но и ей бы не помешало постоянно иметь рядом нормальную женщину. Натали — это благословение для них обоих.

— Я попросил ее стать моей свидетельницей, — сообщил Хьюз.

— И что она ответила?

— Сказала «может быть». Это лучшее, на что мы пока можем надеяться. А к июлю она окончательно успокоится.

— Я звонила брату, он пообещал быть моим посаженым отцом. Теперь нужно найти платье.

До свадьбы оставалось всего пять месяцев, а сделать придется очень многое.

— Как можно скорее поговори с ресторанным менеджером, — посоветовал Хьюз. — Она отличная девушка. И нужно назначить дату. К счастью, обычно в июле на бальный зал не так много заявок. Все предпочитают жениться в мае, июне, на День святого Валентина и на Рождество. — Зато им обоим июль нравился больше всего. — Кстати, а куда ты хочешь поехать на медовый месяц?

Теперь, рассказав все Элоизе, они могли спокойно обсуждать свои планы.

— В какое-нибудь красивое место, — невинно ответила Натали. — Решай сам.

И стоило ей это произнести, он сообразил, куда они поедут. Отель «Пальмилла» в Нижней Калифорнии! Хьюз постоянно отправлял туда гостей, и все были в восторге. Это идеальное место для проведения медового месяца, просто верх роскоши. Или туда, или в отель «Дю Кап» в Кап д'Антиб, но Нижняя Калифорния, безусловно, лучше.

— Спасибо за то, что ты так замечательно оформила апартаменты для Элоизы. Когда-нибудь она тебя обязательно поблагодарит, хотя скорее всего не сегодня.

— Она и не должна меня благодарить. Я выполняла работу, за которую заплатил ты, так что и благодарить нужно тебя.

— Это она уже сделала, — улыбнулся Хьюз, садясь за свой стол.

Они побеседовали еще немного и попрощались. Спустя несколько минут в кабинет вошла Дженнифер с документами на подпись и чашкой капуччино. Хьюз ей улыбнулся.

— Спасибо за гениальный совет, — сказал он. — Вчера вечером я сделал Натали предложение. Идею подала мне ты, и получилось все замечательно. Она сказала «да», и в июле мы поженимся. Если сумеем выбрать время, когда бальный зал будет не занят.

— Думаю, у меня есть кое-какие связи. Возможно, тут я сумею вам помочь, — прыснула Дженнифер. — И поздравляю вас обоих! Мои наилучшие пожелания невесте. А

Элоизе вы уже сказали? — спросила она, стараясь, чтобы это прозвучало не особенно встревоженно.

— Только что.

— И как она это приняла? Нормально?

— Не особенно. Но все будет хорошо. Немного шокирована.

Этому Дженнифер ничуть не удивилась. И очень обрадовалась, что Хьюз последовал ее совету.

Он подписал бумаги, и Дженнифер, улыбнувшись, вышла из кабинета. Она была счастлива за босса и совершенно уверена, что Натали — идеальная для него женщина. А когда Элоиза тоже согласится подняться на борт, у них начнется спокойное плавание. Планы Хьюза радостно взбудоражили Дженнифер. Она надеялась, что Элоиза вскоре привыкнет к этой мысли. В конце концов, ей давно требовалась мать, и Натали сумеет ее заменить. Верит в это Элоиза или нет, но Натали — как раз та самая женщина, которая необходима им обоим.

Глава 17

Месяцы, оставшиеся до выпуска Элоизы и свадьбы Хьюза с Натали, прошли для них всех как в лихорадке. Натали пыталась заниматься своим бизнесом, планировать свадьбу и помириться с будущей падчерицей, которая продолжала вести против нее холодную войну, демонстративно игнорируя Натали, когда бы та ни оказалась с ней в одном помещении. Самое меньшее, что про это можно сказать, — было тяжело. Хьюз старался проявлять терпение и подбадривать обеих, но что бы он ни говорил, что бы ни делал, не могло изменить упорного нежелания Элоизы признать Натали и принять ее как будущую жену отца. Она нарочито не обращала на ту внимания и отказывалась делать хоть что-нибудь, связанное со свадьбой, так что На-

тали приходилось самой решать все вопросы с ресторанным менеджером, флористкой и свадебным кон-
сультантом.

В своих новых апартаментах Элоиза регулярно принимала друзей и признавалась, что просто обожает эту квартирку, однако жить продолжала наверху, в своей старой
комнате, поэтому они с Натали то и дело наталкивались
друг на друга, стоило той прийти пообедать с Хьюзом или
обсудить свадебные планы. Хьюз предпочитал проводить
ночи в квартире Натали, когда только мог, и, пользуясь
стажировкой как предлогом, старался как можно больше
загрузить Элоизу работой в отеле, чтобы отвлечь ее от мыслей о приближающейся свадьбе. Он частенько заставлял
ее работать двойные смены, в том числе ночные, и оставаться после смены, а также перемещал ее из отдела в отдел, чтобы она разобралась во всех аспектах бизнеса. Именно этого ожидала от него гостиничная школа, разрешая
Элоизе проходить стажировку в отеле у отца, и он обещал,
что не будет делать дочери никаких поблажек.

Элоиза имела склонность утверждать, что и так все знает, потому что выросла в отеле, но ей еще многому следовало научиться. Впрочем, все соглашались, что трудится
она очень усердно, готова выполнить все, о чем ее просят,
и к работе относится прилежно.

Отец гордился ею во всем, кроме одного — Элоиза ни
за что не хотела примириться с Натали. В конце концов
она ему заявила, что на свадьбу не пойдет ни свидетельницей, ни гостем, и Хьюз не стал настаивать. Он не хотел
ухудшать дело, заставляя ее, и только надеялся, что к июлю
дочь успокоится. Хьюз все еще хотел, чтобы она стала его
свидетелем.

Когда пришла пора возвращаться в Лозанну на выпускную церемонию, стало понятно, что участие Натали в этой
поездке не приветствуется, но она не расстроилась, слишком много дел оставалось дома. Свадьбу назначили на субботу, 7 июля, — единственный день, когда бальный зал был

не занят. Элоиза по этому поводу сказала только одно — то, что этот день ее особенно устраивает, поскольку по случаю Дня независимости в стране будут длинные выходные и все приглашенные уедут отдыхать, а на свадьбу никто не явится.

Прием по случаю ее двадцать первого дня рождения и выпуска должен был состояться в этом же зале на три недели раньше, пятнадцатого июня. Она его очень ждала, как и все в отеле, и на этот раз никакого сюрприза не намечалось. Элоиза планировала его сама с помощью Салли, ресторанного менеджера, которая занималась и подготовкой к свадьбе. Впрочем, Элоиза категорически отказывалась даже слышать об этом и не желала разговаривать о свадьбе ни с Салли, ни с Джен.

Она получила отличные отметки за стажировку. Стиль, преданность делу, рассудительность и умение обращаться с гостями и коллегами были оценены очень высоко, а дотошное внимание к мелочам и чутье к гостиничному бизнесу отмечены всеми инспекторами. Годы, проведенные рядом с отцом в отеле, сослужили ей хорошую службу. Единственное, что критиковалось, — это ее чрезмерная независимость и стремление самостоятельно принимать решения. Сказали, что ей не хватает качеств командного игрока, необходимых будущему управляющему отелем, а ведь именно к этому она и стремилась. После возвращения из Лозанны Элоиза должна была принять участие в профессиональной стажировочной программе, хотя большинство гостей, видевших ее за стойкой, представления не имели, что это дочь владельца отеля. Она придерживалась тех же правил и указаний о том, как вести себя с гостями, что и остальные служащие, и одевалась в такую же скромную и сдержанную униформу — женщинам полагались темно-синие костюмы, фасон которых разработал сам Хьюз, а мужчины ходили в визитках и полосатых брюках. К внешности персонала предъявлялись еще более строгие требования, поэтому, находясь на работе, Элоиза всегда закалывала свои ярко-рыжие волосы в узел и наносила очень легкий макияж. Впрочем, она вообще почти не пользовалась косметикой.

Элоиза улетала в Женеву за неделю до выпуска, а отец собирался появиться там четырьмя днями позже. Она хотела провести какое-то время с однокашниками до того, как приедет Хьюз. Утром перед своим отъездом Элоиза зашла к нему в кабинет. Он, как обычно, подписывал чеки.

— Уезжаешь?

Услышав, как она вошла, Хьюз поднял голову от стола. Элоиза кивнула. Несмотря на все разногласия, он гордился дочерью и дипломом, который она честно заработала. Он с самого начала был против, но теперь понимал — невозможно отрицать, что призвание к гостиничному бизнесу у нее в крови. Она жила, спала и дышала отелем с двух лет и в точности, как и отец, любила его больше всего на свете и о другой работе не мечтала. В особенности же она хотела работать с ним в их собственном отеле.

— Деньги нужны? — спросил Хьюз, как спросил бы на его месте любой другой отец. Он задавал ей этот вопрос всякий раз, как она собиралась куда-то сходить, пусть даже просто в пиццерию с друзьями.

— Мне хватит, — улыбнулась она в ответ. — Я взяла немного в бухгалтерии.

Они всегда присылали Хьюзу рапортички о расходовании наличных. А когда Элоиза вернется из Лозанны, ей будут платить небольшую зарплату за участие в стажировочной программе. Расписание составили согласно требованиям гостиничной школы, и отец уже предупредил всех, чтобы Элоизе не делалось никаких поблажек. И никакого особого отношения — к ней должны относиться, как ко всем прочим.

— Увидимся в пятницу в Лозанне, — тепло сказала Элоиза отцу. — Вечером для родителей дают обед, а после выпуска будет прием.

Хьюз улыбнулся, встал из-за стола и обнял ее, и это напомнило Элоизе, как она обрадовалась, узнав, что Натали в Лозанну не поедет. Теперь та все время находилась рядом, и, наверное, это был последний раз, когда отец принадлежал только Элоизе. Их жизнь вот-вот навсегда изменится, а с ее точки зрения, уже изменилась безвозвратно. Единственное, что она могла сделать в отместку, — это вести себя так, будто Натали просто не существует. Элоиза не только не пригласила ее на выпуск, но даже не извинилась за это. Причем она вовсе не грубила Натали вслух, а просто целиком и полностью игнорировала ее, что само по себе было достаточной грубостью.

— Счастливой дороги. — Хьюз смотрел на нее взглядом, полным любви, несмотря на все сложности последних шести месяцев. — Жду не дождусь твоей выпускной церемонии и приема по возвращении домой.

О свадьбе он упоминать не стал, поскольку эта тема была для Элоизы болезненной. Зато эта неделя и следующая тоже будут принадлежать только ей. Мать, как обычно, на выпуск приезжать не собиралась. Элоиза ее пригласила, предупредив об этом еще год назад, но, несмотря на это, Мириам заявила, что не может менять планы, и они с Грегом уехали в отпуск во Вьетнам. История повторялась вновь и вновь, но Элоизу это ничуть не расстраивало до тех пор, пока рядом отец. Он проводил ее из отеля к машине с водителем, дожидавшимся, чтобы отвезти Элоизу в аэропорт.

— Спасибо, папа, — негромко произнесла она.

Казалось, что в последние несколько дней она успокоилась. Волнуясь по поводу выпуска, Элоиза внезапно почувствовала себя совсем взрослой. Работа в отеле, пусть даже на родного отца, дала ей множество новых навыков. Это вам не бегать по отелю ребенком. Теперь Элоиза имела настоящие обязанности, время от времени ей приходилось справляться с довольно сложными ситуациями и соответствовать требованиям старших служащих, а те вели себя с ней довольно сурово и всегда требовательно, несмотря на то что знали ее много лет. Приходилось отвечать стандартам «Вандома», а не только требованиям гостиничной школы.

— Увидимся в пятницу, — сказала Элоиза, села в машину, аккуратно придерживая в отдельном мешке свое выпускное платье, и помахала отцу. Он печально смотрел вслед отъезжающей машине, размышляя о всех тех годах, которые они провели вместе, о странной жизни, которую они вели вдвоем с дочерью, спрятавшись от мира в отель, как в кокон. Хьюз понимал, как трудно Элоизе впустить кого-то еще в их жизнь, и именно поэтому относился к ее поведению в прошедшие месяцы куда терпимее, чем мог бы. Он знал, что под гневом на Натали скрывается истинная любовь дочери к отцу. И он тоже крепко любил ее. Трудно было поверить, что она уже выросла, что ей вот-вот исполнится двадцать один год и она выпускница той же школы, которую когда-то заканчивал он. Возвращаясь обратно в отель, Хьюз грустно улыбался.

Приехав в Лозанну, Элоиза встретилась со своими однокашниками. Все они с одинаковым возбуждением ждали выпуска и с удовольствием делились рассказами о своей стажировке по всему миру. Элоиза провела ее гораздо спокойнее остальных, в собственном, знакомом ей мире, и была там куда счастливее, чем в предыдущие шесть месяцев в «Георге V». Они встретились с Франсуа, который появился со своей новой девушкой, сильно раздосадовав Элоизу. Еще несколько человек тоже приехали со своими парами. Сама Элоиза после возвращения в Нью-Йорк ни с кем не встречалась, у нее просто не хватало на это времени.

Каждый вечер они всей толпой ходили обедать в местные ресторанчики, в том числе и в расположенный на территории кампуса, заглядывали в оба бара, которыми заправляли студенты, и посещали последние семинары и репетиции выпускной церемонии. Кое-кто записался на дополнительную двухлетнюю международную программу «Менеджмент гостеприимства», многие намеревались учиться в школе дальше, чтобы получить степень магистра, но Элоиза собиралась вернуться домой и остальное обучение пройти в «Вандоме».

В пятницу прилетел отец и поселился в отеле при школе, в котором студенты получали свой первый рабочий опыт. Остановиться здесь считалось удовольствием для любого посетителя, кроме того, в молодости Хьюз и сам в нем работал несколько месяцев. Он всегда радовался, приезжая сюда и видя, сколько тут изменений. Время, проведенное им в Школе отельеров, он считал лучшими годами в своей жизни — до того как начал строить карьеру. И, гуляя по знакомому, безукоризненно чистому кампусу, Хьюз не мог не задаваться вопросом, не приедет ли в один прекрасный день сюда учиться кто-нибудь из его внуков. Трудно себе такое представить, но, учитывая глубокую любовь Элоизы к этому бизнесу, Хьюз почти видел, как это произойдет в далеком будущем. Внезапно он ощутил себя главой династии, а не просто владельцем небольшого отеля.

— О чем ты думаешь, папа? — спросила Элоиза, поравнявшись с ним. Она заметила, как отец бредет по дорожкам один, и поспешила его догнать. На эти несколько дней она отложила свое ядерное оружие в сторону, тем более что Натали тут не было и все походило на старые добрые времена.

Он поднял глаза, увидел Элоизу, улыбнулся и обнял ее за плечи.

— Звучит глупо, но я думал, что, может быть, твои дети однажды приедут сюда учиться.

Меньше всего Хьюз ожидал этого от Элоизы, но когда она пошла по его стопам, это вдруг стало своего рода традицией. Интересно, а что бы сказали по этому поводу его родители? Они хотели для него совсем другого, но он прожил хорошую жизнь и занимался делом, которое любит до сих пор.

— Не думаю, что я хочу детей, — задумчиво произнесла Элоиза.

Хьюз удивился. Он всегда надеялся, что она выйдет замуж и нарожает детишек, даже несмотря на то что будет работать в отеле.

— Почему? — спросил он, глядя ей в глаза.

— Они требуют слишком много сил, — отмахнулась Элоиза.

Хьюз рассмеялся:

— Отель тоже! И позволь сообщить тебе, что, несмотря на огромное количество сил и времени, которые ты вкладываешь в ребенка, оно того стоит. Моя жизнь без тебя была бы ничтожной.

Его голос задрожал от эмоций.

— Даже сейчас, с Натали?

Мысли о ней преследовали Элоизу, и взгляд опечалился. Хьюз решительно кивнул:

— Даже с Натали. Это совсем другое. Я очень любил твою мать... и очень люблю Натали. Но любовь к женщине или к мужчине — это совсем не то, что ты испытываешь к своему ребенку. Даже сравнивать невозможно. Моя любовь к тебе вечная. Любовь к партнеру существует ровно столько, сколько может продлиться. Иногда ее хватает на всю жизнь, иногда нет, но моя любовь к тебе будет жить, пока меня не опустят в могилу.

Это были очень серьезные слова. Элоиза остановилась и некоторое время молчала, а потом посмотрела отцу в глаза.

— Я думала, это изменилось, — негромко произнесла она.

Хьюз покачал головой:

— Это никогда не изменится. Никогда. Пока я жив.

Элоиза кивнула, и на ее лице появилось облегчение. До сих пор Хьюз не понимал по-настоящему, что его дочь, на вид уже взрослая, в душе по-прежнему остается ребенком, который боится, что может из-за какой-то женщины потерять своего отца — или уже потерял. Это объясняло, почему она так упорно отвергала Натали. И в общем-то это совсем неудивительно, ведь в четыре года она действительно потеряла мать из-за другого мужчины. Просто в случае с Мириам у Элоизы ее никогда и не было, ей предоставили мать всего лишь во временное пользование. Дезертирство Мириам, бросившей свою дочь, стало последним предательством, вынудившим Элоизу бояться Натали и, что еще хуже, злиться на отца. Теперь Хьюз понимал ее гораздо лучше и радовался, что приехал сюда один. Он заключил Элоизу в свои объятия, погладил ее длинные шелковистые волосы, и они рука об руку направились обратно в его отель, чувствуя на душе покой. Он сказал дочери все, что она хотела услышать. Оказывается, ей было недостаточно знать это, предполагать или надеяться на это. Ей требовалось, чтобы он облек эти мысли в слова и произнес их вслух.

Вечером в принадлежавшем школе отеле устроили обед по случаю завтрашней выпускной церемонии, и это было праздничное событие. Столы накрыли в аудитории, украшенной гирляндами, директор школы и многие студенты произносили речи, некоторые весьма эмоциональные. А потом студенты разошлись по ночным клубам и барам Лозанны или в последний раз заглянули в бары на территории кампуса. Элоиза пошла со своими друзьями и искренне печалилась, что теперь им придется расстаться. Всех их раскидает по белу свету. Правда, двое собирались проходить стажировку в Нью-Йорке, но как раз их она знала не очень хорошо. Франсуа получил работу в Париже, в отеле «Плаза Атени», предпочтя это место родительской семейной гостинице на юге Франции. Теперь все они будут карабкаться вверх по карьерной лестнице в гостиничном бизнесе, соответствовать требованиям своего начальства и угождать клиентам. Теперь все они знали, что это вовсе не легкая работа, но они сами выбрали этот путь, и всем им уже не терпелось приступить к делу. Только двое временно отказались — один из-за болезни, а другая из-за беременности и вынужденной срочной свадьбы, но даже эта девушка пообещала, что потом вернется в дело. В классе Элоизы выпускалось сто семьдесят восемь человек, а из всей школы чуть меньше двух тысяч. В конце концов эта школа была признана лучшим гостиничным учебным заведением в мире, и закончить ее считалось большой удачей.

Выпускная церемония прошла очень трогательно, придерживаясь всех освященных десятилетиями традиций. Она ни на йоту не изменилась со времен выпуска Хьюза более тридцати лет назад. Раздавались награды. Элоиза удостоилась двух почетных упоминаний. В конце церемонии, когда заиграл оркестр, все в аудитории встали и заплодировали, а потом и студенты, и зрители — почетные выпускники знаменитой Школы отельеров Лозанны — разразились приветственными криками. По щекам Элоизы струились слезы, и глаза Хьюза тоже подозрительно увлажнились, когда отец и дочь крепко обнялись.

— Я так тобой горжусь, — произнес он сдавленным голосом, и в этот миг ни в аудитории, ни в целом мире не было никого, кроме них двоих. Хьюз снова порадовался, что приехал сюда один. Он просто должен был разделить эту минуту только с Элоизой, подтверждая свою к ней любовь. И ему вдруг стало жаль Мириам. Глупая, какая глупая! Она всю свою жизнь пропускала все, связанное с Элоизой, любое важное событие, и не любила никого, кроме самой себя. Хьюз жалел, что выбрал для Элоизы такую неудачную мать, и надеялся, что однажды его дочь подружится с Натали. Слишком поздно для нее пытаться стать матерью Элоизе, но для дочери будет очень полезно иметь рядом надежную и верную женщину, помимо Дженнифер, Джен и Эрнесты, которые всегда были добры к ней. Но Натали станет членом их семьи. Хьюз старался быть для дочери всем — отцом и матерью, наставником и советником, но ей все равно нужно было женское плечо, и он жалел, что не обеспечил этого раньше. Он ждал слишком долго, и теперь, вместо того чтобы радоваться, Элоиза отвергает его, объявив войну Натали. Но Хьюз надеялся, что перемирие все же наступит, хотя в Лозанне об этом даже не заикнулся.

Обед в честь выпуска превратился в грандиозное событие с превосходной едой и очень приличным оркестром. Хьюз танцевал с дочерью, а она в последний раз танцевала со своими друзьями. После усердного двухлетнего труда наступило время торжественно отметить их достижения, и молодежь праздновала до шести утра.

А утром они собрались в последний раз. Элоиза даже не стала ложиться. Обняв всех своих друзей, обменявшись контактами, она села с отцом в машину, доехала до аэропорта в Женеве и уснула сразу же, едва они поднялись на борт самолета. Хьюз нежно укутал ее одеялом и улыбнулся, глядя на дочь. Со своими ярко-рыжими волосами и веснушками она снова походила на маленькую девочку. Да, она стала взрослой женщиной, перед которой простирались жизнь и карьера, но для отца Элоиза навсегда останется ребенком, несмотря на все свои достижения. Он нагнулся и поцеловал ее, и любовался дочерью, пока самолет летел в Нью-Йорк.

Глава 18

Едва приземлившись в Нью-Йорке, они оба с ходу включились в работу. Хьюз, как обычно, улаживал скользкие ситуации, разбирался со спорами служащих, угрожающими отелю судебными исками, с профсоюзами, с приездом важных гостей. А Элоиза заняла свое место у стойки портье в тот же вечер, как вернулась домой. Ее диплом лежал в чемодане, но здесь это не имело никакого значения. Она помогала потерявшим багаж гостям выяснять все вопросы с авиакомпаниями, искала, куда переселить не-

довольную даму, заявившую, что ее поместили в отвратительный люкс (во что было трудно поверить, так как ей достался один из заново оформленных номеров, но дама сказала, что от зеленого цвета у нее начинается мигрень,
кроме того, ей не нравятся зеленые кисти на шторах). Чудом Элоизе удалось поменять люкс на тот, куда гость еще
не успел заселиться. После полуночи ей пришлось вызывать врача к постоялице, у пятилетнего ребенка которой
поднялась высокая температура, и звать на помощь службу безопасности, чтобы они разобрались в скандале, разгоревшемся на четвертом этаже между двумя подвыпившими гостями. Удалось обойтись без полиции, а значит,
отель не попадет на страницу шесть «Нью-Йорк пост». Еще
Элоизе пришлось сделать выговор службе обслуживания
номеров, в два часа ночи не ответившей на телефонный
звонок, и объяснить гостю, почему консьерж-служба закрыта в пять утра. Она закончила работу в семь и, не чуя
под собой ног, поднялась в апартаменты отца, где увидела
Натали. Вчера вечером они не встретились, а сейчас Элоиза настолько устала, что ей было все равно. Отец с Натали завтракали. Элоиза бросила короткое «здравствуйте» и
направилась в свою комнату, отметив, каким противным
взглядом отец смотрит на Натали. Такое впечатление, что
сейчас он растечется лужей по паркету. До чего нелепо, думала Элоиза, когда человек в его возрасте так влюблен. Но
она постаралась сделать вид, что ничего не замечает.

— Как прошла ночь? — спросил отец.

— Нормально. На четвертом этаже случился неприятный инцидент. Моретти подрались, и гости в соседних номерах хотели вызвать полицию.

— И что ты сделала? — озабоченно спросил Хьюз.

Немного сконфуженно Элоиза ответила:

— Послала всем жаловавшимся по бутылке «Дом Периньон». Брюс провел с Моретти целый час. Похоже, он
сказал что-то оскорбительное про ее мать, так что Брюс
сидел у них, пока они настолько не напились и не устали,

что мистер Моретти отправился в постель, а миссис Моретти мы предоставили номер на другом этаже. Я просто не знала, что еще делать. И еще пришлось в два часа ночи вызывать врача в номер шесть-девятнадцать. У ребенка ангина и воспаление уха.

— Ты сделала все правильно, — похвалил ее отец. За последние два года Элоиза поняла, что работа в отеле — это в первую очередь дипломатия и находчивость, а также умение быстро соображать и на лету принимать решения. Это ей удавалось хорошо, кроме того, она обладала отличным природным чутьем.

— Этим Моретти нужен мозгоправ, — фыркнула Элоиза, снимая форменный пиджак и швыряя его на кресло. Туфли она сбросила еще у входа. А затем взглянула на Натали. До свадьбы оставалось меньше четырех недель, а до ее собственной вечеринки всего несколько дней. — Как дела с подготовкой к свадьбе?

Натали улыбнулась и вздохнула.

— Моя невестка на прошлой неделе каталась на роликах и сломала лодыжку. У обеих моих племянниц мононуклеоз, так что они могут совсем не приехать. В Голландии назревает авиазабастовка, так что мы можем остаться без цветов. Меню еще не утверждено, а твой отец отказывается от свадебного торта. И трое моих клиентов желают, чтобы я расставила у них мебель на этой неделе, пока они в отъезде. А в остальном все замечательно.

Элоиза невольно рассмеялась. Получив диплом и проведя три дня с отцом в Лозанне, она как будто смягчилась. Натали снова порадовалась, что не поехала с ними. Впрочем, она бы в любом случае не смогла, очень уж много накопилось забот, да и Элоиза сочла бы, что она лезет не в свое дело.

— Ну, за три недели до дня «Х» это прекрасно. Обычно все подобные вещи случаются всего за несколько дней, так что пока вы опережаете график, — произнесла Элоиза куда более приятным тоном, чем разговаривала все эти месяцы, и отец улыбнулся. Время, проведенное вместе в Лозанне, определенно пошло ей на пользу.

— Не могу сказать, что меня это утешает.

Натали нервничала и, кажется, здорово похудела, но стоило ей взглянуть на Хьюза, и лицо ее озарялось счастьем. Будущая падчерица все еще пугала ее, но сейчас она вела себя дружелюбнее, чем весь предыдущий год. Может быть, она просто устала от долгой ночной смены сразу после перелета и ей не хватает сил вести себя гадко? Натали ни в чем не была уверена, она пока просто не могла ей доверять после ярости прошедших месяцев.

— Салли вам во всем поможет. Она просто неподражаема и может справиться с любой задачей! — легко бросила Элоиза. — Однажды она всего за полчаса нашла раввина, когда тот, с которым заключили договор, не появился. Он проводил в отеле свой медовый месяц, и она вытащила его из постели и привела на свадьбу и позвонила знакомому кантору. И все прошло просто безупречно. А почему ты отказываешься от торта? — неодобрительно взглянула она на отца.

— Чувствую себя глупцом. Наверное, я видел слишком много свадеб. Кроме того, я вообще не люблю торты, предпочитаю приличный десерт, — пожаловался он.

— Свадебный торт обязательно должен быть. Можешь заказать себе десерт в службе обслуживания номеров, но как это без торта? — побранила его Элоиза, схватила со стола маффин, сунула его в рот и пошла в свою спальню. Она так устала, что уже ничего не соображала. — Мне на дежурство к трем часам. Дурацкий график, — бросила она через плечо и закрыла за собой дверь. Причем на этот раз не хлопнула ею.

Натали изумленно посмотрела на Хьюза.

— Лучше? — спросила она. Во всяком случае, выглядело это значительно лучше.

— Очень возможно, — негромко ответил он, не желая, чтобы Элоиза его услышала. Он гадал, собирается ли дочь после свадьбы переезжать в свои апартаменты. Хьюзу хотелось бы проводить больше времени наедине с Натали, в особенности если Элоиза будет продолжать упрямиться, но пока он не замечал никаких намеков на переезд. Может быть, ей просто хотелось лишний раз сделать пакость. — Думаю, она боится потерять меня, — прошептал он. — Я сказал ей, что этого никогда не случится, что ты не сможешь отнять меня у нее, да ты и не захочешь, я знаю. Благодаря ее матери я все, что у нее есть, по крайней мере сейчас — и было предыдущие семнадцать лет. Поэтому ты и оказалась для нее такой большой угрозой.

Натали кивнула. Они уже не раз об этом разговаривали, и она понимала куда больше, чем считала Элоиза, поэтому и старалась проявлять терпение, хотя поведение Элоизы в последние полгода переходило всякие границы. Натали искренне надеялась, что девушка начала успокаиваться, и очень этому радовалась, потому что успела потерять всякую надежду на то, что они когда-нибудь подружатся.

— Мать на выпуск не приехала?

— Разумеется, нет. Они с Грегом отдыхают во Вьетнаме, хотя ее предупредили еще год назад. Да она бы пропустила эту церемонию даже ради визита к парикмахеру или новой татуировки, — сердито добавил Хьюз.

— Для Элоизы это тяжело. Невозможно объяснить, почему твоих родителей нет там, где они вполне могут быть. Если они умерли, это по крайней мере понятно. Но если они живы и не появляются, становится ясно, что они за тебя и гроша ломаного не дадут. После такого трудно поверить, что тебя кто-нибудь любит. Родители могут здорово напакостить своим детям, — произнесла Натали понимающим тоном.

— Все эти годы я пытался хоть как-то все это загладить и всегда находился рядом. А вот Мириам никогда не было. Иногда мне кажется, что от отсутствующего родителя вреда больше, чем добра от присутствующего.

Натали еще раз кивнула, а потом снова заговорила про свадебный торт, напомнив Хьюзу, что сказала его дочь.

— Хорошо-хорошо. Свадебный торт. Выбирай сама, а я закажу что-нибудь другое. Мне кажется, что они всегда липкие и всех смущают. И не вздумай совать мне его в рот и размазывать по лицу, это нелепо! — Для таких штучек Хьюз был слишком европейцем, этот обычай он терпеть не мог и никогда не понимал. — Если тебе так уж нужно меня им накормить, существуют вилки.

— Обещаю, — ответила она, обрадовавшись. Натали хотела, чтобы ее свадьба прошла в соответствии со всеми обычаями, традициями и суевериями. Что-то одолженное, что-то голубое. Она уже припасла подвязку, отороченную голубым кружевом, и даже пенни, чтобы сунуть его в туфлю. Натали ждала этого дня сорок один год, уже давно отказалась от надежды выйти замуж и даже перестала из-за этого переживать, когда вдруг появился Хьюз, так что теперь собиралась получить удовольствие на всю катушку. Он знал это, был искренне тронут и потакал ей во всем, кроме торта.

— И не проси меня попробовать четырнадцать разных тортов, как это делают другие невесты. Просто закажи то, что хочешь.

Натали уже знала, что хочет шоколадный мусс с глазурью и сливочным кремом, украшенный марципановыми лентами и живыми цветами. Она даже показывала кондитеру фотографию именно такого торта. Это была свадьба ее мечты, единственная в жизни, поэтому она так старалась. И платье ей очень нравилось. Оно, простое и элегантное, вовсе не выглядело нелепо на женщине ее возраста. Натали хотела выглядеть для Хьюза сногсшибательно, ведь он в отеле видел столько свадеб и невест. Но ей хотелось быть для него самой красивой.

Час спустя они разошлись по делам. Натали встречалась с новыми клиентами. Кроме того, она пообещала посмотреть один из номеров, который немного протек, что послужило отличным поводом его отремонтировать. Хью-зу предстояла дюжина встреч, и еще он собирался посе-тить собрание гостиничной ассоциации, где председатель-ствовал несколько раз за эти годы. Кроме того, это полез-но для поддержания добрых отношений с владельцами и управляющими других отелей. Элоиза к трем вернулась за стойку портье и пообещала одному из консьержей при-крыть его в течение двух часов.

И полетели такие же безумные дни. Элоиза едва вы-краивала время для подготовки к своей вечеринке, поэто-му всеми деталями занималась Салли, хотя за день до при-ема Элоиза все с ней проверила и уточнила. Предстояло грандиозное празднование ее дня рождения и получения диплома. Зал украсили белым и золотым, на всех столах стояли белые цветы, а с потолка свисали золотые воздуш-ные шары. Отец нанял фантастический оркестр и позво-лил веселиться до четырех утра, после чего накрыли зав-трак в небольшом помещении рядом. Элоиза сказала, что это был лучший бал в ее жизни. Хьюз хотел вознаградить ее за усердную учебу в Школе отельеров, кроме того, он хотел, чтобы Элоиза почувствовала себя особенной и не думала, что ее вытесняют в связи с грядущей свадьбой.

Около одиннадцати Хьюз с Натали незаметно ушли, оставив молодежь веселиться. Как оказалось, получилась чудесная прелюдия к свадьбе. Натали испытала массу удо-вольствия, а Элоиза определенно стала вести себя куда приятнее после возвращения с церемонии выпуска, более зрело, и меньше злилась на отца и его будущую жену. Ка-жется, наконец-то она поняла, что не потеряет его. Она по-прежнему не радовалась его женитьбе на Натали, но вроде бы перестала чувствовать себя обязанной превратить жизнь Натали в ад и даже слегка смущалась, вспоминая, как сильно психовала. В этом она призналась Дженнифер, вернувшись из Лозанны.

Последние недели перед свадьбой Натали провела, му-чаясь с размещением приглашенных. Несмотря на долгие выходные, ожидалось более двухсот гостей, но пока все шло согласно плану, хотя Натали очень нервничала — ей еще никогда не приходилось устраивать такое масштабное празднование. Выяснилось, что это намного сложнее, чем заниматься дизайном квартиры или дома или вовремя выполнить все заказы. Она совершенно ничего не умела, поэтому полагалась на персонал отеля, дававший ей советы и осуществлявший общее руководство, и старалась лишний раз не дергать Хьюза. Ему и так хватало работы в отеле, и потом она хотела его удивить.

Вечером перед свадьбой они устроили обед-репетицию для родственников и гостей, приехавших из других городов. У Натали из родственников были только брат с женой и детьми, а у Хьюза и вовсе одна Элоиза, но они все же ожидали, что в репетиции примут участие шестьдесят гостей, и накрыли на столы в небольшой столовой наверху, где обычно устраивались частные обеды. Никакой музыки и танцев, поэтому и планировать это было проще. Но все равно требовались цветы, и продумать меню и вина, и заказать карточки с указанием имен, и составить план размещения гостей. Натали казалось, что она ведет боевые действия — сплошные списки, планы и таблицы, да еще приходилось постоянно носить с собой рацию, чтобы Салли могла связаться с ней в любой момент. Элоизу Натали привлекать к приготовлениям не стала из уважения к ее чувствам, но зато пригласила на девичник. Элоиза приглашение отклонила, сказав, что ей нужно работать, что было чистой правдой. Но в первую очередь она, конечно, не хотела праздновать тот факт, что отец женится, это выглядело бы лицемерием, да и она бы сильно смущалась, видя, как женщины средних лет дарят Натали сексуальное нижнее белье, чтобы та соблазняла отца Элоизы. Нет уж, Натали прекрасно обойдется без нее.

Мужской персонал отеля месяц назад сюрпризом устроил для Хьюза мальчишник с марокканской едой и танцем живота, но все прошло на удивление скромно. При-

гласили также его немногочисленных друзей, с которыми
он когда-то вместе работал в других отелях. С учетом времени, которое он проводил за работой, Хьюз просто не ус-
певал поддерживать дружеские отношения, что было в его
бизнесе в порядке вещей. Отель и люди в нем становятся
твоей жизнью, не оставляя тебе времени ни на что другое.
Но мальчишник прошел весело, Хьюз даже потанцевал с
некоторыми девушками, но никто не сделал ничего непри-
личного, выходящего за рамки, что далеко не всегда было
нормой в проводимых в отеле мальчишниках. На некоторые из них даже приглашались проститутки, за которых
платил кто-нибудь из участников. Но никто не решился
сотворить такое с Хьюзом, не тот он был человек, так что
все просто веселились.

Накануне свадьбы Натали находилась на грани нервного срыва. Она воспользовалась номером на другом этаже
отеля, чтобы повесить в нем свое свадебное платье и сделать там же прическу и макияж. Брат и невестка остановились в отеле. С ними приехали только два сына; обе дочери слишком тяжело болели мононуклеозом.

За день до свадьбы Натали пошла на массаж, маникюр
и педикюр. Элоиза увидела ее в парикмахерской с маской
на лице. Она остановилась, чтобы поздороваться. Услышав знакомый голос, Натали открыла глаза — в последнее
время она почти не встречалась с Элоизой.

— Ну, как дела? — вежливо поинтересовалась Элоиза.

— Ужасно, — ответила Натали, стараясь не двигать
ртом, чтобы маска, напоминавшая зеленую глину, не по-
трескалась. Она ощущала себя ведьмой из «Волшебника
из страны Оз». — Лицо ни к черту. Желудок расстроен. Пе-
вец из оркестра застрял в Лас-Вегасе и приехать не сможет. А я жалею, что мы просто не сбежали и не поженились где-нибудь далеко.

Казалось, что она сейчас разрыдается.

— Все будет хорошо, — заверила ее Элоиза. — Просто
попробуйте расслабиться.

Натали вздохнула и сдалась. Во всех этих вещах Элоиза разбиралась гораздо лучше будущей мачехи, но до сих пор даже пальцем о палец не ударила, чтобы помочь.

— Хотите, чтобы я поговорила с Салли? — мягко спросила она.

Натали в изумлении уставилась на нее и кивнула.

— А ты не против? Я уже не соображаю, что делаю, и так нервничаю, что мне кажется, будто я вот-вот свихнусь.

Кроме того, Натали принимала лекарство, которое только усиливало эти ощущения, но об этом она Элоизе рассказывать не стала. Хьюз знал и всячески пытался ее успокоить, но лекарство, наложенное на естественный стресс от подготовки к свадьбе, сокрушало Натали, и по ней это было очень заметно.

— Через несколько минут у меня будет перерыв, и я зайду к ней, — улыбнувшись, пообещала Элоиза. — А вы думайте только о волосах и ногтях, остальное оставьте нам. И непременно вздремните.

Натали кивнула и проводила ее взглядом. У нее возникло ощущение, что война идет к концу. Вероятно, еще не совсем закончилась, но после возвращения Хьюза с Элоизой из Лозанны артобстрелов точно не было.

Полчаса спустя Элоиза с Салли проверяли последние детали свадьбы. В основном все было под контролем, поэтому они с весьма компетентным менеджером обсудили то, что вызывало сомнения, и сделали несколько изменений в тех мелочах, на которые никто не обратил внимания, вроде размещения за столами и размера скатертей. Кто-то заказал неудачные стулья, так что Элоиза попросила поставить самые лучшие. Поток гостей, расчет времени, схема размещения приглашенных за столами, где будут стоять венчающиеся во время церемонии, чтобы все всё видели, — все это были мелочи, но они-то и составляли разницу. Элоиза вместе с Салли все исправили, и Салли поблагодарила Элоизу, сказав, что с ее стороны очень мило прийти на помощь.

Предполагалось, что будет проведена репетиция, но ее пришлось отменить, потому что родственники Натали приехали слишком поздно и времени перед обедом не осталось. Элоиза попросила Салли все цветы для Натали и ее невестки — для прически Натали и обоих букетов — отнести в номер, где невеста будет одеваться. И не перепутать — букетик ландышей для лацкана пиджака Хьюза доставить в его апартаменты. Внезапно Элоиза поняла, что ее больше не тошнит от мыслей о свадьбе. Она смирилась и теперь рвалась помочь.

— А как же ты? — осторожно спросила Салли. Для Элоизы цветы не заказывали. — У тебя будет букет?

До этой минуты она не решалась задавать Элоизе вопросы про свадьбу, но, похоже, сейчас самое время.

— Я не пойду на свадьбу, — со сконфуженным видом ответила Элоиза.

— Не пойдешь?

Слегка удивившись, Салли тут же сообразила, что ни разу не обсуждала этого с невестой. Она не стала спрашивать Элоизу почему. Она и сама знала, да и весь отель тоже. Элоиза не делала тайны из того, как сильно не одобряет отцовскую женитьбу.

— Отец попросил меня быть свидетельницей вместо шафера.

Это была европейская традиция, и Элоиза не согласилась, а Хьюз не стал настаивать. Спасибо уже и за то, что появится на свадьбе, на большее он и не рассчитывал. Но даже в этом он сомневался, потому что Элоиза неоднократно угрожала, что не придет. А вот теперь она подумала об этом и взглянула на Салли, с которой дружила с самого детства.

— Наверное, сделай букетик ландышей и для меня тоже, я приколю его к платью.

Таким образом она отождествит себя с женихом, а не с невестой. На ее месте и шафер приколол бы ландыши или небольшую белую розочку. Но Элоиза предпочитала ландыши, свои самые любимые цветы, ей очень нравилось, когда невесты использовали их в букетах. У Натали будут белые орхидеи, она сказала, что они хорошо сочетаются с ее платьем и выглядят более изысканно.

Салли с Элоизой, к обоюдному удовлетворению, закончили разбираться с деталями, связали целую кучу болтающихся концов, в которых Натали сомневалась, а Салли не хотела за нее решать. Но Элоиза взяла дело в свои руки и сделала в каждом случае превосходный выбор. Она обожала свадьбы и прекрасно в них разбиралась.

А затем поднялась в апартаменты, поскольку это был ее перерыв на ленч. Натали только что вошла и с измученным видом легла на диван.

— Как вы себя чувствуете? — заботливо спросила Элоиза, радуясь, что они с Салли внесли все необходимые изменения в свадебные планы.

— Ужасно. Разваливаюсь на кусочки. Ты виделась с Салли?

У нее был панический вид. Элоиза улыбнулась:

— Все в полном порядке. Даже и не думайте об этом больше, а спокойно переходите в завтрашний день. Что вы наденете сегодня вечером?

Сама Элоиза об этом вообще не думала и ничего не покупала к свадьбе, сомневаясь, что пойдет.

— Голубое атласное платье, — ответила Натали. — На столах будут стоять голубые цветы.

— Я знаю. Я только что все сама перепроверила. — Элоиза улыбнулась. — Хотите чашечку чаю?

Натали, все еще встревоженная, кивнула и благодарно улыбнулась, когда Элоиза протянула ей чашку «Эрл Грей». Она внезапно стала казаться совсем другим человеком, и Натали это по-настоящему впечатлило. Хьюз был прав. Его дочь успокоилась.

— Думаю, для этого и существуют матери, — сказала Натали, выпив чай. Он и вправду помог. — Да только не моя. Мне досталась одна из этих чопорных матерей среднего класса, которая вела себя так, словно мы все — чужие люди, как будто она никогда не снимала одежду, чтобы заняться сексом или родить ребенка. Холодная, как льдина. — Элоиза усмехнулась, услышав такое описание, и подумала о собственной матери, ведущей жизнь рок-звезды. — Отец умер, когда мне было двенадцать, она тут же отправила меня в школу-интернат, и с тех пор я ее почти не видела. Она переехала в Европу и забирала нас с братом в лучшем случае на пару недель в году. Так что мы и с братом не виделись. Когда я училась в колледже, она умерла, и мне казалось, что я присутствую на похоронах незнакомого человека. Я ее никогда не знала по-настоящему, а она не проявляла ко мне никакого интереса. Я и брата толком не знала, пока не закончила колледж, зато теперь мы с ним добрые друзья. Он на десять лет старше меня и отца знал намного лучше, а вот мать для нас обоих была совершенной загадкой. Ей бы вообще не следовало иметь детей, но она нас родила, потому что это считалось правильным. Но как только отец умер, она от меня сразу избавилась, а брат к этому времени уже несколько лет учился в школе-интернате, а потом в колледже, вот мы с ним и не встречались. Представления не имею, как сложилась ее жизнь после смерти отца, и всегда гадала, был ли у нее мужчина. Надеюсь, что был, ради нее самой. Мы с ней только и разговаривали, что о погоде и хороших манерах, и еще она много играла в бридж. Я никогда не появлялась на экранах ее локаторов, всего лишь несколько недель в году. Так что даже если бы она была жива, сомневаюсь, чтобы она стала бы помогать мне с этой свадьбой. Спасибо, что поговорила с Салли, — сказала она Элоизе, задумчиво ее слушавшей. Девушка улыбнулась. Ее тронуло то, что Натали поделилась с ней такими интимными подробностями.

— Моя мама тоже весьма странная. Она вышла замуж за рок-звезду, наверное, папа вам рассказывал. Он очень увлекается наркотиками, и вокруг них вечно толкутся какие-то ненормальные. Мама эту жизнь просто обожает. Она бросила ради него папу, когда мне было четыре года, быстренько родила еще двоих детей, а я стала историей. Примерно то же самое, что и с вашей матерью. Она ведет себя так, будто я чей-то чужой ребенок, и когда мы встречаемся, разговаривает со мной, как с посторонним человеком. Я терпеть не могу к ним ездить и вижусь с ней примерно раз в году, если ей это удобно — причем это всегда неудобно. Мне все время кажется, что она развелась с папой и одновременно со мной.

Элоиза рассказывала честно, и по ее глазам Натали видела, как ей это больно.

— Должно быть, это тяжко, — сочувственно произнесла она.

Они впервые разговаривали, как обычные люди, и между ними протянулись неожиданные узы. «Клуб детей чокнутых матерей», как говорила своим подругам Натали. А может быть, его следует назвать «Клубом детей от никчемных матерей». Похоже, в мире таких женщин полным-полно, и они оставляют шрамы в душе любого ребенка, с которым соприкасаются. Чтобы это преодолеть, Натали потребовались годы психотерапии.

— Тяжко, — призналась Элоиза ей и, что более важно, самой себе.

— После встречи со своей матерью я плакала неделями, — созналась Натали. — Ужасно говорить такие вещи, но после ее смерти мне стало легче. Она больше не могла меня разочаровать. Гораздо хуже, когда они живы, но не хотят тебя видеть или ведут себя так, словно не помнят, кто ты такая. Это страшно.

— Я тоже терпеть не могу встречаться с мамой, — сказала Элоиза. Оказывается, испытываешь облегчение, когда можешь поговорить об этом и признать правду. С отцом она об этом никогда не разговаривала, он расстраивался, просто услышав имя Мириам, а самой Элоизе казалось, что она предаст мать, если скажет ему, как все это ужасно, поэтому она предпочитала молчать. — Мне всегда очень больно. И всякий раз, оказавшись там, я чувствую себя забытой и покинутой. Будто навязчивая гостья, или посторонний человек, или вообще кто-то, кого она знать не знает. Не знаю, как она смогла просто взять и уйти, но она смогла. Да и тем двум детям она не лучшая мать, они растут как трава в поле, — с улыбкой добавила она.

— Вся причина в том, какой она человек, — объяснила ей Натали, — а не в том, что ты совершила что-то плохое или неправильное. Мне потребовались годы, чтобы это понять, но подобным людям просто нечего дать другим. Никому. Они живут только ради себя.

— Да.

Элоиза произнесла это так, словно в комнате вдруг зажглась лампочка, разогнав тьму. Натали поняла все очень точно.

— Я никогда не хотела иметь детей — боялась, что стану такой же, как она, — честно призналась Натали. — А я не хочу поступать с кем-то так же, как она поступила со мной.

— Я чувствую то же самое, — негромко отозвалась Элоиза. — Папа, конечно, классный, но так странно иметь только одного родителя, в то время как другой где-то далеко и не хочет тебя. Терпеть не могла объяснять все это друзьям, хотя, конечно, Грег их впечатлял. Но он придурок.

— По крайней мере у тебя был твой папа, — напомнила ей Натали.

Элоиза кивнула. А теперь ей придется делиться отцом с Натали, но почему-то это больше не казалось ей ужасным. Она понимала, почему отец ее полюбил. Натали честная, искренняя и заботливая, и она очень старалась. И еще до Элоизы вдруг дошло, что за прошедшие полгода Натали ни разу не вышла из себя, несмотря на самое гадкое поведение будущей падчерицы. Это тоже о многом говорило.

— А я своего отца почти не видела, и он был ледышка почище матери, — добавила Натали. — Думаю, они оба ненавидели детей.

— Мой папа классный, — подтвердила Элоиза.

Они взглянули друг на друга и улыбнулись.

— Спасибо, что помогаешь мне со свадьбой. Я правда напугана до смерти, — призналась Натали, показавшись вдруг такой юной и уязвимой, что Элоиза от души ее пожалела. Она больше не выглядела злейшим врагом, а просто одинокой, очень сердечной женщиной, у которой были отвратительные родители, а теперь она счастлива, обретя Хьюза. Никакая не Мата Хари, которой боялась Элоиза, и с такой женщиной она вполне могла примириться.

— Свадьба пройдет отлично, — заверила ее Элоиза. — Обещаю. А если вдруг что-то случится, я все исправлю. — Она действительно вполне могла справиться с чем угодно, хоть с помощью Салли, хоть без нее. Теперь ей казалось, что они с Натали чем-то связаны. — Так что расслабьтесь и получайте удовольствие. Это ваш особый день.

— Когда я начинала все это планировать, то понятия не имела, что организовать свадьбу так сложно и тяжело. Оказалось, что для меня это темный лес, — усмехнувшись, призналась Натали. — Я же никогда не собиралась замуж, поэтому ничего толком не знаю.

— Свадьбы — это не так уж и сложно, — непринужденно отозвалась Элоиза. — Вот дизайн интерьеров намного труднее, но вы же в этом отлично разбираетесь. А там нужно учитывать столько глупых мелочей! Кстати, я от своего люкса просто в восторге. Вы классно поработали. Мне все подруги завидуют.

Она улыбнулась, а Натали обрадовалась. Похоже, сегодня днем они неплохо потрудились — выкинули мусор, прогнали тени и впустили солнечный свет.

— Я делала это с удовольствием.

Натали встала с дивана. Теперь она выглядела намного лучше. Ей очень хотелось обнять Элоизу, но она побоялась переступить границы. За последние два часа они продвинулись очень далеко, и обе это знали, поэтому она не хотела все испортить, кидаясь к Элоизе с объятиями.

— Мне нужно возвращаться к работе. Увидимся вечером за обедом, — сказала Элоиза, снова надевая форменный пиджак и туфли. — И не забывайте, у вас только одна забота — выглядеть хорошенькой и веселиться. Остальное оставьте нам. Не нужно ничего бояться и ни о чем беспокоиться.

— Спасибо.

Натали с растроганным видом улыбнулась. Минуту спустя Элоиза уже спускалась к стойке портье, а еще через пять минут в апартаменты вошел Хьюз, разминувшийся с дочерью.

— Что ты тут делаешь? — удивленно спросил он, не ожидая в такое время увидеть Натали в апартаментах, да еще и в оторопелом состоянии.

— Пытаюсь перевести дух, — честно ответила она. — Мы сейчас так хорошо поговорили с Элоизой! — со счастливым видом добавила она.

— О чем? — Хьюз сел на диван рядом с будущей женой, одновременно удивленный и довольный. Ему так нравилась мысль, что она вот-вот станет его супругой, он этого просто дождаться не мог.

— О наших матерях. Видишь ли, моя тоже не относилась к лапочкам, и я ей рассказала об этом. А она рассказала про свою. Разная внешность и образ жизни, а суть-то одна и та же. Нарциссы. Женщины, которым вообще не следует иметь детей.

Хьюз был с ней полностью согласен. Он всю жизнь пытался это загладить и не сомневался, что двое других детей Мириам станут стихийным бедствием или подсядут на наркотики, как их отец.

— Было так приятно с ней поговорить. Она и вправду славная девочка и помогает мне со свадьбой, — с благодарностью произнесла Натали. — Так чудесно ко мне отнеслась.

На ее глазах выступили слезы. Она испытывала огромное облегчение. Последние шесть месяцев, в течение которых она была объектом ненависти Элоизы, дались ей слишком тяжело. Она даже снова обратилась к психотерапевту.

— Я так рад, — облегченно отозвался Хьюз, наклонился и поцеловал свою невесту. — Кстати, выглядишь просто великолепно. Чем ты сейчас занята? — спросил он, снимая пиджак.

— Ничем. А что? Хотела немного вздремнуть перед вечером. А на пять у меня назначен массаж.

— Замечательно. Моя трехчасовая встреча отменилась, а стрижка назначена только на шесть. И вздремнуть мне тоже не помешает.

Он лукаво взглянул на Натали, улыбнувшуюся в ответ. Они, как дети, ринулись в спальню, вывесили табличку «Не беспокоить», разделись за несколько секунд, скользнули в постель и занялись любовью, как двое счастливых ненасытных молодых людей. Натали радостно думала, что еще один день — и она навсегда будет принадлежать ему.

Глава 19

Обед-репетиция прошел без сучка без задоринки. Натали выглядела просто прелестно в коротком атласном платье без бретелек холодного голубого цвета, с бриллиантовыми серьгами, подаренными Хьюзом к свадьбе и потрясающе сочетающимися с кольцом, и с ниткой жемчуга, доставшейся ей от матери.

Элоиза отыскала у себя в гардеробной простое черное платье для коктейлей, жалея, что так и не купила новое. С другой стороны, это вечер Натали, а не ее. Ей понравились брат Натали и его жена, ковыляющая с гипсом на сломанной щиколотке. И оба их сына ей тоже понравились. Младший, семнадцатилетний, заканчивал старшую школу и собирался осенью в Принстон, а старший, Брэд, двадцати пяти лет, необычайный красавец, учился в юридической школе Колумбийского университета. Они сидели за разными столами, поэтому толком и поговорить не смогли, но Элоиза вспомнила, что завтра, на самой свадьбе, он будет сидеть за ее столом. Ей показалось, что она его заинтересовала.

И брат Натали, и Хьюз произнесли речи, а невестка Натали прочитала неплохое стихотворение, которое написала сама, — про невесту и жениха, которые пришли к выводу, что они просто идеальная пара. Вместо того чтобы разозлиться, как случилось бы раньше, до того, как она побеседовала с Натали и узнала про ее одинокое детство, Элоиза внезапно растрогалась и сочла стихотворение остроумным и милым. Она отметила, что Натали оно очень понравилось. Натали вообще восторгалась всеми предсвадебными торжествами, а когда обед закончился, пошла ночевать наверх, в номер, где висело ее подвенечное платье, чтобы Хьюз не видел ее до самой свадьбы. Он поцеловал ее у двери и поднялся к себе в апартаменты. Элоиза пошла с ним.

— Волнуешься, папа? — спросила она, когда они вместе вошли в номер. Вроде бы она должна радоваться, что они остались вдвоем, но ей почему-то казалось странным, что Натали тут нет. После сегодняшнего разговора Элоизе ее почти что не хватало.

— Да, есть немного, — сознался он. — Это серьезный шаг для любого, даже для такого старика, как я.

Ему и за миллион лет не могло пригрезиться, что он женится снова, а тут на тебе.

— Ты вовсе не старик, папа.

Элоизе он казался молодым и красивым.

— Ну, будешь завтра моим шафером? — спросил он.
Элоиза кивнула. Отец в самом деле этого хотел и был благодарен ей за то, что она все-таки потеплела по отношению к Натали.

— Конечно.

Элоиза так и не решила, что надеть, но вдруг вспомнила про платье, купленное к новогодней вечеринке три года
назад, короткое, цвета бледного золота. Одновременно
строгое и нарядное, с не слишком глубоким вырезом, к
нему прилагался короткий жакет-болеро, который можно
надеть на время церемонии, а само платье — без бретелек,
что очень подойдет к танцам. Нужно будет вытащить его
и примерить.

Они поболтали еще немного, и Хьюз отправился в постель, а Элоиза начала бесцельно расхаживать по апартаментам. Ей почему-то казалось, что теперь она тут не у
места, и не потому, что ее вытеснила Натали, а потому что
она словно переросла это жилище. Пожалуй, на их медовый месяц надо переехать вниз, в собственный люкс. И им
будет приятнее. Больше не нужно доказывать свою точку
зрения и оборонять свою сферу влияния. Элоиза вдруг поверила, что им всем троим хватит места в ее мире. Натали
ничего у нее не украла, она просто присоединяется к ним,
и места для нее достаточно.

Утром Элоиза встала в шесть, в точности, как когда-то
в прошлом, если в отеле собирались отмечать важную свадьбу, надела джинсы, футболку и сандалии и спустилась вниз
проверить, как идут дела в бальном зале. Там уже расстав-
ляли цветы и столы, устанавливали сцену, и всем коман-
довали Салли с двумя помощниками и Джен. Дженнифер
тоже пришла помочь и проверить размещение гостей, и
даже Брюс явился. Элоиза поболтала со всеми несколько
минут и пошла проверять детали, но все шло прекрасно. В
семь утра он зашла в обслуживание номеров уточнить, за-

казала ли Натали завтрак. Узнав, что да, она заглянула в
номер к Натали по пути наверх. Та, невероятно взволнованная, открыла ей дверь.

— Все прекрасно, — заверила ее Элоиза. — Я только
что была внизу, проверяла, как идут дела. Все выглядит
просто великолепно.

Элоиза села, поговорила с Натали, пока не принесли
завтрак, и составила ей компанию за ним, а потом поднялась к себе наверх. Отец еще спал, и ей совершенно нечего было делать, зато она пообещала спуститься через два
часа, чтобы помочь Натали одеться после того, как парикмахер сделает прическу. Зения, заплетавшая Элоизе косич-
ки, когда она была маленькой девочкой, в прошлом году
ушла на пенсию, и теперь у них работали несколько новых
очень хороших парикмахеров.

К этому времени Элоиза тоже оделась и пришла к выводу, что золотое платье — отличный выбор. Оно сидело
на ней безупречно. Она слегка подкрасилась, собрала волосы в простой гладкий узел и надела золотые босоножки
на высоких каблуках, купленные специально к этому платью. В десять тридцать утра она уже стучалась в номер Натали. Дверь открыла Джин, ее невестка.

— Ну, как там невеста? — заговорщицким тоном спросила Элоиза. Внезапно она стала полноправной участни-
цей свадьбы, разговоров о которой старательно избегала
последние пять месяцев.

— Бегает по потолку, — отозвалась Джин, впуская Элоизу.

Вообще-то Натали уже выглядела красавицей. Парикмахер уложила ее длинные светлые волосы в элегантный
французский узел, и теперь она походила на модель или
кинозвезду. Но она слишком нервничала, чтобы разговаривать, только слушала, как щебечут Джин и Элоиза. Когда Элоиза заказала ей чашку чаю и бисквит, Натали с благодарностью улыбнулась.

В полдень настало время наряжать невесту. Осторожно надели ей через голову и расправили на изящной фигуре платье цвета слоновой кости — в пол, из французских кружев, с высоким воротом, длинными рукавами и длинным кружевным шлейфом. Вместо фаты была круглая кружевная шапочка в тон с вуалью. Платье выгодно облегало фигуру Натали, и она выглядела по-настоящему изысканно. Элоиза с Джин отошли подальше, чтобы посмотреть на невесту, и просто ахнули. Она хотела настоящее подвенечное платье, ведь это была свадьба ее мечты, и платье не было вульгарным или чересчур помпезным. Натали проявила безупречный вкус, и орхидеи подходили к нему идеально. Она казалась гостьей из другой эпохи, и при взгляде на нее у обеих женщин в горле встал комок. Именно так должна выглядеть каждая невеста, но мало кому это удается. Элоиза просто не представляла, что скажет отец — даже он не готов к такому впечатляющему зрелищу.

— В жизни своей не видела такой прекрасной невесты, а мне довелось увидеть многих, — честно призналась Элоиза, а Джин только молча кивнула. Сама она надела простой темно-синий шелковый костюм с отделанным бисером жакетом и темно-синие атласные туфли — очень приличный наряд, в котором Джин немного напоминала мать невесты. Ей это очень подходило.

Как только Натали оделась, появилась Дженнифер, пришедшая проверить, как дела. Увидев Натали, она невольно расплакалась и через несколько минут вернулась обратно в бальный зал, к Салли. Да, это был очень важный день для всех.

Они с Натали спустились вниз дальним лифтом, который Элоиза велела затянуть простынями и развесить в нем муслиновые занавески, чтобы случайно не испачкать платье. Она подумала буквально обо всем. Шлейф в лифте пришлось поднять. Элоиза по рации связалась с Салли и убедилась, что их уже ждут. Все основные распорядители на свадьбе ходили с рациями, все выполнялось с точностью как при ограблении банка или в случае военных действий. В конце концов, это была свадьба их босса.

Салли сообщила Элоизе, что ее отец уже стоит в центре зала и ждет у алтаря Натали. Священник тоже здесь. Все гости расселись и готовы к рок-н-роллу, со смешком добавила Салли.

Как только они втроем вышли из лифта, заиграла музыка. Они расправили платье Натали, шлейф и вуаль и остановились в заднем холле, дожидаясь Салли. Увидев изысканную невесту, та просияла.

— Как только будете готовы, миссис Мартин, сразу пойдем, — обратилась она к Натали. Глаза невесты наполнились слезами.

— Не вздумайте заплакать и испортить макияж! — предостерегла ее Элоиза.

Визажистка пришла утром вместе с парикмахером и сотворила настоящее чудо, используя минимум косметики. Казалось, что Натали не накрашена, настолько естественно она выглядела.

— Я так волнуюсь и так боюсь! — воскликнула Натали, то начиная безудержно хихикать, то порываясь заплакать.

— Все будет прекрасно, — заверила ее Элоиза и ушла, оставив с невестой Салли.

В бальном зале Брэд, старший сын Джин, сопроводил Элоизу и мать по проходу. Джин села рядом со своим младшим мальчиком, Брэд устроился возле них. Брат Натали пошел за невестой, чтобы провести ее по проходу, как посаженый отец, а Элоиза заняла свое место у алтаря рядом с Хьюзом. Оба прикрепили к лацканам одинаковые букетики ландышей. Хьюз, очень взволнованный, поцеловал дочь и сжал ее руку. Он нервничал так же сильно, как Натали, ждущая в коридоре. Негромко играла музыка, и вдруг оркестр перешел на мелодию Дебюсси, в дверном проеме появилась Натали, державшая под руку брата, и степенно пошла по проходу. Она выглядела совершенно великолепно и обманчиво спокойно. Элоиза взглянула на отца и увидела, что по его щекам катятся слезы.

Невеста и жених плакали всю церемонию. Наконец священник объявил их мужем и женой и разрешил Хьюзу поцеловать невесту. Сразу после поцелуя он плавно повернулся к Элоизе и поцеловал и ее тоже, а потом обнял обеих женщин за талии. Этим он сразу дал Элоизе понять, что он никогда ее не оставит, что теперь они составляют трио. А потом Элоиза с Натали тоже поцеловались и расплакались, и во всем зале не осталось пары сухих глаз.

Музыка заиграла что-то веселое, семья Мартин выстроилась в ряд, чтобы поприветствовать двести четырнадцать приглашенных гостей, и свадьба пошла своим чередом. Салли несколько раз подходила к Элоизе, чтобы кое-что проверить, но все шло гладко — никаких заминок, все прекрасно проводили время, оркестр оказался замечательным.

Хьюз и Натали протанцевали первый танец, затем Хьюз танцевал с Элоизой, а Натали с братом, а потом гости расселись по местам — для них накрыли поздний ленч, как и запланировали Натали и Салли. На свадьбе присутствовали все значительные, давно работавшие в отеле служащие. Элоиза, слишком взволнованная, совершенно потеряла аппетит. Когда она все-таки села, оказалось, что рядом сидит Брэд, и у них завязался оживленный разговор про его юридическую школу и Школу отельеров в Лозанне. Похоже, Брэду было интересно то, чем она занимается, но в основном он был просто зачарован самой Элоизой. После того как она потанцевала с отцом, он тоже пригласил ее на танец, и они почти не покидали танцпол. Натали с улыбкой посмотрела на них и что-то сказала Хьюзу. Тот небрежно оглянулся, а потом с трудом смог отвести взор от своей дочери, увлеченной беседой с высоким красивым молодым мужчиной, который казался просто завороженным ею.

Затем настало время торта. Они его разрезали, Натали, как и обещала, с вилочки покормила мужа, после чего официанты стали разносить торт гостям. Для Хьюза все прошло безболезненно, и он снова с удовольствием погрузился в атмосферу бала на собственной свадьбе. Он танцевал с женой, целовал ее всякий раз, как выпадала возможность, и всем рассказывал, что в жизни своей не встречал такой красивой женщины. Хьюз хотел еще раз пригласить Элоизу, но сколько ни искал ее взглядом, постоянно обнаруживал, что она танцует с Брэдом, а мешать им он не хотел, поэтому снова танцевал с Натали.

И наконец Натали собралась бросать букет. Чтобы облегчить ей задачу и получить хорошие кадры и видео, установили небольшую лесенку. Она поднялась на самый верх этой лесенки, затянутой белым атласом и украшенной цветами, а все незамужние женщины собрались вокруг. В центре этой толпы, как она так часто мечтала, будучи маленькой девочкой, стояла Элоиза и ждала, когда букет пролетит у нее над головой. Не меньше двух дюжин женщин со сосредоточенным ожиданием смотрели на Натали, но она как следует примерилась, на краткий миг поймала взгляд Элоизы, каким-то неторопливым движением бросила букет в ее сторону, и он упал прямо в вытянутые руки падчерицы. Все в комнате радостно закричали, а Элоиза высоко подняла букет, как долгожданный трофей, радостно улыбнулась Натали и беззвучно произнесла:

— Спасибо!

Это словно возместило все те многочисленные случаи, когда ей, маленькой девочке, запрещалось ловить букет невесты. Хьюз, следивший за дочерью, тоже широко улыбался. Он будто получил дополнительный подарок — две женщины, которых он любил больше всего на свете, наконец-то подружились.

Брэд снова отыскал ее, когда заиграла музыка, на этот раз более молодежная и веселая.

— Если это значит, что ты будешь следующей невестой, ты опасная женщина, — поддразнил он Элоизу. — Но я все равно рискну. Потанцуем?

Она положила пойманный букет на столик и вместе с Брэдом пошла на танцпол. Они танцевали целую вечность, пока не подошла Салли и не сказала, что Натали пошла наверх переодеваться. С ней отправилась невестка, так что Элоиза, сказала Салли, может оставаться в бальном зале, ей скажут, когда молодые будут уезжать. Отец тоже поднялся наверх. Для фотографий позировали еще днем, сразу после поздравлений, в небольшом помещении рядом с бальным залом.

Молодая чета вечером улетала в Лос-Анджелес, где собиралась остановиться в «Бель-Эйр», а на следующий день лететь в «Пальмиллу» в Нижней Калифорнии. Сначала они хотели провести первую брачную ночь в «Вандоме», но Хьюз не сомневался, что его будут дергать по любому пустяку, так что решил уехать сразу же после свадьбы, поэтому церемонию и проводили днем.

Элоиза танцевала с Брэдом, пока за ней не пришла Салли. Они с толпой гостей, среди которых были и Дженнифер с Брюсом, высыпали на улицу, чтобы попрощаться. Новобрачных уже ждал «роллс-ройс», посыльные разбрасывали лепестки роз, а через несколько минут появились Натали с Хьюзом, он в бежевом льняном костюме, белой рубашке и безукоризненном желтом галстуке от Гермеса, а Натали в белом костюме от Шанель и с новыми бриллиантовыми серьгами в ушах. Они смотрелись как на обложке модного журнала. Хьюз крепко обнял дочь.

— Я люблю тебя, — сказал он и целую минуту не отпускал Элоизу.

Потом ее обняла Натали, все начали бросать лепестки роз, новобрачные сели в машину, а гости замахали им вслед. Элоиза смотрела вслед автомобилю, глотая непрошеные слезы и неожиданно чувствуя себя покинутой, но тут Брэд тронул ее за руку:

— С тобой все в порядке?

— Да, все хорошо. Через две недели они вернутся. — И они вместе пошли в бальный зал.

Оказалось, что не так-то просто видеть, как твой отец уезжает, но Брэд сумел ее отвлечь, и через несколько минут Элоиза уже улыбалась, глядя, как Дженнифер с Брюсом отплясывают быстрый танец. У них здорово получалось. Брэд с Элоизой тоже присоединились к танцующим.

Они одними из последних покинули бальный зал, и Элоиза решила, что это самый лучший праздник из всех, что ей довелось посетить. Она пригласила кое-кого из молодежи, в том числе обоих племянников Натали, в свои новые комнаты. Они заказали пиво и гамбургеры, смеялись и болтали далеко за полночь, и ей показалось, что Брэду совсем не хотелось уходить. Он сказал, что следующий день проведет с родителями и братом до их отъезда в Филадельфию, но спросил, не согласится ли Элоиза пообедать с ним на следующей неделе. Она улыбнулась и кивнула. Приглашение ей понравилось, и очень хорошо, что Брэд учится в юридической школе Колумбийского университета, а не где-то далеко. Он пообещал позвонить и попрощался, а она решила остаться на ночь в собственных апартаментах. Наверху без отца и Натали будет очень одиноко. А завтра она перенесет сюда свои вещи.

Элоиза легла в новую кровать, думая обо всем, случившемся за день — церемония, танцы, новые знакомые, танец с отцом, пойманный букет и встреча с Брэдом, — и решила, что день был совершенно особенный, поворотный пункт для всех них.

А в самолете, летевшем в Лос-Анджелес, жених с невестой пили шампанское и целовались. Они летели по усыпанному звездами ночному небу и держались за руки. Командир корабля объявил, что на борту находятся новобрачные.

— Желаем счастья Хью и Натали, — сказал он, сократив имя Хьюза, и пассажиры зааплодировали, а новобрачные сияли и раскланивались.

Глава 20

Пока Хьюз и Натали наслаждались роскошью леген-
дарной «Пальмиллы» в Нижней Калифорнии, Элоиза семь
дней в неделю работала в отеле, присматривая за всем вместо отца. На время своего отсутствия он назначил старши-
ми двух помощников управляющего, но отличная дополнительная пара глаз, приглядывающая за тем, чтобы все
шло гладко и все вели себя подобающим образом, отнюдь
не была лишней. Элоиза работала за стойкой портье двойные смены, но все же сумела выкроить на неделе время,
чтобы пообедать с Брэдом Питерсоном. Он решил учиться весь летний семестр, чтобы быстрее закончить юридическую школу. Пока его разрывало между желанием стать
налоговым юристом или же адвокатом в области шоу-биз-
неса. Обе сферы его весьма интересовали. Но больше всего Брэда интриговала Элоиза. Они пошли в китайский рес-
торанчик, забитый студентами, недалеко от Колумбийского университета, и во время обеда опять разговаривали
о ее учебе в гостиничной школе и работе в «Георге V». А уж
рассказы про отель «Вандом» просто зачаровывали Брэда.
Ему казалось, что расти в подобном месте исключительно
захватывающе.

— Как ты думаешь, сможешь ты однажды заменить
своего отца? — с интересом спросил он. Сам он считал, что
Элоиза уже способна на это — или будет в ближайшем будущем.

— Не знаю. Мне бы хотелось, чтобы он управлял отелем вечно, а сама я предпочту быть номером вторым под
его началом. Даже представить себе не могу «Вандом» без
него. Он все создал сам, и теперь это просто идеальный
маленький отель. Мы предлагаем те же самые услуги, что
любой большой отель, только для избранных клиентов, и
номеров у нас меньше.

Брэд хорошо видел, как Элоиза гордится отцовским
отелем и как она предана отцу. О матери она упомянула

только мельком, сказала, что родители развелись, когда ей было четыре, и мать вышла замуж за Грега Боунза, рок-звезду. Это тоже показалось Брэду интересным — его интересовало буквально все, касающееся Элоизы, и очень тянуло к ней. Американка, но выглядит по-европейски, и ему нравилось, как она одевается. Она умудрялась выглядеть юной, сексуальной и шикарной одновременно и волновала его гораздо сильнее всех знакомых девушек.

На следующий уик-энд Брэд снова пригласил Элоизу и повел ее в даунтаун, в кафе «Клюни», а она предложила ему посмотреть кино и поужинать у нее в апартаментах в воскресенье вечером. На следующей неделе они встретились еще дважды, и Брэд поцеловал Элоизу. Их влекло друг к другу, как двух подростков.

К тому времени, как Хьюз с Натали вернулись после двухнедельного свадебного путешествия, Брэд и Элоиза определенно стали парой и сделались привычной картинкой в отеле. Все думали, что они классно смотрятся вместе, и всем нравился Брэд. Элоизе, разумеется, тоже.

Она пришла в восторг, увидев дома отца и Натали — загорелых, отдохнувших и счастливых. Вечером они обедали вместе, и она небрежно упомянула Брэда. Хьюз уже заметил, что дочь почти все свои вещи перенесла в личный номер.

— Мне было тут без вас одиноко, — просто объяснила она. — Кроме того, вам, ребята, нужно уединение, и мне тоже.

Хьюз подумал, что это довольно значительное заявление, и начал гадать, чем Элоиза занималась в его отсутствие, помимо работы. Вот тут-то она как бы между прочим упомянула Брэда. Натали усмехнулась.

— И что, это серьезно? — спросила она.

Элоиза пожала плечами и загадочно улыбнулась. Отец слегка испугался. Их не было всего две недели, а она уже завела новый роман! Но с другой стороны, ей уже двадцать один год, а Натали говорила, что ее племянник — прекрасный парень, и она не прочь их познакомить. После Франсуа, а прошел уже почти год, Элоиза ни с кем не встречалась.

— Не знаю. Слишком рано об этом говорить, но все может быть, — уклончиво ответила она.

Элоиза еще не спала с Брэдом, не чувствовала себя готовой, но у Натали появилось ощущение, что это не за горами.

— Ну что ж, все это очень интересно, — улыбнулась Натали, радуясь за падчерицу. Той определенно требовалось в жизни что-то еще, помимо работы, очень уж она предана отелю. Все до единого говорили Хьюзу, что Элоиза усердно трудилась и выполняла куда больше обязанностей, чем требовала ее стажировка за стойкой портье. Она по дюжине раз за день обходила весь отель, проверяя, как дела. Его, конечно, обрадовал такой ответственный и прилежный подход.

Новобрачные выглядели счастливыми, отдохнувшими и влюбленными даже сильнее, чем раньше, и собирались провести август, привыкая к семейной жизни. Натали отказалась от своей квартиры, перевезла в отель оставшиеся вещи и поместила часть из них на гостиничный склад. А в сентябре она намеревалась заняться новыми проектами, в том числе отремонтировать еще несколько номеров в «Вандоме». Хьюз по-прежнему был готов отдать ей в работу президентский люкс, как только у него появятся для этого деньги.

Неделю спустя она вернулась в отель из своей квартиры, нагруженная кое-какими вещами и дизайнерскими принадлежностями, вошла в лифт и обнаружила, что смотрит прямо на Брэда с падчерицей, которые поднимались в апартаменты Элоизы. Брэд поцеловал тетку, и выглядел он при этом на удивление спокойным, словно давно привык к отелю и Элоизе. В этот день Элоиза взяла выходной — теперь, когда отец вернулся, у нее оставалось чуть больше времени на саму себя.

— И что у вас на уме? — полюбопытствовала Натали, заинтригованная их счастливым видом. Когда она вошла в лифт, они держались за руки.

— Мы просто ходили на уличную ярмарку в даунтауне, — ответила сияющая Элоиза. Брэд обнял ее за плечи, и минуту спустя они вышли из лифта на пятом этаже.

Натали крикнула вслед, не придут ли они пообедать, но Элоиза поспешно ответила, что они хотят еще погулять. Непонятно почему, но Натали ей не поверила. Они совершенно определенно хотели остаться наедине. Выйдя на своем этаже и отперев дверь в апартаменты, Натали улыбалась себе под нос. Хьюз тренировался в спортивном зале, но позже Натали рассказала ему, что видела Элоизу с Брэдом.

— Как ты думаешь, это у них серьезно? — поднял на нее глаза Хьюз.

Натали улыбнулась и пожала плечами:

— Настолько, насколько это вообще возможно в их возрасте. Но это очень мило. Они такие славные дети с хорошими жизненными устоями, мечтающие о серьезной карьере. Все могло сложиться намного хуже.

— Пожалуй, — успокоившись, кивнул Хьюз. Он доверял ее суждениям, даже если это касалось его дочери. Ему не хватало дома Элоизы, но он понимал, что ей пора было переехать в свой люкс, да и с женой он мог спокойно побыть наедине. Иначе они не имели бы такой свободы.

Сентябрь в отеле прошел как в лихорадке. Это всегда было сложное время — люди возвращались после летних отпусков, приезжали в Нью-Йорк по делам или ради светских мероприятий. Да и основная часть постоянных гостей тоже появлялась в сентябре. Чтобы все еще сильнее усложнить, возникла угроза террористического акта, пришлось срочно освобождать отель. В офис позвонили и сообщили, что в течение часа в отеле взорвется бомба. Хьюз немедленно передал угрозу в полицию, оттуда прислали отряд саперов и эвакуировали всех из отеля. Полиция подозревала, что угроза ложная, но рисковать никто не собирался.

Служащие стучались в каждую дверь, служба безопасности разместила своих сотрудников на лестницах, Элоиза вместе с отцом бегала с этажа на этаж, проверяя, чтобы все шло в установленном порядке, и успокаивая гостей, в панике покидавших номера. Дженнифер, Брюс и швейцар выводили людей наружу. Через двадцать минут в отеле никого не осталось, всех вывели за два квартала, за полицейское ограждение, и служащие отеля раздавали гостям кофе и чай с тележек. Все случилось рано вечером, когда многие только вернулись с работы и не успели даже пообедать. Натали пришла домой как раз когда гости толпой выходили из отеля. Когда все оказались на безопасном расстоянии, Элоиза позвонила по мобильнику Брэду и рассказала, что произошло. Теперь они постоянно созванивались и посылали друг другу сообщения.

— Хочешь, чтобы я приехал помочь? — предложил он. Элоизе понравилась эта мысль.

— Конечно, если ты не против.

Он появился полчаса спустя, добрался из Колумбийского университета на подземке и поразился, увидев огромную толпу, стоявшую на улице. Люди вели себя очень дисциплинированно, хотя многие были сильно расстроены. И все хотели знать, когда можно будет вернуться обратно в свои номера. Брюс со своими сотрудниками ходил в толпе и ободрял людей, официанты из обслуживания номеров разносили чай, кофе и минеральную воду в бутылках. У многих гостей имелись планы на вечер, а им приходилось стоять тут в купальных халатах. Штурмовая группа прочесывала отель этаж за этажом в поисках бомбы.

В фургонах привезли еду. Брэд вместе с Элоизой и официантами раздавал сандвичи и печенье. Он очень любезно со всеми общался и очень помогал, успокаивая людей. Никто не сердился, но многие сильно волновались, что, конечно же, было оправданно. Хьюз возносил хвалу небесам за то, что все это случилось в хорошую погоду, а не в разгар зимы, как уже было однажды. В наши дни ни одна гостиница не избавлена от подобных угроз.

Три часа спустя полиция объявила, что в отеле все чисто, и впустила людей обратно. К общему облегчению и раздражению, угроза оказалась ложной. Как только все вошли внутрь и разошлись по номерам, Брэд вместе с Элоизой поднялся в ее апартаменты. Они вошли в отель одни из последних. Брэда впечатлило, как хорошо Элоиза держала себя в руках, какой была собранной и хладнокровной, несмотря на критическую ситуацию. Она, безусловно, правильно выбрала себе работу. В это время Элоиза думала то же самое про него. Он вел себя спокойно, очень помог и прекрасно разговаривал с гостями.

— Это было забавно, — немного смущенно признался Брэд. Ему понравилось всеобщее возбуждение, и он с удовольствием помогал Элоизе, еще и с полицией немного побеседовал.

— Не вздумай повторить это моему отцу, — фыркнула она. — Он такие вещи ненавидит. Это расстраивает людей, а потом требуется масса усилий, чтобы все как-то загладить. Наверное, сегодня он ни с кого не возьмет плату за номера. Приходится, хотя мы ни в чем не виноваты.

Наконец-то она рухнула на диван рядом с Брэдом. Элоиза выглядела очень уставшей. Брэд снял с нее туфли — она была на улице в своем темно-синем форменном костюме и в туфлях на высоком каблуке и выглядела очень компетентной, официальной и старше своих лет. Иногда Брэд с трудом верил, что ей всего двадцать один, но сейчас Элоиза скинула пиджак, распустила узел, так что волосы водопадом упали ей на плечи, и стала смотреться как раз на свой возраст. Внезапно даже веснушки ярче проявились на ее лице. Она за две минуты превратилась из женщины в девчонку. Брэд улыбнулся ей и поцеловал, и она словно растаяла в его объятиях.

— Ты так сексуально выглядишь с распущенными волосами, — прошептал он, и внезапно все, что произошло этим вечером, что им пришлось вместе пережить, переплавилось в мощное желание. Вечер оказался трудным, но они не столько устали, сколько ощущали себя взвинченными, и это нашло выход во внезапном ненасытном голоде и страсти. Возбуждение нарастало в течение двух месяцев, и раньше, чем они успели остановиться или просто задуматься об этом, они уже овладели друг другом прямо на полу. Они ждали долго, но теперь их ничто не могло остановить. Когда все закончилось, они, с трудом переводя дыхание, расхохотались, не размыкая объятий.

— Боже мой, что это было? — спросил Брэд, глядя на Элоизу. Его захлестнуло такой мощной волной вожделения, что ничто на свете не могло бы ему помешать, и он уже чувствовал, что эта волна нарастает снова.

— Я так тебя хотела! — призналась Элоиза.

Они встали с пола, снова расхохотались, наперегонки кинулись в спальню и нырнули в постель, все еще хихикая. С ним было так хорошо! И это ничем не походило на их напряженные отношения с Франсуа в Париже, которые постепенно перешли в скуку и бесчестность. А сейчас все казалось таким правильным, и они так хорошо подходили друг другу. Элоиза с удовольствием слушала его рассказы про юридическую школу, а его зачаровывал отель, да и все остальное в Элоизе.

Они еще дважды занимались любовью, и Брэд впервые провел у нее всю ночь, а утром поднялся очень рано, чтобы успеть на занятия, и она заказала ему завтрак, а потом оделась и проводила его до подземки. Возвращаясь обратно, она наткнулась на выходивших из лифта отца и Натали, одетых в удобную одежду и собравшихся выйти из отеля. На часах было семь утра.

— Куда это вы собрались в такую рань? — без всякой задней мысли спросила Элоиза. Неожиданно отец отвел взгляд, а у Натали сделался отсутствующий вид.

— У меня назначена встреча, — ответила она после странной паузы, но одета-то она была точно не для деловой встречи. Для встреч и совещаний Натали всегда одевалась безупречно, а сейчас на ней были джинсы, толстовка и сандалии. Очень не похоже на нее. И они явно куда-то торопились. Натали сказала, что перезвонит позже, а Хьюз уже ждал ее на улице. Элоиза поднялась наверх, чтобы принять душ. Она провела с Брэдом потрясающую ночь. Чуть позднее он прислал ей сообщение, написав, что любит ее и что она самая сексуальная женщина в мире. Он не в первый раз признавался ей в любви, но зато они впервые занимались любовью. И это было невероятно. Элоиза уже мечтала о повторении.

Сев в такси, Натали озабоченно взглянула на Хьюза:

— Как ты думаешь, она о чем-то догадывается?

— Нет, — ответил он, обнимая жену, чтобы успокоить. — Думаю, ей даже в голову такое не придет. Кроме того, мы ничего плохого не делаем.

Натали ждала этого всю жизнь, хотя даже не подозревала, о чем мечтает. Хьюз уже три месяца делал ей уколы гормонов, от которых она стала особенно нервной, а сейчас они ехали в клинику ЭКО, где ей должны были имплантировать четыре эмбриона. У нее взяли яйцеклетки, оплодотворили их спермой Хьюза и сегодня собирались поместить их обратно. Процесс изымания яйцеклеток оказался болезненной процедурой, сегодня все должно было пройти легче. А потом оставалось только ждать, что получится, приживутся эмбрионы или нет. Натали пыталась забеременеть естественным путем, но выяснилось, что в ее возрасте, при слабом уровне гормонов, это не удастся, и доктор посоветовал ЭКО.

Натали так нервничала, что ей все время хотелось плакать, и стоило им добраться до клиники, как она не выдержала. Ее ввели в кабинет, и она разразилась слезами, но не потому, что боялась, а потому что очень хотела, чтобы все получилось. Учитывая ее возраст, статистически они имели около шестидесяти процентов шансов на успех, что вовсе не так много. Но попытаться стоило в любом случае. После того как Хьюз сделал ей предложение, они несколько месяцев обсуждали этот вопрос, и он согласился, потому что для Натали это вдруг оказалось по-настоящему важно. Раньше она никогда не хотела детей, но теперь, полюбив Хьюза и выйдя за него замуж, она просто больше ни о чем другом не могла думать. Он был бы абсолютно счастлив с ней и без детей, но чувствовал перед Натали некоторые обязательства, потому что у нее-то своих детей не было, а у него была Элоиза. Конечно, Хьюзу сейчас казалось странным начинать все сначала и растить ребенка, а то и нескольких. Ему уже пятьдесят четыре года, ей почти сорок два, и сегодня утром ей имплантируют четыре эмбриона. Врачи решили, что четырех вполне достаточно, а большее число может стать опасным для нее и будущего ребенка. Натали не хотела рожать целый выводок, ей вполне хватило бы и одного ребенка, лишь бы от Хьюза.

Они договорились, что Элоизе пока ничего не скажут, чтобы снова ее не расстраивать. Ей потребовалось полгода, чтобы свыкнуться с их браком, и они не хотели слишком рано раскачивать лодку, в особенности если все усилия ни к чему не приведут. Вот если получится, тогда, конечно, расскажут.

Натали молилась, чтобы все получилось, и даже поставила свечки в церкви.

Эмбрионы имплантировали с помощью специальных катетеров. Хьюз все это время находился рядом, а через час они уже возвращались в отель. Ей велели весь день лежать в постели, а следующие несколько дней вести себя очень осторожно, не заниматься спортом, не поднимать тяжестей и не принимать горячую ванну. Кроме того, чтобы помочь эмбрионам прижиться, нужно продолжать принимать прогестерон. Через две недели можно сделать тест на беременность, после чего в клинике сделают УЗИ, чтобы выяснить, сколько эмбрионов прижилось. Похоже, ждать придется бесконечно, и врачи сразу предупредили, что может потребоваться несколько попыток. Многим удается забеременеть только с третьей-четвертой, если они могут себе это позволить. К счастью, хотя бы тут Хьюз сложностей не видел — процедура, конечно, очень дорогая, но больше всего они боялись, что у них ничего не получится. Натали была просто одержима желанием родить ребенка от Хьюза.

Он привез ее домой, уложил в постель, подоткнув одеяло, как делал это много лет подряд для Элоизы, наклонился и поцеловал.

— Теперь ты с нашими детьми будешь лежать тут, — ласково произнес он. — И не вздумай вставать!

— Ни за что, — пообещала Натали, взяв его за руку. Он так мило вел себя все это время. Натали понимала, что Хьюз делает это только ради нее, и это еще сильнее их сблизило. Боясь шевельнуться и из-за этого потерять эмбрионы, она пролежала в постели весь день. Когда Элоиза позвонила ей на мобильник, она смотрела по телевизору старый ситком и ела ленч, принесенный официантом из службы обслуживания номеров.

— Куда это вы с папой так мчались сегодня утром? — с любопытством спросила Элоиза.

— У меня на заре была встреча с клиентом в окрестностях города, а твой папа предложил меня подвезти. Я не хотела сама вести машину или застрять в пробке.

Довольно неплохая байка, и Элоиза поверила.

— А где вы сейчас? У себя в офисе?

— Нет. После встречи я вернулась домой и теперь лежу в постели. Кажется, я подхватила грипп.

— Ой, как плохо. Вы хоть поесть себе заказали?

— Да, куриный супчик. Но я уже чувствую себя лучше. Может быть, это ерунда, просто я слишком рано проснулась.

Натали говорила уверенно, твердо вознамерившись выполнить все указания и пролежать весь день. Распоряжения своим сотрудникам она давала по телефону.

— Прислать вам еще что-нибудь? — предложила Элоиза, но Натали сказала, что ей ничего больше не нужно.

— Кстати, а сама ты что делала на улице так рано? — спросила она. — Надеюсь, не бегала в парке? Это очень опасно, — предостерегла она падчерицу, тем более что та была в спортивной одежде.

Элоиза хихикнула.

— Нет, я провожала Брэда к подземке.

Теперь она чувствовала себя с Натали вполне свободно и радовалась, что рядом есть женщина, с которой можно поделиться секретами. Элоиза была с ней даже откровеннее, чем в свое время с Дженнифер. Кроме того, Дженнифер заметно постарела, а Натали все же была ближе к Элоизе по возрасту.

— Он провел у меня ночь, — призналась она. Голос ее звучал почти гордо и, безусловно, влюбленно.

— Это что, в первый раз?

Натали тронуло это признание, и она считала, что это прекрасная новость. Ей очень нравилась мысль соединить этих двоих — это будут чудесные отношения во всех смыслах.

— Да, мы держались до прошлой ночи. Но угроза взрыва нас подстегнула. Мы поднялись наверх, и все.

Натали слушала и улыбалась. Неплохой им выдался вечерок.

— Ну, если для тебя это имеет какое-то значение, то я только одобряю.

— Спасибо. Только отцу не рассказывайте. Я ему о таких вещах не говорю, он может расстроиться.

Отец не одобрял ее отношения с Франсуа, хотя и мирился с ними. Элоиза по-прежнему оставалась его маленькой девочкой.

— Это только между нами, — заверила ее Натали, жалея, что не может рассказать падчерице об утреннем ЭКО. Еще слишком рано. — Ты его сегодня видела?

Натали скучала по Хьюзу, чувствуя себя в апартаментах одиноко.

— Да, он у себя в кабинете писал письма гостям, извинялся за вчерашний вечер. И часто выходил в вестибюль, ободрял людей и говорил, как сильно он сожалеет о случившемся. Все, конечно, отнеслись с пониманием, но и восторга не выражали. Мало кому захочется узнать об угрозе взрыва там, где ты остановился. Но мне кажется, в основном все остались довольны, что их эвакуировали, не полагаясь на волю случая. Лучше неудобство, чем рисковать, что все взлетит на воздух, — напрямик заявила Элоиза.

Натали улыбнулась:

— Да, я согласна.

Как хорошо, что это случилось не сегодня, ведь ей нельзя двигаться!

— Я позвоню попозже. Узнаю, как вы себя чувствуете, — пообещала Элоиза и вернулась к работе.

Этим вечером Хьюз поднялся наверх позже, чем обычно. Он весь день приглаживал перышки, взъерошенные угрозой бомбы, но теперь его волновала только Натали.

— Ну, как ты себя чувствуешь? — Он выглядел встревоженно, но понимал, что если она забеременеет, да еще и не одним ребенком, волноваться придется гораздо сильнее. Это серьезное дело, тем более в их возрасте.

— Прекрасно. Ничего необычного, только небольшие спазмы.

Их предупреждали, что такое может быть, поэтому она не беспокоилась. Натали улыбнулась. Хьюз наклонился и поцеловал ее. Днем, в редкие свободные моменты, он думал об этом, пытался представить себе, каково это будет — иметь от нее ребенка. По отелю снова будет бегать малыш...

и, может быть, даже не один. Мысль начинала ему нравиться, он даже почувствовал себя моложе.

Через два дня Натали вернулась к работе, и жизнь потекла, как обычно. В отеле все успокоились, она каждый день ходила к себе в офис, и эти две недели до теста казались ей просто бесконечными. В клинике сказали, что она может сделать его дома, а уж потом нужно будет явиться на анализ крови и УЗИ, и если беременность подтвердится, Натали должна будет наблюдаться у гинеколога. Дело клиники помочь ей забеременеть, а не выносить ребенка.

Натали купила тест на беременность и спрятала его в шкафчике в ванной в ожидании великого дня. Она так нервничала, что, дожидаясь появления полосок, села и расплакалась. Если ничего не получится, это будет страшное разочарование, а если получится, то настоящее потрясение. Все эти две недели Натали не позволяла себе надеяться и все же не могла думать ни о чем другом. Она старалась не разговаривать об этом с Хьюзом, но из головы выкинуть не могла. После домашнего теста на беременность нужно будет сходить на анализ крови и сделать тест на ХГЧ.

Натали держала полоску в трясущихся руках и смотрела на часы. Пора. Собственно, пора было уже минуту назад, но она не осмеливалась взглянуть, а вот сейчас, задержав дыхание, посмотрела. Потрясенно уставилась на нее и разразилась рыданиями. Две розовые полоски там, где и должны быть! Две яркие, хорошо заметные розовые полоски, в точности как написано в инструкции. Она беременна!

Глава 21

Вечером Хьюз вернулся домой и заметил, что Натали плакала. Она весь день то начинала плакать, то прекращала, ошеломленная тем, что случилось, и потрясенная сверх всякой меры. Едва Хьюз вошел, она снова разрыдалась, чувствуя себя полной дурой. Он кинулся к ней, считая, что знает причину. Хьюз знал, что сегодня Натали делала тест, и решил, что она ужасно расстроена, потому что результат отрицателен. Так что он подбежал к дивану, на котором она лежала, обнял ее и начал утешать:

— Милая, мы сделаем все снова, обещаю. Помнишь, что они нам говорили? Некоторым приходится делать по три-четыре попытки. Следующая обязательно будет успешной, — говорил Хьюз все, что приходило ему в голову, лишь бы утешить жену. Натали замотала головой, и он решил, что она ему не верит. Внезапно она расхохоталась сквозь слезы. Хьюз подумал, что у нее начинается истерика, и сильно встревожился. — Натали! С тобой все хорошо?

И тут она кивнула:

— Да! Я беременна. — Она восторженно завизжала и крепко обняла его. Хьюз выглядел ошеломленным.

— Ты беременна? Я думал...

— Не знаю, в чем дело, но я реву весь день. Я так счастлива, что чуть с ума не схожу.

Натали за всю свою жизнь не проявила столько эмоций, и обнимавший ее Хьюз тоже весь дрожал, целуя жену. Он представления не имел, что это будет для него так много значить, но внезапно оказалось, что так оно и есть.

— Боже мой, получилось с первого раза! Когда пойдем на УЗИ? — Теперь Хьюз хотел знать, сколько детей у них будет и какую осторожность должна проявлять Натали. Он готов был оберегать ее и их детей ценой своей жизни.

— На следующей неделе. Мы пока еще мало что увидим, только число эмбрионов.

Зато узнают, сколько у них будет детей.

Хьюз обнимал ее бережно, как хрустальный бокал. Они мечтали и разговаривали допоздна, и он то и дело проводил рукой по ее пока еще плоскому животу. Они могли говорить только о своих будущих детях и никогда еще не любили друг друга так крепко.

Анализ крови подтвердил беременность, а УЗИ показало трех эмбрионов, каждый в своем плодном мешке. Натали была беременна тройней! Выходя из клиники, Хьюз шагал как в трансе. Трое детей. Он будет отцом сразу четверых! Такой же ошеломленной выглядела и Натали. Они все еще не могли поверить, что все произошло так легко и быстро — но, с другой стороны, они шли к этому не один месяц. Она начала принимать гормоны в июне, и дети родятся первого июня, если продержатся так долго. С тройняшками считалось почти нормой, что они рождаются раньше срока. И конечно, Натали могла потерять их намного раньше. Врач предупредил, что если она хочет сохранить беременность, ей почти все время придется соблюдать постельный режим. Следующие три месяца будут решающими. В клинике предложили сократить число эмбрионов до двойняшек или даже одного ребенка, но Хьюз и Натали категорически отказались. Или все — или ничего.

Возвращаясь в такси в отель, оба выглядели как громом пораженные, но все же договорились, что никому ничего не скажут, пока не закончится первый триместр беременности. Значит, Элоиза ничего не узнает до декабря. Хьюз надеялся, что теперь, признав и приняв Натали, она порадуется за них, но, безусловно, это ее ошеломит так же, как и их.

В течение следующих трех месяцев Хьюз был очень занят, пытаясь предотвратить забастовку кухонных работников, что отнимало у него все силы и внимание, требуя серьезных дипломатических усилий и советов адвоката. Приходилось разбираться и с более банальными проблемами персонала, и с периодическими конфликтными ситуациями среди гостей. Элоиза работала и у стойки портье, и в других местах, где в ней возникала необходимость, а роман с Брэдом бурно развивался. Между сентябрем и Рождеством в отеле было очень горячее время, и уже ко Дню благодарения у них не осталось ни одного свободного номера. В редкие свободные минутки Натали с Хьюзом разговаривали о своих тройняшках. Пока беременность держалась. Они вместе сходили на УЗИ, увидели всех трех детей и услышали, как бьются три их сердечка. Полученные фотографии Натали хранила в папке у себя на столе и часто на них смотрела, уговаривая младенцев оставаться на своих местах. За две недели до Рождества беременность перевалила за критическую трехмесячную отметку. Официально считалось, что теперь угроза выкидыша миновала, но поскольку детей было трое и были они очень хрупкими, требовалось очень беречься, чтобы они не родились преждевременно. Натали все реже и реже ходила в офис, во всем полагаясь на своих помощников, стремилась закрыть большую часть проектов и отказывалась брать новые. Теперь ее волновали только будущие дети.

Натали больше не хотела ни на минуту откладывать разговор с Элоизой, ей хотелось скорее поделиться с девушкой радостным известием. Последний месяц она надевала просторные рубашки и туники, но живот у нее уже заметно увеличился.

В субботу вечером они пригласили Элоизу к себе на обед, но она собиралась встретиться с Брэдом, поэтому пришла на ленч. Брэд готовился к выпускным экзаменам, причем после бесед с Хьюзом он очень заинтересовался трудовым законодательством.

В узких черных брючках, высоких черных сапожках и мягком белом кашемировом свитере с воротником «хомут» Элоиза выглядела просто классно. Войдя в апартаменты, она обняла отца и Натали. Недавно Элоиза заметила, что Натали начала поправляться, но все равно выглядела очень привлекательно, и девушка решила, что всему виной превосходная гостиничная еда и возможность даже ночью заказать что-нибудь в номер.

Они немного поговорили о делах в отеле, но Натали поняла, что больше не выдержит, и вмешалась в беседу. Хьюз гордо заулыбался.

— Держись крепче, чтобы не упасть, — сияя, сказала Натали. — Я беременна. Тройней.

Вся новость уложилась в несколько слов. Элоиза недоверчиво уставилась на обоих и медленно поднялась, словно хотела убежать от них как можно дальше. На лице ее был написан ужас.

— Вы шутите? Тройня? Да как такое могло случиться? О чем вы думали? Неужели в вашем возрасте вы не умеете предохраняться?

Она выглядела потрясенной. Хьюз с Натали привыкали к этой мысли три месяца. У Элоизы было всего три минуты, и ей казалось, что кто-то крепко стукнул ее молотком по голове.

— Мы их хотели, — ответила Натали с разочарованным видом. — Это не случайная ошибка.

— Зачем? — Элоиза заметалась по комнате. — Зачем вам дети в вашем-то возрасте?

Она переводила вопросительный взгляд с отца на Натали и обратно.

— Потому что у меня их нет. И я хотела родить хотя бы одного, пока окончательно не состарюсь, — честно ответила Натали.

— Вы для этого слишком старая! — жестоко отрезала Элоиза. Своим шокирующим известием они только что снова перевернули ее жизнь вверх тормашками. — Когда ваши дети пойдут в колледж, вам будет шестьдесят. А тебе семьдесят! — воскликнула она, в упор глядя на отца.

Натали ответила мягко, но решительно:

— В наше время много таких родителей. Детей рожают женщины и постарше меня.

Элоиза рухнула на диван и с несчастным лицом уставилась на них. Она только успела привыкнуть к тому, что они женаты, а теперь они вышибли из нее дух своими тройняшками.

— Не знаю, что и сказать.

— Как насчет «поздравляю»? — негромко предложил отец. — Это и так будет сложно, особенно для Натали, и без того, чтобы ты устраивала нам сцены. Неужели нельзя просто за нас порадоваться? Ведь они станут частью и твоей жизни.

Он говорил очень мягко, потому что хотел, чтобы дочь стала их союзником, а не врагом.

— Не знаю, что и думать, — честно призналась Элоиза. Она не понимала, что чувствует — ревность, злость, боль или просто шок, но все это казалось ей безумием.

— Сначала и мы тоже. Трое детей — ого, тут есть о чем задуматься, — произнесла Натали, посмотрев на нее. — И мне придется их родить. Если уж тут кто и должен психовать, так это я.

— И как, психуете? — с любопытством спросила Элоиза, глядя на мачеху так, словно у той внезапно выросла вторая голова.

— Иногда. Я рада, опечалена, испугана, восхищена, трясусь от ужаса, я самая счастливая женщина на свете — и все сначала. Но главное — я по-настоящему в восторге, и я хочу этих детей больше всего на свете. — Сказав это, она прикоснулась к руке Хьюза, и Элоизе снова показалось, что ее отодвинули в сторону. Сначала его жена, теперь их тройня. Для нее это чересчур.

— Это произошло случайно, или вы все запланировали? — спросила Элоиза.

— Я забеременела с помощью ЭКО — экстракорпорального оплодотворения, и мы для этого очень потрудились. Это не случайность. Это наша мечта.

Элоиза взглянула на отца. Она не представляла, чтобы он тоже об этом мечтал. Наверняка это идея мачехи. Отец никогда не говорил, что хочет еще детей, совсем наоборот. Он всегда утверждал, что счастлив с одной дочерью и этого ему вполне достаточно. А теперь у них будет трое общих! Она тут же вспомнила о матери, родившей двоих детей от Грега после того, как бросила Элоизу. Ее затошнило. Она встала и посмотрела на обоих.

— Думаю, мне нужно хорошенько подумать. Дайте мне время как-то это осознать, а сейчас я ничего не соображаю.

Это было лучше, чем ее реакция год назад, когда они сказали, что любят друг друга.

Элоизе казалось, что они каждое Рождество будут сбрасывать на нее очередную атомную бомбу, но эта была по-настоящему большая. Она молча вышла из апартаментов и спустилась к себе в номер, а оттуда позвонила Брэду. Он мгновенно понял, что она расстроена.

— Что случилось?

— Ммм... сложно объяснить. Я довольно странно себя чувствую.

Брэд тут же заволновался:

— Ты заболела?

— Нет, мне просто нужно с тобой поговорить. Сможешь приехать сразу после занятий?

— Конечно. Я освобожусь примерно через полчаса. Но если хочешь, могу приехать прямо сейчас, а закончу потом. Случилось что-то по-настоящему плохое?

— Да... нет... не знаю. Я просто очень расстроена. Но может быть, это глупо.

— Я сделал что-то не так?

— Ну что ты, конечно, нет!

Элоиза внезапно расплакалась. Она действительно очень расстроилась, и ей требовался взгляд со стороны. Возможно, она ненормальная, но она не хочет этих детей! И тем двоим, которых родила ее мать, она тоже никогда не радовалась. Они ей даже не нравятся, так с какой стати она должна любить этих?

— Я приеду, как только смогу, — серьезно пообещал Брэд. Теперь от занятий все равно толку не будет, поскольку он по-настоящему забеспокоился.

* * *

Брэд оказался у нее под дверью через двадцать минут. Элоиза сидела на диване и рыдала. Едва он вошел, она бросилась к нему в объятия, и потребовалось не меньше пяти минут, чтобы она взяла себя в руки. Он внимательно на нее посмотрел.

— Выкладывай, что случилось.

Она высморкалась и взглянула на него.

— Наверное, тебе это покажется полной глупостью. Натали беременна. У нее будет тройня. Они... они сделали ЭКО! — Она снова заплакала. Брэд внимательно слушал. — И теперь они вдвоем, безумно влюблены друг в друга, и у них будет трое детей — идеальная семья! А у меня есть мать, которая меня ненавидит и даже не знает, жива ли я еще, и у нее тоже двое детей, а меня она бросила. Ну и где во всем этом мое место? Кто я для них? Куда мне вписаться? Я чувствую себя так, будто меня отовсюду выгнали. Я — устаревшая модель, а у них будет три новеньких.

Брэд пока молчал, просто крепко сжимал ее в объятиях и гладил по голове. Он радовался, что Элоиза сумела сказать все это вслух, и прекрасно понимал, как ей больно и почему. Мать ее бросила, а теперь отец влюбился и ждет троих новых детей. Любого бы это страшно ранило.

— Прежде всего... — Он слегка отодвинул Элоизу от себя и всмотрелся в ее лицо. По щекам ее катились слезы, она икала. — Я не считаю, что это глупо. Я бы почувствовал то же самое. Должно быть, это очень странное ощущение. Но я не думаю, что тебя «заменили». Тебя невозможно заменить. Ты — это ты, и твой отец тебя любит. И я знаю, что Натали тоже тебя полюбила. У нее нет детей, и мне кажется, она отчаянно хотела ребенка, пока не стало слишком поздно, поэтому они обратились за помощью к науке и получили троих детишек, зачатых в пробирке. Наверное, всем вам это кажется немного безумным. Но в одном я уверен — и за миллион лет твоему отцу не придет в голову заменить тебя на них.

— А что, если он полюбит их сильнее, чем меня? Старики любят младенцев, это помогает им чувствовать себя молодыми. У половины наших шестидесятипятилетних гостей двадцатилетние жены и двухлетние детишки!

Элоиза лишь чуть-чуть преувеличила, потому что это и вправду стало феноменом наших дней. Только в этом году одна их пятидесятилетняя постоялица родила ребенка, а некий европейский дипломат в отставке в возрасте восьмидесяти шести лет женился на двадцатидвухлетней девушке, родившей ему близнецов.

— Он в любом случае не забудет о тебе. У вас за плечами общая история, двадцать один год только вдвоем, и этого у вас никто не отнимет, — сказал Брэд и притянул Элоизу ближе к себе. — Сказать тебе правду, мне их жаль. Они взваливают себе на плечи черт знает что, и это в их-то возрасте. Я бы психовал.

— Ага! И я не собираюсь нянчиться с тремя их вопящими младенцами. Мне и в отеле хватает работы.

Брэд засмеялся.

— Я буду тебе помогать. Или еще лучше — мы обведем их вокруг пальца и родим своего. И нам для этого не потребуется пробирка.

Элоиза улыбнулась и подумала, что ей почти нравится эта идея, но только не ради того, чтобы позлить отца. Впрочем, пока она точно не хотела детей. Да, она по уши влюблена в Брэда, но вовсе не в идею родить общего ребенка. Элоиза вздохнула и уютнее устроилась в его объятиях.

— Спасибо, что ты меня понял. И извини, что я взбесилась. Мне просто показалось, что теперь мне не будет места в их семье, с тремя-то новыми детьми.

Сказав это, Элоиза погрустнела, вспоминая печальный опыт матери и Грега.

— Еще как будет, а в один прекрасный день у тебя появится собственная семья. Просто странно как-то с этими современными пожилыми людьми, которые решают нарожать себе младенцев, перевалив за сорок и даже за пятьдесят.

— Спасибо, что приехал и поговорил со мной.

Они пошли прогуляться, и Брэд сказал, что если бы его родители развелись и нашли себе новых супругов, он бы тоже психовал, надумай они завести еще детей. Он вспомнил, в какое бешенство пришел в четыре года, когда родились его сестры-близняшки, и в восемь, когда появился еще и брат. А сейчас подобное понравилось бы ему еще меньше. Немного успокоившись, Элоиза позвонила Натали и попросила прощения. На этот раз войны не будет, нет смысла. Это все равно ничего не изменит. И Брэд ей, конечно, очень помог.

Звонок Элоизы принес Натали облегчение, и она поблагодарила за него падчерицу. Элоиза сказала, что Брэд тоже тут, и получила приглашение обоим подняться наверх, но отказалась, сославшись на усталость. Чуть позже к ней спустился отец. Он очень встревожился за дочь, увидев ее шок и боль, и у него ныло за нее сердце. Хьюз немного поговорил с ней и Брэдом, обнял Элоизу и поднялся к себе наверх. Брэд принес с собой учебники, так что он немного позанимался и остался у Элоизы на ночь, что ее очень утешило. Когда они были вместе, все вставало на свои места и обретало смысл.

Это было странное для Элоизы Рождество. Все вокруг казалось сюрреалистическим. Она следила за тем, как в вестибюле устанавливают и украшают большую елку, а все только и говорили о том, как это замечательно, что у ее отца с Натали будут тройняшки. Дженнифер уже готовилась к вечеринке с подарками, и Элоиза снова почувствовала себя отвергнутой, но заставила себя не обращать внимания и не реагировать. У отца теперь есть жена и новая семья, и ей остается только надеяться, что он по-прежнему любит ее. Время покажет.

Кроме того, у нее есть Брэд. Они встречались где-нибудь, как только выкраивали часок-другой, или же он приходил к ней. Но в глубине души Элоиза испытывала к тройняшкам все ту же неприязнь, с трудом понимая, как она впишется в это семейное блаженство. Для отца она становилась частью прошлого, а тройняшки — это его будущее. Если она хочет иметь семью, придется заводить собственную, а к этому она пока не готова.

На Рождество Брэд уехал к родителям в Филадельфию. Натали убеждала Хьюза поехать с ней на пару дней туда же, пока она еще в состоянии путешествовать. Но Элоиза ехать отказалась наотрез. Она сказала отцу, что будет присматривать за отелем, и у него было очень скверно на душе. Натали настаивает на поездке домой, Элоиза остается в Нью-Йорке. Его словно разрывали напополам. Но беременность сделала Натали очень чувствительной, она то и дело принималась плакать по любому поводу, и в конце концов Хьюз согласился ехать, а Элоиза записала за собой все рождественские смены. Отец позвонил ей сразу же, как только они добрались до Филадельфии, и первым делом в рождественское утро. В это время Элоиза уже стояла за стойкой портье. Мать впервые вообще не поздравила ее с Рождеством, но этому она даже не удивилась.

Глава 22

В январе в отеле поселилась группа голландских бизнесменов, заняв четыре больших люкса на девятом и десятом этажах. Видимо, они представляли какой-то европейский синдикат, и Элоиза несколько раз видела с ними своего отца. В том, что он проводил время с важными гостями, не было ничего необычного. Они пользовались большим конференц-залом, а как-то днем Элоиза застала двоих из них в отцовском кабинете за оживленной беседой, в то время как двое других прохаживались вокруг отеля с главой службы безопасности, Брюсом Джонсоном, и главным инженером Майком. Вот это показалось ей странным. Но отель был настолько забит постояльцами, что она выкинула это из головы. Однако чуть позже Майк заставил ее задуматься, сказав:

— Вот будет странно, если твой отец продаст отель, правда? Я слышал, они готовы заплатить ему целое состояние.

— Кто? — Элоиза уставилась на Майка так, словно у него на голове выросло дерево или он вообще был пришельцем из другой вселенной.

— Да эти голландцы. Те, что останавливались у нас на прошлой неделе. Твой отец велел нам все-все им показать. Я слышал, они собираются сделать предложение, от которого невозможно отказаться, а может, уже и сделали. Во всяком случае, ходят упорные слухи, что он продает отель.

У Элоизы внезапно закружилась голова, земля ушла из-под ног, и ее замутило.

— Не нужно верить всему, что слышишь, — произнесла она, желая немедленно подавить эти слухи, но, входя в отцовский кабинет, сильно дрожала.

Он в полном одиночестве сидел за столом. Дженнифер ушла на ленч. Элоиза хотела узнать, в самом ли деле он продает отель, и если да, то почему ничего не сказал ей. Она знала, что он вечно беспокоится о расходах и издержках, но ведь «Вандом» очень успешен!

— Что-то случилось?

Элоиза выглядела как привидение, и Хьюз решил, что возникли сложности с каким-нибудь гостем. До сих пор ей всегда удавалось разобраться в любой, самой деликатной ситуации, она отлично умела найти подход к любому и многому научилась в их бизнесе.

Элоиза не стала ходить вокруг да около, она этого никогда и не делала.

— Майк говорит, ты продаешь отель. — Она действительно не знала, что думать. Сначала его жена беременеет тройней, причем сознательно, а теперь он продает ее единственный дом? — Это правда?

Элоиза по-прежнему дрожала всем телом, глядя на него через стол.

Хьюз долго молчал. Слишком долго, а затем со страдальческим лицом ответил:

— Я не собирался, но если они предложат достаточно, это возможно. Я еще не решил. Все зависит от их предложения. Оно просто свалилось с неба. Я его не искал, оно само меня нашло. — Он понимал, что лучше сказать дочери правду, все равно она от кого-нибудь услышит, но вид у него был при этом виноватым.

— Да как ты можешь? — обрушилась на него Элоиза. — Этот отель — наш дом! Он был твоей мечтой, а сейчас стал моей! Ты не смеешь продавать нашу мечту!

Голос ее дрожал от гнева и ярости.

— Мне пятьдесят три года. Через несколько месяцев у меня будет не один ребенок, а четверо. Я должен думать обо всех вас — о твоем будущем, о Натали, о себе. И если кто-нибудь настолько сошел с ума, чтобы предложить мне немыслимую сумму денег, я буду сумасшедшим, чтобы отказаться.

Элоиза была слишком расстроена, чтобы понять это. Перед ней лежала вся жизнь, но не перед ним. И ему приходилось заботиться о слишком многих. Его семья вот-вот должна была удвоиться, и Хьюз внезапно почувствовал себя старым и испуганным.

— В тебе не осталось преданности ни к кому и ни к чему, — обвинила его Элоиза, так дрожа от бешенства, что едва могла выговаривать слова. — Если ты продашь отель, я навсегда перестану тебя уважать! — неистово воскликнула она.

Хьюз кивнул. Он предполагал, что так оно и будет, но если предложение окажется достаточно щедрым, у него не останется выбора. Элоиза же не хотела денег, она хотела только отель.

— Я никогда не прощу тебя, если ты продашь отель, папа, — отчетливо произнесла она, глядя ему прямо в глаза, повернулась и вышла из кабинета.

Элоиза не разговаривала с отцом три дня и, столкнувшись с ним в лифте, не вымолвила ни слова. По отелю летали слухи. Она рассказала о случившемся Брэду, и он понял, насколько это для нее сокрушительно. Она мечтала работать в «Вандоме» всю жизнь, мечтала однажды перехватить бразды правления у отца. Ради этого она пошла учиться в Школу отельеров, а теперь он превратил в посмешище и ее учебу, и ее будущую карьеру.

Для Элоизы это было напряженное, тяжелое время, и единственным утешением ее жизни стал Брэд. Отец знал, насколько она выведена из равновесия, и держался от нее подальше. А Элоиза опять во всем винила Натали. Та ничего не понимала в отельном бизнесе, понятия не имела, что это значит для отца и дочери. Элоиза легко представляла себе, как мачеха подзуживает Хьюза продать «Вандом» и получить кучу денег. Но отель «Вандом» для Элоизы был вовсе не деньгами. Он был любовью и верностью, людьми, которые в нем работали, мечтой отца, а теперь и ее собственной. Этого не купить ни за какие деньги.

Отец пообещал сказать ей, какое решение примет, как только получит предложение.

Элоиза вновь находилась в состоянии войны с отцом и Натали, но на этот раз сдаваться не собиралась. Сказав, что никогда не простит ему продажу отеля, она говорила искренне. И Брэд никогда еще не видел ее настроенной так решительно. Она ни с кем не разговаривала об этом, кроме Брэда, но он прекрасно понимал, что все это для нее значит. Отец понимать перестал, а больше ни с кем Элоиза обсуждать этого не хотела. В душе у нее поселилась смута.

Как-то днем после работы Элоиза сидела у себя в номере. Теперь они с отцом жили на разных этажах, как два незнакомца. С того дня как Майк сообщил ей новости о возможной продаже отеля, она ни слова не сказала ни отцу, ни Натали и не испытывала ни малейшего желания снова начать с ними разговаривать, пока не узнает, как отец намерен поступить. Поэтому Элоиза очень удивилась, увидев, что ей на мобильник звонит Натали. Голос мачехи звучал так, словно ее кто-то душил.

— И что с вами случилось? Вы нездоровы? — холодно полюбопытствовала Элоиза. — Голос звучит ужасно.

— Ты в отеле? Ты можешь ко мне подняться?

— Я у себя в номере, — все так же холодно ответила Элоиза. Они снова ее предали, точнее, собирались, если синдикат предложит им достаточно денег. Ей эти деньги не нужны. Она хочет всегда жить и работать в «Вандоме». — Что-то случилось? — снова спросила Элоиза.

В ответ Натали жутко застонала.

— Мне очень больно... я истекаю кровью... и не могу дозвониться до твоего отца.

— О черт! — ахнула Элоиза, выскочила из номера и помчалась вверх по служебной лестнице, сжимая мобильник в руке. Она не хотела терять время, дожидаясь лифта. К счастью, служебный ключ лежал у нее в кармане. Элоиза ворвалась в апартаменты, вбежала в спальню и увидела на кровати Натали, скорчившуюся от боли. — Вызвать «скорую»? Сколько времени уже идет кровь? — Частью ее обучения было умение оказать первую неотложную помощь. Элоиза приблизилась к кровати, увидела, что вся она залита кровью, но решила не пугать Натали. — Думаю, вам будет удобнее поехать в больницу в карете «скорой помощи», Нат, — мягко произнесла она, мгновенно забыв о битве, ведущейся из-за продажи отеля.

Элоиза вышла в соседнюю комнату и набрала по городской линии 911. Четко и ясно объяснила оператору, что одна из постоялиц отеля истекает кровью и что у нее четыре месяца беременности тройней. Оператор пообещала немедленно выслать парамедиков на машине «скорой помощи». Элоиза назвала номер апартаментов, затем позвонила на стойку портье, рассказала, что случилось, и попросила отыскать отца. Ей перезвонили почти мгновенно, чтобы сообщить, что отца в отеле нет, он где-то на совещании, а на его мобильнике включена только голосовая почта.

— Продолжайте звонить и отправьте сюда парамедиков сразу же, как только они приедут.

Элоиза вернулась к Натали, села на край кровати и ласково погладила ее по голове.

— Я не хочу потерять детей! — всхлипывала та. Тут Элоиза вспомнила, как зовут ее врача, и позвонила ей. Врач пообещала, что будет ждать их в больнице. Натали рыдала, прекрасно понимая, что четырехмесячные зародыши не выживут. Если у нее случится выкидыш, их не спасти. Элоиза, как могла, пыталась ее ободрить.

Парамедики появились через десять минут и спросили, где муж Натали и может ли кто-нибудь поехать с ней в больницу. Ни секунды не колеблясь, Элоиза ответила, что она дочь больной. Натали положили на носилки, укрыли одеялом, и Элоиза вошла вместе с ними в грузовой лифт, крепко держа мачеху за руку.

— Все будет хорошо, Нат, обещаю, — уговаривала она, представления не имея, что произойдет.

Носилки вынесли через служебный вход, чтобы не пугать гостей в вестибюле. Натали громко рыдала, а один из парамедиков задавал ей вопросы. Оказавшись в карете «скорой помощи», ей тут же поставили капельницу, включили сирену и на полной скорости помчались в больницу. Там уже ждала акушерская бригада, а через двадцать минут появилась врач-гинеколог Натали. Элоизу в палату не пустили. Прошел еще целый час, пока удалось разыскать Хьюза. Он тут же позвонил дочери на мобильник.

— Что случилось? — в панике спросил он. Хьюз уже сидел в такси, направлявшемся в больницу.

— Не знаю. Она позвонила ко мне в номер, сказала, что ей больно и идет кровь. Я тут же позвонила 911, и сейчас с ней бригада врачей.

Хьюз дрожащим хриплым голосом спросил:

— Она потеряла детей?

— Не знаю, — честно ответила Элоиза, — мне ничего не сказали, но кровотечение было очень сильным. — Ей казалось, что надежды тут мало. — С ней сейчас ее доктор.

— Я буду через десять минут.

— Я сижу в комнате ожидания около гинекологического отделения.

Натали перевели сюда на случай, если начнутся роды. Но конечно, очень мало шансов, что удастся спасти детей на сроке восемнадцать недель, а если и удастся, вряд ли они будут здоровы.

Пять минут спустя Элоиза увидела отца, вихрем промчавшегося мимо нее по коридору и исчезнувшего за дверью отделения. Он махнул ей рукой, но не остановился, и следующие два часа Элоиза понятия не имела, что происходит, и не знала, у кого спросить. В шесть часов отец вышел из отделения и подошел к ней.

— Ну, как она? — Про тройняшек Элоиза даже спрашивать не решилась.

Отец выглядел даже ужаснее, чем Натали, когда ее сюда привезли, и только теперь до Элоизы вдруг дошло, как много эти дети для него значат, а еще больше — сама Натали, и она искренне его пожалела.

— С ней все в порядке. И с детьми пока тоже. Ей сделали УЗИ. Пока она их не потеряла, но у нее, похоже, предлежание плаценты или что-то в этом роде. Но она держится, и дети тоже. Ее оставят тут на ночь, и если больше ничего не случится, завтра выпишут домой под постоянное наблюдение. Ей придется соблюдать постельный режим, возможно, до самых родов. Если она продержится еще два месяца, то все должно быть в порядке. — Все это прозвучало так, словно для него в целом мире нет ничего важнее.

Элоиза крепко обняла отца. — Хочешь зайти к ней на минутку?

Элоиза кивнула. Хьюз провел ее сквозь двойные двери, по нескольким коридорам, и наконец они зашли в палату, уставленную различными приборами. Натали лежала в постели, перепуганная и травмированная всем случившимся.

— Как вы себя чувствуете? — мягко спросила Элоиза.

— Испугалась до смерти, — честно ответила та, слабо улыбнувшись. — Очень не хочу их потерять.

— Надеюсь, этого не случится. — Элоиза наклонилась и поцеловала руку Натали. — Но вам придется очень себя беречь.

Натали кивнула. Оно того стоило. Она была готова сделать все, что угодно, лишь бы сохранить детей.

Не желая утомлять ее, Элоиза через несколько минут ушла. Отец решил остаться с Натали и пообещал позвонить, если произойдет что-нибудь еще. Сидя в такси, Элоиза размышляла о том, что как бы сильно она ни злилась на них за желание продать отель, они все равно одна семья, и единственное в жизни, что имеет значение, — это быть вместе, любить и прощать друг друга. Она от души надеялась, что Натали не потеряет детей.

Чудо свершилось, этого не произошло! На следующий день Натали привезли в отель из больницы в карете «скорой помощи», сразу уложили в постель и велели до конца беременности соблюдать строгий постельный режим. Даже в ванную комнату нельзя сходить, придется пользоваться судном. Чтобы ни ногой на пол. Натали лежала с перепуганным видом. Хьюз присел на кровать и велел ей вызывать горничную или звонить ему на мобильник, если ей что-то потребуется. Элоиза тоже сказала, чтобы Натали звонила либо ей, либо кому угодно за стойкой портье. Натали, побледнев, пообещала, что не будет двигаться, и Хьюз с Элоизой разошлись по рабочим местам.

В лифте они ехали вместе. Хьюз так и не рассказал дочери, что как раз вчера голландцы все же сделали свое предложение и он отправился на встречу с их банкирами, понимая, что такого щедрого предложения он скорее всего больше не получит никогда. Он едва успел пообещать, что даст ответ через несколько дней, как позвонила Дженнифер, и Хьюз помчался в больницу. Прощаясь с Элоизой в вестибюле, отец еще раз поблагодарил ее за помощь. Отношения между ними оставались напряженными, и он понимал, что ничего не изменится, пока он не примет решение.

Прошло несколько дней. Выкидыша пока не случилось. Элоиза частенько заходила к Натали, Дженнифер тоже, то и дело заглядывали горничные. Эрнеста приносила шоколадки и другие лакомства. Консьерж отправлял ей наверх свежие журналы. Официанты из обслуживания номеров приносили все, чего она захочет. Но Натали по-прежнему паниковала, что вот-вот потеряет детей. Все проекты она доверила выполнять своим сотрудникам. Когда детские жизни висят на волоске, уже не до работы. А через день после ее возвращения из больницы профсоюз технического персонала устроил очередные беспорядки. Утром Хьюз получил от них уведомление о забастовке, причем не стандартной, а скорее предупредительной. Он сообщил профсоюзу, что собирается уволить двоих служащих, а ему ответили, что он этого делать не смеет. Хьюз их уволил, строго следуя соответствующим правилам, и тогда они устроили пикет прямо перед отелем, раздражая и нервируя гостей, — колотили поварешками по кастрюлям и сковородкам, не давая гостям покоя. Этот грохот был слышен за несколько кварталов.

Элоиза зашла в кабинет отца, когда тот разговаривал по телефону с адвокатом по трудовому праву. Профсоюз требовал, чтобы он восстановил на работе обоих уволенных, несмотря на то что уволил их Хьюз по закону. Положив трубку, он тут же позвонил в офис профсоюза и сказал, чтобы они убрали свой чертов пикет от отеля, но ему ответили, что если он не восстановит на работе обоих уволенных, его ждут большие неприятности. Хьюз в бешенстве бросил трубку и посмотрел на дочь.

— Я ни черта не могу сделать! — безрадостно сказал он. — И хочу, чтобы ты была осторожной. Этот придурок угрожал мне по телефону! Никогда не угадаешь, на что они могут быть способны. — Оба они знали, что ответственные члены профсоюза вели себя разумно, но всегда находилась парочка горячих голов, предпочитавших переговорам насилие. — Так что смотри, не болтайся вокруг одна, особенно у входа в отель и в подвале.

Кроме этого, Хьюз боялся, что могут начать запугивать служащих, когда те уходят домой после своей смены. Брюс привлек к делу всех до единого работников службы безопасности и предупредил персонал.

Ко всеобщему облегчению, к шести вечера пикет ушел. Этой ночью Элоизе предстояло работать двойную смену, то есть до утра. С ней вместе дежурили двое мужчин. К десяти отель почти затих, только секьюрити часто патрулировали вестибюль. Хьюз еще в восемь вечера поднялся наверх, к Натали. Элоиза села в кресло, чтобы поболтать с коллегами. Они разговаривали о том, как невыносимы эти нестандартные забастовки и каким несносным был этот пикет. К полуночи лишь редкие запоздавшие гости проходили через вестибюль. Перед тем как лечь спать, Хьюз позвонил и уточнил, как дела. Элоиза заверила его, что все в порядке.

А в час ночи в подвале взревела пожарная сигнализация. На стойке имелась контрольная панель, и она показывала, что пожар начался около кухни. Возможно, он не имел никакого отношения к забастовке, а просто кто-то забыл выключить духовку или оставил что-то на плите. Элоиза мгновенно насторожилась и, даже не задумываясь, велела младшему служащему немедленно звонить пожарным и секьюрити, а затем побежала по служебной лестнице вниз, чтобы посмотреть, что она может сделать сама. Небольшое пламя уже пожирало диван и несколько тележек, стоявших около кухни. Служба обслуживания номеров располагалась за углом, поэтому до сигнала пожарной тревоги никто ничего не заметил.

Один из секьюрити поливал из огнетушителя диван и тележки, когда появились пожарные машины с сиренами и мигалками. Меньше чем за десять минут огонь потушили. В воздухе повисла отвратительная едкая вонь, пол подвала на два дюйма был залит водой, но пламя погасло. Пожарные обходили кухню и окрестности, проверяя, не горит ли еще что-нибудь, а Элоиза наблюдала за ними и благодарила за отличную работу. Они прибыли очень быстро. К пожарам в гостиницах всегда относились серьезно, и часто они начинались именно в кухнях. Отец научил Элоизу с уважением относиться к огню и не забывать о мерах безопасности.

Она еще разговаривала с двумя пожарными, когда появился третий, держа в руках еще дымящийся коврик, пропитанный чем-то горючим.

— Вот и ваш запах, — сказал он, бросив коврик на пол и посмотрев на Элоизу и сотрудников службы безопасности. — Кто-то его поджег. Еще один нашелся под диваном. Я считаю, что кто-то так с вами развлекается. Возможно, такого большого пожара, чтобы сжечь весь отель, и не произошло бы, потому что у вас надежная современная система пожарного оповещения, но не доберись мы так быстро, ущерб мог бы быть большим.

Разговаривая с ним, Элоиза вдруг заметила посудомойщика из обслуживания номеров, следившего за ними и нагло ухмыляющегося. Он работал в отеле недавно, и его явно веселило все происходящее. Увидев в его взгляде вызов, Элоиза медленно подошла к нему.

— Вы видели, кто это сделал? — спросила она. Он расхохотался ей в лицо.

— А то бы я тебе рассказал! — осклабился он. Он знал, кто она такая, но ему было плевать.

— Что вам об этом известно? — настойчиво спросила Элоиза. Она его ни капли не боялась.

— Я знаю, что твой папочка уволил двух отличных парней, и союз надерет ему зад, если он не возьмет их обратно, — нагло заявил он. Оба секьюрити подошли к нему ближе. Брюс, как нарочно, как раз сегодня взял выходной. — Ему сказали, что его ждет беда, так что, наверное, кто-то сегодня разжег тут небольшой костерок, чтобы вы поняли, что это значит. Вы не смеете никого увольнять, союз вам не позволит!

Все это он говорил, стоя почти вплотную к Элоизе, и его поведение могло бы напугать кого угодно, но только не ее. Он угрожал отелю!

— Это вы сделали? — спросила она, придвигаясь к нему еще на дюйм. Несмотря на свою изящную фигурку и юный возраст, она обладала такой же храбростью, как любой мужчина в этом помещении.

— А если и я? — снова расхохотался он ей в лицо.

При этих словах один из пожарных вытащил рацию и вызвал полицию. Сейчас здесь точно разразится беда, он уже чуял ее, и гостиничные секьюрити тоже.

Прежде чем кто-нибудь успел шевельнуться, мерзавец сдавил Элоизе горло и впечатал ее в стенку.

— Сука, — начал он брызгать слюной, — ты еще будешь мне указывать, что я должен делать?!

Элоиза не отводила от него взгляда, сохраняя поразительное хладнокровие. Окружающие их мужчины боялись сделать поспешное движение — вдруг у него нож или пистолет? Все ждали полицию. И тут, не произнеся ни слова, Элоиза изо всех сил вонзила шпильку своей туфли прямо ему в подъем. Он завопил от боли и согнулся пополам, осыпая ее грязными ругательствами, а Элоиза размахнулась и ударила его кулаком по носу, а когда он отшатнулся назад, резко подняла ногу и впечатала колено ему в пах.

Не зря в гостиничной школе она прошла курс самооборо-
ны, вот он и пригодился.

Когда в дверь ворвались полицейские, Элоиза отсту-
пила от мерзавца. Из носа у него шла кровь, и он, брызгая
слюной, грязно ругался. Копы надели на него наручники,
один из сотрудников службы безопасности объяснил, что
произошло, а Элоиза выглядела совершенно безмятежно,
только юбка у нее порвалась до бедра, когда она ударила
поджигателя в пах.

— Спасибо, джентльмены, — любезно произнесла она.

Один из патрульных попросил ее дать показания, и они
уже добрались до середины, когда в подвал примчался
Хьюз. Его разбудил вой сирен на пожарных машинах. Он
выглянул наружу, увидел их и быстро оделся. Из сообра-
жений безопасности все лифты уже были остановлены, поэтому ему пришлось спускаться по служебной лестнице.
Бросив один взгляд на обстановку, он повернулся к секьюрити:

— Что тут происходит?

Улыбаясь, один из пожарных описал ему происшедшее,
отметив, что Элоиза посрамила их всех.

— Ты цела? — кинулся он к дочери.

Она взглянула на него. Элоиза не потеряла присутствия
духа, хотя была чертовски зла на поджигателя.

— Конечно. Думаю, какой-нибудь подонок из профсоюза заплатил этому парню, чтобы тот устроил в подвале
пожар. Мы лишились дивана и нескольких тележек, но
могло быть куда хуже.

— Ты что, рехнулась? — ахнул отец. — К черту диван!
Мне только что рассказали, что ты ударила этого парня! Он
мог пырнуть тебя ножом, это тебе в голову не пришло?

Он смотрел на Элоизу так, словно она и впрямь сошла
с ума.

— Он устроил пожар. Кто-то ему за это заплатил. И я
не позволю никакому подонку сжечь наш отель и уничтожить все, что мы тут создали.

Она смотрела на отца твердым, как камень, взглядом, и он понял, что она имеет в виду. Она и ему не позволит ничего уничтожить.

— Что, сработала пожарная сигнализация?

— Да, поэтому я сюда и спустилась. Ребята из службы безопасности тушили огонь, а пожарные появились одновременно со мной. Они и нашли коврик, с помощью которого он устроил поджог.

— Откуда ты знаешь, что это он?

— Он сам сказал. Точнее, намекнул, а потом схватил меня за горло.

— И тогда ты его ударила?

Отец казался ошеломленным глупостью и одновременно храбростью поступка дочери.

— Она сломала ему нос, сэр, — вмешался один из патрульных.

— Сломала нос?

Хьюз уставился на дочь, словно видел ее впервые в жизни.

— Собственно, это было одно быстрое движение, — сказал пожарный. — Удар каблуком по ноге, удар кулаком по носу и сразу коленом в пах.

Хьюз повернулся и окинул их всех взглядом.

— А что в это время делали вы? Фотографировали? Почему она сломала ему нос, а не кто-то из вас?

— Потому что это наш отель, — слегка улыбнувшись, ответила Элоиза. — И я люблю его даже больше, чем ты, — добавила она, намекая на грядущую продажу.

Патрульный записал остальные показания и сказал, что посудомойщику выдвинут обвинение в поджоге, но вряд ли они сумеют пристегнуть сюда профсоюз, разве только поджигатель расколется. Но его возьмут под арест и попробуют на него надавить. Может, что-нибудь и получится.

Элоизе сказали, что она свободна, никто не будет выдвигать против нее обвинений за нападение, так как это была самозащита и у нее есть дюжина свидетелей. При этих словах ее отец содрогнулся.

Секьюрити вызвали техобслугу, чтобы те убрали сгоревшие тележки и остатки дивана.

Элоиза направилась к служебному лифту, заметив, что ей нужно сменить юбку и вернуться за стойку портье.

— Я поеду с тобой, — хмуро произнес отец, и первые несколько минут он просто молчал, все еще пытаясь разобраться в том, что только что услышал. — Ты понимаешь, что тебя могли убить?

— А ты понимаешь, что он мог сжечь наш отель?

Хьюз старался сдержать улыбку, когда вспоминал о том, что она сделала с поджигателем. Нечему тут улыбаться.

— Нельзя такое делать. Нельзя рисковать жизнью!

— Да я лучше умру тут, защищая то, что люблю, чем где-нибудь еще, — спокойно ответила она.

— Я не хочу, чтобы ты умирала, хоть здесь, хоть в другом месте, — буркнул Хьюз и, не выдержав, улыбнулся. — Просто поверить не могу, что ты сломала ему нос.

— Это классное движение, — ухмыльнулась Элоиза. Лифт как раз остановился на ее этаже. — И всегда действует. В школе его называли ПНП — подъем, нос, пах. Всегда помогает.

— Да ты опасный человек! — поддразнил ее отец. — Может, не пойдешь больше на дежурство, а отдохнешь? Боюсь, ты покалечишь еще кого-нибудь.

Он вместе с ней подошел к дверям ее номера.

— Со мной все в порядке. А если я не вернусь, им не хватит людей. — Элоиза стояла в дверях своего номера в юбке, разорванной почти до талии — так высоко ей пришлось поднять коленку, чтобы ударить поджигателя. Впрочем, удар кулаком тоже получился отличный. — Как там Натали?

— Думаю, нормально. Время покажет. Психует, что вынуждена лежать в постели. А в ее офисе без нее просто сходят с ума. Но она слишком боится, поэтому даже не спорит с врачами. Боюсь, это будут долгие пять месяцев или сколько там получится.

Натали, конечно, собиралась в последние несколько месяцев перестать работать, но на строгий постельный режим не рассчитывала.

— Завтра я к ней загляну, — пообещала Элоиза и вошла в номер.

Несколько минут спустя она уже стояла за стойкой портье в новой юбке, с аккуратно причесанными волосами. Остаток ночи она провела, разговаривая с коллегами, а в семь утра, когда ее смена закончилась, уже собиралась подняться наверх, но тут в вестибюль вышел ее отец и попросил зайти к нему в кабинет. Когда он попросил ее сесть, Элоиза решила, что отец снова будет ругать ее за то, что она избила поджигателя. Он явно собирался сказать ей что-то важное, а выглядел так, словно не спал всю ночь. Элоиза, продежурившая ночь, выглядела значительно лучше. Хьюз заговорил хриплым голосом:

— Я не буду продавать отель. Возможно, я ненормальный, потому что мне предлагают сумасшедшую кучу денег. Нам больше никогда в жизни не сделают подобного предложения, и однажды мы можем об этом здорово пожалеть. Но я не могу продать то, что построил, в то время как ты рискуешь жизнью, защищая это. Вчера ночью ты напомнила мне, что этот отель значит для меня... для нас. Имей в виду, я не желаю, чтобы ты еще когда-нибудь рисковала так, как вчера, несмотря на всю твою храбрость. Но я не продам то, что ты так сильно любишь. Я отвергаю их предложение.

Элоиза выпрямилась, улыбнулась отцу и увидела ответную улыбку. Отель был особым, их общим местом, она не желала от него отказываться, не могла допустить, чтобы кто-то погубил его или отнял у них, а теперь и отец этого не хочет.

— Я горжусь тобой, папа, — мягко сказала Элоиза, обошла стол и обняла отца.

— Не надо, — негромко ответил он. — Это я тобой горжусь. Я ведь его уже почти продал, а ты рисковала собственной жизнью, чтобы защитить.

Они вместе, рука об руку, вышли из его кабинета. Этим же утром Хьюз пригласил своих юристов, велел отказаться от предложения, а потом позвонить в профсоюз. Адвокат сообщил, что отель не собирается брать обратно на работу уволенных техников, а если они попробуют выкинуть еще какой-нибудь фокус, отель выдвинет против союза обвинение в поджоге. Представитель профсоюза заявил, что представления не имеет, о чем речь, но, конечно, все прекрасно понял. Посудомойщик сидел в тюрьме, и пикет больше не вернулся.

Голландцам тоже сказали со всей определенностью, что отель «Вандом» не продается. Ни сегодня, ни через сто лет. Никогда.

Глава 23

К марту Брэд оставался у Элоизы в отеле каждую ночь. Официально они не жили вместе, но все к тому шло, и отец не возражал. Брэд был очень славным молодым человеком. А вот Элоиза повзрослела не по годам, впрочем, это объяснялось тем, что она выросла в отеле и успела увидеть куда больше, чем обычная девушка в ее возрасте. Они с Брэдом составляли прекрасную пару. Он не жаловался на ее бесконечные рабочие часы и двойные смены, интересовался работой отеля и все сильнее увлекался трудовым законодательством. Оба они не боялись тяжелой работы. Брэд не только учился, но и работал, и заканчивал юридическую школу в июне, после чего ему предстояло получить право заниматься юридической практикой. Он уже подыскивал себе постоянное место.

Дождливым мартовским вечером они пошли пообедать в «Вейверли инн», чтобы немного отдохнуть от занятий и работы. Натали по-прежнему соблюдала постельный режим, днем Элоиза к ней заходила. Она старалась заглядывать как можно чаще, приносила все последние журналы и DVD-диски. Постельный режим длился уже два месяца. Натали была на седьмом месяце, и если бы тройняшки родились теперь, они, хоть и совсем крошечные, уже могли бы выжить, но каждая дополнительная неделя прибавляла им сил. Она пыталась управлять своими проектами по телефону, ассистенты приходили к ней ежедневно. Все это, конечно, очень утомляло и раздражало, но дети были для нее важнее всего.

Подъезжая в такси к отелю, Элоиза с Брэдом разговаривали о его поисках работы, как вдруг Элоиза увидела припаркованный у главного входа пикап экстренной медицинской помощи. Она тут же предположила, что у кого-то из гостей случился сердечный приступ, и еще оба мгновенно подумали про Натали. Брэд расплатился с водителем, они выскочили из машины и помчались в отель. Во время обеда никто Элоизе не звонил, значит, это все-таки гость. Она вбежала в вестибюль и увидела, как мимо нее на носилках проносят отца с дефибриллятором на груди, окруженного парамедиками. Потрясенная Элоиза кинулась за ними на улицу. Менеджер стойки портье, Брюс, и двое сотрудников службы безопасности шли за ней с испуганными лицами. Гости, находившиеся в вестибюле, наблюдали за происходящим.

— Что случилось? — спросила Элоиза менеджера, пока парамедики задвигали носилки в машину.

— Не знаю. Он схватился за грудь и упал лицом прямо на стойку. Парамедики только что приехали. Думаю, у него сердечный приступ.

— Почему ты мне не позвонил?! — с паническими нотками в голосе воскликнула Элоиза. Брэд стоял рядом с ней, парамедики что-то говорили ее отцу.

— Не успел. Вот как раз собирался.

— Натали знает? — торопливо спросила Элоиза. Он покачал головой. — Вот и не говорите ей! — решительно сказала Элоиза, запрыгнула в пикап и кинула последний взгляд на Брэда. Дверца захлопнулась, взвыла сирена, и машина на полной скорости помчалась в больницу. Двое парамедиков внимательно наблюдали за Хьюзом. К этому времени он уже полностью пришел в сознание и взглянул на Элоизу затуманенным взором.

— Что случилось? — спросил Хьюз хриплым голосом. — У меня ужасно болит в груди.

В обеих руках у него стояли капельницы. Парамедики сказали ему, чтобы он не разговаривал. Впрочем, казалось, что это требовало от него слишком многих усилий, поэтому Хьюз замолчал и просто держал Элоизу за руку. Она глотала слезы и молилась.

Носилки быстро повезли в отделение интенсивной терапии. Элоиза ждала снаружи, пока отца обследовали, а затем ее впустили внутрь. Сказали, что это сердечный приступ средней тяжести, что ему сделали ЭКГ и собираются делать ангиограмму. Элоиза дала основные сведения об отце. Хьюз посмотрел на нее испуганными глазами.

— Только не рассказывай Натали, — прошептал он. — Она потеряет детей.

— Ничего не скажу, а ты скоро поправишься, — ответила она, держа его за руку и отчаянно желая, чтобы это было правдой. Элоиза не представляла себе жизни без отца. Она оставалась рядом с ним, пока его не увезли на ангиограмму, а затем позвонила Брэду и объяснила, где находится. Все это время он ждал в ее номере, но после звонка немедленно приехал, и они долгие часы провели вместе в комнате ожидания.

В два часа ночи отца привезли обратно. Ему сделали сосудистую пластику и поместили в отделение интенсивной терапии, чтобы держать его под наблюдением. Элоиза с Брэдом все так же сидели в комнате ожидания, но Элоиза вспомнила, что нужно позвонить на стойку портье.

— Что вы сказали Натали?

Он не пришел ночевать, и она должна сильно волноваться.

— Сказали, что с одним из гостей произошел несчастный случай, твой отец отправился с ним в больницу и велел его не ждать, — ответил помощник менеджера.

— Отлично.

Элоиза немного успокоилась.

— Как он там?

Весь персонал отеля очень тревожился за Хьюза, за ним они чувствовали себя как за каменной стеной.

— Ему сделали сосудистую пластику и сказали, что все будет хорошо. Только не знаю, сколько времени ему придется тут провести. Он еще не очнулся от наркоза.

— Держи нас в курсе.

— Обязательно.

Элоиза вернулась к Брэду, он обнял ее, и они провели всю ночь в этой насквозь продуваемой сквозняками комнате ожидания. Каждый час Элоизе разрешали на десять минут зайти к отцу, но он еще не очнулся и не видел ее. Только утром Хьюз пришел в себя и увидел Элоизу с Брэдом. В шесть утра Брюс принес им сандвичи и термос с горячим кофе. Элоиза совсем не могла есть, но Брэд просто умирал с голоду, так что со сконфуженным выражением лица умял сразу два сандвича.

Утром отец был еще одурманенным и выглядел так, словно за ночь постарел сразу на десяток лет. Вокруг него висели громко пищавшие мониторы. В отделении интенсивной терапии шла бурная деятельность, ждали появления врача. Элоиза поцеловала отца, сказала, что скоро вернется, и пошла к Брэду. Хьюз заснул еще до того, как она вышла из палаты, и выглядел он очень скверно.

Врач смог поговорить с Элоизой только в восемь утра. Выйдя из отделения, он улыбался, и Элоиза, вцепившаяся в руку Брэда, сразу почувствовала огромное облегчение.

— Можете отправляться домой, чтобы немного отдохнуть. С ним все хорошо. Мы подержим его тут еще несколько дней, просто на всякий случай, а потом он сможет вернуться домой. Советую ему прежде, чем возвращаться к работе, отдохнуть несколько недель, может быть, месяц. Физические упражнения, диета — за всем этим теперь придется следить. Пока это был предупредительный выстрел, но я думаю, что ночью мы его неплохо заштопали. Несколько недель отдыха — и он будет как новенький.

Элоиза радостно улыбалась. Несколько часов назад она в такое и поверить не могла.

— Его жена ждет тройню и находится на строгом постельном режиме. Думаю, придется положить их в одну постель, — улыбнулась Элоиза.

Врач рассмеялся.

— Ну, если он не начнет с ней слишком сильно развиться, это вполне допустимо. Поскольку она ждет тройню, полагаю, особого риска и нет.

Теперь расхохотались все трое.

— Могу я еще раз его увидеть? — спросила Элоиза.

— Несколько минут назад он спал, но можете заглянуть.

Элоиза зашла в палату. Хьюз зашевелился, взглянул на нее и извинился за то, что причинил столько неудобств.

— Да что ты, папа, — мягко ответила Элоиза, взяв его за руку. — Какие неудобства? Но теперь тебе придется быть осторожней. Вы с Натали оба на постельном режиме. Никаких нагрузок, зато можешь составить ей компанию до самых родов. И врач разрешил тебе ежедневные прогулки. Об отеле мы позаботимся сами.

— Все это так глупо, — пожаловался Хьюз. — Не знаю, с чего вдруг такое приключилось. Я совершенно здоров. Наверное, просто переутомился.

Сейчас Хьюз выглядел более оживленно, но все равно был изможденным, да и Элоиза смотрелась не лучше. Ночь им всем выдалась долгая.

— Я не могу позволить тебе взвалить на себя всю работу! — взволнованно сказал отец.

— Ты не вернешься к работе до тех пор, пока не разрешит доктор, — твердо произнесла Элоиза. — Мы отлично справимся сами. Ты нужен нам, папа, — мягко добавила она. — Ты нужен мне. Без тебя я пропаду. Ты все, что у меня есть в жизни.

В ее глаза стояли слезы. Хьюз ласково погладил ее по голове.

— Я никуда не денусь. Скажи Натали, что у меня все хорошо, и пусть она не рожает без меня. — Хьюз улыбнулся дочери.

— Через несколько дней тебя выпишут. Я зайду к тебе чуть позже. Здесь со мной Брэд, он передает тебе привет.

— Я рад, что он рядом с тобой. Скажи Натали, что я люблю ее. И тебя я тоже люблю, — слабо улыбаясь, произнес Хьюз, повернул на подушке голову и закрыл глаза. Он сразу задремал, а Элоиза неслышно вышла из отделения, и они с Брэдом покинули больницу, выйдя на яркое утреннее солнышко. Ей казалось, что они провели в комнате ожидания целую неделю. Брэд подозвал такси, они поехали в отель и всю дорогу негромко обсуждали случившееся. Это была самая страшная ночь в жизни Элоизы.

Едва она вошла в вестибюль, ее закидали вопросами. Элоиза выглядела уставшей, но не сокрушенной, и все служащие радовались, что с ее отцом уже все в порядке и через несколько дней он вернется домой.

Брэд пошел в ее номер, чтобы принять душ и переодеться, собираясь на утренние занятия. А Элоиза поднялась в отцовские апартаменты и зашла в спальню. Натали давно проснулась и смотрела утренние новости по телевизору. Телевизор у нее был включен постоянно — ей было больше нечем заняться, только есть, смотреть телевизор, звонить в свой офис и смотреть, как растет живот. С тройней он вырос просто огромным.

— Где твой отец? — тут же тревожно спросила она. Элоиза не хотела ей говорить, но не знала, как можно скрывать это в течение нескольких дней. Кроме того, внутренний радар Натали уже сообщил ей, что с ее мужем что-то случилось.

Элоиза присела на край кровати и улыбнулась:

— С ним все хорошо. Честное слово, хорошо, и через несколько дней он уже будет дома. Но ночью он нас здорово напугал. У него был сердечный приступ средней тяжести. Сейчас он в нью-йоркской больнице, ему сделали сосудистую пластику и сказали, что он будет как новенький. И я заставлю его взять четыре недели отпуска. Он будет составлять вам компанию, пока не родятся дети.

Она выпалила все это на одном дыхании. Как ни странно, на лице Натали появилось выражение облегчения. Она чувствовала, что случилось что-то плохое, и паниковала всю ночь.

— Спасибо, что сказала мне правду. — Натали сжала руки Элоизы. — С ним правда все хорошо?

— Клянусь.

— Могу я с ним поговорить?

— Он только что заснул. Ночка ему выдалась нелегкая. Но через пару часов, когда он проснется, конечно, можете ему позвонить. — Элоиза записала номер телефона и положила блокнот на кровать. — Пока его нет, я могу пожить с вами, — предложила она.

Натали обрадовалась. Она боялась оставаться одна ночью — вдруг начнутся роды, а она не сможет двинуться с места? Или родит тройняшек прямо тут? Натали очень боялась подобного сценария, хотя вряд ли что-нибудь случилось бы так быстро. Вообще-то ей собирались сделать кесарево сечение, когда подойдет время.

— Спасибо, — негромко произнесла она. — Мне бы хотелось не лежать тут, прикованной к постели, а пойти навестить его.

Она чувствовала себя беспомощной и бесполезной, но ставки были слишком высоки. Даже ради Хьюза Натали не могла встать.

— Он скоро будет дома, — напомнила ей Элоиза, а потом пошла в гостиную и легла на диван.

Через два часа ее разбудил телефонный звонок. Отец звонил своей жене. Натали сняла трубку, и из глаз у нее хлынули слезы облегчения, когда она услышала голос Хьюза. Они проговорили очень долго.

Элоиза заказала ей ленч и пошла вниз, переодеться в униформу. В три часа у нее начиналось дежурство, но сначала она съездила навестить отца. Его уже перевели из отделения интенсивной терапии в отдельную палату с медсестрой. Он очень обрадовался, увидев вошедшую в палату дочь, и снова поблагодарил ее за то, что она сделала для него ночью, и за заботу о Натали. Натали рассказала, что Элоиза повела себя очень сердечно.

Элоиза провела с отцом час, вернулась в отель и заступила на дежурство. Она успела вовремя и дежурила до одиннадцати вечера. К отцу ехать было уже поздно, так что она с трудом добрела до своего номера, чтобы взять ночную рубашку и увидеться с Брэдом.

— Ты совершенно измучена. Ложись скорее спать, — озабоченно сказал он.

Элоиза помотала головой, снимая ночную рубашку с крючка двери ванной.

— Не могу. Я должна ночевать у Натали.

Брэд ей искренне сочувствовал. Он проводил ее до отцовских апартаментов и еще несколько минут поговорил с Натали, а затем спустился обратно в номер Элоизы. Он уже поговаривал о том, чтобы отказаться от своей квартиры возле Колумбийского университета, потому что все равно там больше не жил. Все свое свободное время он проводил в отеле рядом с Элоизой.

Попрощавшись с Брэдом, Элоиза надела ночную рубашку и забралась в постель к Натали. Они поболтали несколько минут, но Элоиза так устала, что уже почти спала. И тут Натали взяла ее руку и положила себе на живот. Изнутри сильно толкались маленькие ручки и ножки. Это походило на войну в мультфильме.

— Как вы с этим спите? — изумленно спросила Элоиза. Натали улыбнулась:

— А я и не сплю. Они прыгают почти постоянно.

— Должно быть, это так странно, — сонно пробормотала Элоиза. Ее глаза закрывались сами собой, и через несколько минут она окончательно выключилась, а Натали продолжала смотреть телевизор. Дни и ночи тянулись долго, и если ей повезет, впереди ее ждет еще три таких же месяца.

Через два дня отец Элоизы вернулся из больницы. Его привезли домой в инвалидном кресле, но он настоял на том, что в отель войдет самостоятельно. Выглядел он бледным и уставшим, но, безусловно, намного лучше, чем когда его увозили. Хьюз быстро поднялся к себе наверх, желая скорее увидеть жену. Когда он вошел и сел рядом с ней на кровать, Натали расплакалась и прижалась к нему. Хьюз положил руки на ее огромный живот и улыбнулся, почувствовав, как лягаются его дети. Только этого он и хотел — выжить и вернуться домой, к ней. Теперь ему было ради чего жить, и он не мог допустить, чтобы с ним что-нибудь случилось. Хьюз поклялся, что за время его отсутствия ее живот вырос еще сильнее, а чуть позже лег рядом с женой в постель, радуясь, что он снова дома.

Элоиза навещала их так часто, как могла, но теперь на нее навалились дополнительные обязанности. Она то и дело приходила, чтобы спросить у отца совета, и звонила ему на мобильник, и он радовался, что постоянно находится на связи и может принимать решения, касающиеся отеля. Натали это не нравилось, она объявила отелю своего рода вендетту, считая, что работа Хьюза полна стрессов и едва не убила его. Натали хотела, чтобы он продал отель, хотела, чтобы Хьюз позвонил голландцам и сказал, что принимает их предложение. Она просто не могла больше ни о чем говорить. Кода Хьюз принимал душ, Натали позвонила Элоизе и жестко потребовала, чтобы та не дергала его так часто. После этого звонка Элоиза сильнее встревожилась за отца.

— Это исключено, — категорически ответил Хьюз на просьбу Натали продать отель. — Я не могу поступить так с Элоизой, она его слишком любит.

— Тебя она любит больше, — настаивала Натали. — Если мы потеряем тебя, это уничтожит нас всех. Ты должен жить ради нее и ради наших детей, а это место убьет тебя, если ты не снизишь темп.

Как можно снизить темп, Хьюз не знал, поэтому она и хотела, чтобы он продал отель. Хьюз постоянно созванивался с Брюсом, Дженнифер и стойкой портье и выяснял, как идут дела.

— Я взял месяц отпуска, — напомнил он Натали, надеясь смягчить ее, но та повторяла, как мантру, что он должен продать отель. Элоизе она ничего не говорила, зато Хьюзу твердила это постоянно. Он отвечал ей вполне определенно, что никогда этого не сделает. Натали заставляла его напрягаться сильнее, чем отель, и ссорились они только по этому поводу. Все остальное время они радовались, что опять вместе.

Хьюз каждый день ходил на прогулки вокруг озера и приносил Натали небольшие лакомства. Спустя четыре недели после сердечного приступа он выглядел значительно лучше, чем до него, а Натали напоминала женщину, лежащую под горой. Глядя на нее, Хьюз всякий раз улыбался. Она почти не могла шевелиться.

Врач появлялся у нее регулярно, а акушерка заходила каждый день. Наступил апрель. У Натали внезапно начались схватки. Впрочем, гинеколог предполагала, что это случится скоро. Она была уже на восьмом месяце беременности, дети хорошо росли и теперь должны были выжить.

Как-то вечером Хьюз с женой смотрели по телевизору старый фильм «Я люблю Люси» и ели поп-корн. Внезапно у Натали сделалось странное лицо, и она взглянула на мужа так, словно не понимала, что происходит. Внезапно оказалось, что она лежит в луже, которая быстро растекается по всей кровати. Хьюз испугался, что опять началось кровотечение, посмотрел на простыню, увидел просто воду, и оба они разом поняли, в чем дело.

— О Боже, воды отошли!.. — паническим голосом произнесла Натали. Но в семь месяцев тройняшки подвергались куда меньшей опасности, хотя еще и были крохотными, и почти наверняка должны были выжить. Хьюз позвонил доктору, которая велела как можно быстрее привезти Натали в больницу. Она понятия не имела, насколько быстрыми будут роды, и не хотела, чтобы младенцы родились в отеле или в такси по дороге. Хьюз позвонил в службу безопасности и попросил доставить в апартаменты инвалидное кресло. Несколько таких имелось в отеле, одним из них Хьюз сам воспользовался месяц назад, когда возвращался из больницы домой. Зато сейчас он полностью восстановился, а ежедневные долгие прогулки помогли ему войти в отличную физическую форму, и он планировал на этой неделе вернуться к работе.

Через несколько минут Брюс привез кресло. Хьюз помог Натали одеться. Было два часа ночи. Хьюз гадал, успеют ли тройняшки родиться этой ночью. Все это так захватывающе! Детям, конечно, придется на некоторое время остаться в больнице в инкубаторах, их предупреждали об этом заранее. Все будет зависеть от их веса, но в животе они казались ему просто огромными.

Одев Натали, Хьюз помог ей сесть в кресло. Устроившись, она ему улыбнулась.

— Все это походит на какое-нибудь шоу, — сказала она.

Они так давно этого ждали! Гормональное лечение прошлым летом, ЭКО, семь месяцев беременности, четыре из которых она провела в постели. Да, она готова к тому, что сейчас произойдет. Оставалось надеяться, что дети к этому тоже готовы.

Хьюз и Брюс отвезли Натали в лифт и спустились вниз. Будь сейчас не так поздно, он бы позвонил Элоизе, но ему не хотелось беспокоить ее. Скорее всего она спала.

В такой час не дежурил ни один гостиничный водитель, проще было поехать на такси. Швейцар подозвал машину, и всю дорогу до больницы Натали держала Хьюза за руку. Было так хорошо оказаться на улице, вдыхать теплый весенний воздух, снова видеть город. Ей казалось, что она несколько месяцев провела в тюрьме.

Врач уже ждала Натали в больнице. Как только начались первые серьезные схватки, ее отвезли в родильное отделение. Натали удивилась, что они такие сильные, но врач еще раньше говорила, что если отойдут воды, тяжелые роды могут начаться очень быстро. Похоже, именно это и происходило. Она цеплялась за руку Хьюза, а он негромко подбадривал ее, помогая лечь в постель. Натали обследовали, и она громко закричала от боли.

— Шейка уже раскрылась на восемь сантиметров, — сказала врач. — Должно быть, незаметные схватки шли всю ночь.

Они хотели, чтобы перед кесаревым сечением у нее были схватки, приучающие младенцев дышать после рождения.

— Они так сильно пинались, что трудно было понять, — сказала Натали. Тут снова накатила боль, доктор опять провела проверку, и Натали закричала очень громко. Хьюз вздрогнул. Все это казалось ему пыткой. Мириам не позволила ему присутствовать при родах Элоизы, так что для него все было впервые.

— Теперь мы не сможем их остановить, — сказала врач Натали и Хьюзу. — Поскольку воды отошли, есть риск инфекции, да еще и раскрытие идет слишком быстро. Попробуем немного замедлить, чтобы ввести вам лекарство. — Натали собирались поставить капельницу, чтобы защитить легкие детей, потому что они не полностью сформировались. — Давайте посмотрим, не удастся ли нам выиграть немного времени.

Поставили капельницу с внутривенным вливанием и лекарством для детских легких. Врач объяснила, что лучший способ слегка замедлить роды — это сделать эпидуральную анестезию, если еще не поздно. Она все равно потребуется для кесарева сечения, а рожать естественным путем Натали нельзя. Если же с эпидуральной анестезией они опоздали, придется давать полный наркоз, чего делать не хотелось бы.

В палату пришел анестезиолог и с помощью иглы в позвоночнике сделал эпидуралку. Натали почувствовала сильную боль, но как только игла вошла на место, она перестала ощущать схватки, а затем они слегка замедлились. Таким образом врачи получили время, необходимое для того, чтобы подготовить младенцев к появлению на свет.

Натали лежала на боку с видом измученным и встревоженным. Ее кололи, обследовали, тыкали, и она боялась за детей. Фетальный монитор показывал, что все три сердечка бьются. Натали лежала спокойно, держа Хьюза за руку, а по щекам ее катились слезы.

— Я боюсь, — прошептала она. — Не за себя, за них.

— Все будет хорошо.

Ей так хотелось поверить ему, но она не могла. Слишком многое могло пойти не так.

К восьми утра ей ввели все необходимые для нее и для детей лекарства и ослабили эпидуральную анестезию. Натали тут же почувствовала сильную боль. Похоже, пройти через это без мучений было невозможно, и Хьюз страдал вместе с Натали. Но врач сказала, что схватки все еще необходимы, чтобы подготовить легкие детей к самостоятельному дыханию. Она заверила Натали, что теперь уже недолго и скоро ей сделают кесарево сечение. Хьюз подумал, что одно хуже другого — либо тяжелые болезненные роды, либо кесарево, то есть серьезная операция.

Тут врачи снова посмотрели Натали, и ей стало еще больнее.

— Я хочу домой, — сказала она Хьюзу и залилась слезами.

Он тоже хотел увезти ее домой с детьми на руках, целую и невредимую. Но сейчас требовалось остаться тут.

Вскоре в палату вошли еще двое докторов и с полдюжины акушерок. Эпидуралку снова усилили, и события начали разворачиваться очень быстро. Между двумя схватками Натали переложили на каталку и повезли в операционную. Хьюз крепко держал ее за руку, а вся акушерская бригада поспешала следом. Поскольку она рожала тройняшек, врачей собралось больше, чем обычно. Теперь, с гормональным лечением и ЭКО, рождение нескольких детей происходило часто, и трое считалось вполне разумным числом. Только вчера тут принимали четверню.

Оказавшись в операционной, все начали действовать очень быстро — так быстро, что Натали не успевала следить за происходящим. Дозу эпидуральной анестезии еще раз увеличили, и она вообще перестала что-либо ощущать. Живот чем-то смазали, в операционную вошли трое педиатров, непонятно откуда появились три инкубатора, перед лицом поставили экран, так что Натали ничего не могла увидеть, и велели Хьюзу встать возле головы жены. Обе ее руки с капельницами привязали, поэтому за руку он ее больше держать не мог, но Хьюз наклонился и поцеловал Натали, а она сквозь слезы улыбнулась ему. А потом все помчалось еще быстрее. Монитор показал, что одно сердцебиение стало неравномерным, и ответственный врач велел немедленно начинать.

Хьюз сел рядом на табурет, мониторы пищали, и хотя Хьюз не мог сказать точно, но ему показалось, что он слышит биение только двух сердец. Но спрашивать он не стал, чтобы не пугать Натали, она и так была в панике.

Врачи постоянно обменивались репликами, Хьюз приблизил лицо к лицу жены, и вдруг оба они услышали с той стороны слабый писк.

— Мальчик! — объявил врач. Натали и Хьюз одновременно расплакались. Педиатр быстро унес ребенка, чтобы осмотреть его и поместить в инкубатор. Спустя несколько секунд они снова услышали писк, на этот раз более громкий. — И девочка!

Хьюз и Натали сияли сквозь слезы. Монитор больше не пищал, и Хьюз подумал, что его выключили. Но прошло довольно много времени, а плача третьего ребенка они так и не услышали. А потом раздались ритмичные шлепки, и реплики, которыми обменивались врачи, стали отрывистыми и резкими.

— Что происходит? — сдавленно спросила Натали, но никто не ответил.

Впрочем, они уже и сами догадывались. Третий ребенок так и не заплакал, хотя они слышали, как плачут первые двое. Врач обошла экран, и едва они увидели ее лицо, как все поняли.

— Мы попытались спасти вашу вторую девочку, но у нее не выдержало сердечко. Она весила меньше двух фунтов. Мы старались ее оживить, но... мне очень жаль, — произнесла она, искренне расстроенная.

Натали разразилась рыданиями. Хьюз ласково гладил ее по лицу, и на ее щеки падали его слезы. У них родились двое здоровых детей, но третьего они потеряли. Вот она, сладкая горечь жизни — получить два потрясающих дара, но потерять третий.

Бригада зашила Натали, и врач снова к ним подошла.

— Ваша маленькая девочка была очень красивой. Ее уже полностью привели в порядок. Хотите посмотреть на нее и несколько минут подержать на руках?

Она по опыту знала, что иногда люди начинают себе бог знает что придумывать — что ребенка украли, или подменили, или он был страшно обезображенный. Натали кивнула, ей отвязали руки и принесли мертворожденного ребенка. У нее было милое маленькое личико, темные, как у Хьюза, волосы, и она лежала на руках матери, как будто спала. Натали всхлипывала, Хьюз потрогал крохотное личико. Потом подошла медсестра и мягко забрала девочку. Натали все еще плакала, но тут к ней поднесли сына и дочь и подняли повыше, чтобы она смогла их рассмотреть. Сын, похожий на мать, с пушком светлых волос, громко кричал. У маленькой девочки было личико ангела и кудрявые черные волосы. Каждый из них весил чуть больше трех фунтов, а та, что не смогла справиться, вполовину меньше. Но даже и двое — это уже была победа, а умерший ребенок, должно быть, и не собирался жить на свете. Врач старалась сосредоточить их внимание на живых младенцах. Их положили в инкубаторы, но врач сказала, что как только они наберут четыре фунта веса, их можно будет забрать домой.

К этому времени Натали зашили и укутали теплым одеялом — после операции ее трясло от шока и пережитых чувств. Она дрожала, как осенний лист, а Хьюзу казалось, что они только что преодолели Ниагарский водопад. Он был одновременно счастлив и печален, победно возбужден и убит горем, все вместе, — и Натали тоже. Ее еще час продержали в операционной, а потом отвезли в палату. А умершего ребенка унесли. Двоих остальных, как недоношенных, перевели в неонатальное отделение интенсивной терапии, но они чувствовали себя хорошо.

Когда Натали оказалась в палате, Хьюз заключил ее в объятия и сказал, как сильно он ею гордится, как мужественно она себя вела и какие красивые у них получились дети. Вслед за доктором он напомнил Натали, что им очень повезло и у них есть целых двое детей. Натали никак не могла забыть крохотное личико маленькой девочки, но

Хьюз продолжал утешать ее, а когда она немного успокоилась, они позвонили Элоизе и рассказали ей новости. Хьюз сказал, что теперь у нее есть братик и сестричка. Элоиза ждала продолжения, и отец сообщил, что одну девочку они потеряли. Элоиза тоже расстроилась, но все равно была рада слышать, что Натали и двое младенцев чувствуют себя хорошо, особенно если учесть, как сильно та рисковала. Через четыре дня Натали собиралась вернуться в отель, а близнецов выписывали только через несколько недель.

— Как Натали это пережила? — осторожно спросила Элоиза.

Сама Натали еще слишком сильно дрожала и не могла разговаривать.

— С ней все в порядке, и она очень мужественная. Мы оба опечалены, но все равно благодарны судьбе за то, что у нас есть двое маленьких... и ты, — с улыбкой добавил Хьюз.

— Могу я ее навестить? — спросила Элоиза.

Но Натали еще не могла принимать посетителей, особенно с учетом случившегося.

— Может быть, чуть позже. Думаю, ей нужно немного поспать.

Натали была взвинчена до предела и страшно измучена, она никак не могла перестать плакать. Слезы радости мгновенно сменялись слезами горя. Да и Хьюзу казалось, что его тащит по «американским горкам».

— Папа, а ты как? — Элоиза очень за него волновалась, особенно после того сердечного приступа. Ему все это тоже далось тяжело.

— Со мной все хорошо. — Он только тревожился за жену, слишком многое ей пришлось пережить.

— Я сама расскажу всем в отеле.

Дженнифер повесила розовые и голубые воздушные шары. Элоиза сдержанно рассказала, что одну девочку они потеряли, зато двое других, девочка и мальчик, чувствуют себя хорошо, и Натали тоже.

Она целый день работала в службе консьержей, а вечером они с Брэдом поехали в больницу. Им показали детишек в инкубаторе, и Элоиза сказала, что они просто чудесные. Отец тихонько сообщил ей в коридоре, что как только Натали выпишут, состоятся похороны третьего ребенка. Элоизу охватила бесконечная грусть. Это сильно испортит возвращение Натали домой, тем более что двоих близнецов пока придется оставить в больнице. Жаль, что им всем придется через это пройти, но, как сказал отец, это тоже часть жизни.

Натали выглядела настолько измученной, и шов после кесарева сечения у нее так сильно болел, что Брэд с Элоизой пробыли у нее совсем недолго и вернулись в отель, беседуя обо всем происшедшем. Натали пришлось пережить слишком многое, и отцу тоже.

— Все это кажется таким сложным, — печально произнес Брэд, думая, что вовсе не хочет, чтобы Элоизе пришлось тоже через такое пройти.

Они заговорили о будущем. Пусть оба они еще были совсем молодыми, но у них сложились такие отношения, которые возникают рано и длятся долго. Перед ними лежала прямая дорога, и они знали, что хотят быть вместе навсегда. Брэд заметил, что его тетушка слишком долго дожидалась возможности родить детей, но согласился с Элоизой, что им повезло сохранить двоих. Беременность могла прерваться намного раньше, и тогда они потеряли бы всех. Разговор снова вернулся к их отношениям. Брэд нежно обнимал Элоизу всю ночь, благодарный судьбе, что они обрели друг друга девять месяцев назад. Он хотел только одного — иметь возможность оберегать Элоизу, заботиться о ней, и надеялся, что они смогут вместе преодолеть те ухабы, которые приготовила им жизнь.

Этого же хотел и Хьюз. Он остался в больнице с женой, ухаживал за ней всю ночь, а Элоиза радовалась, что для этого он чувствует себя достаточно хорошо. Натали с Хьюзом пришлось слишком многое пережить за последние два месяца.

Неделя, пока Натали лежала в больнице, прошла беспокойно. Все хотели навестить ее и детей, но она горевала по умершей девочке и пока никого не могла видеть. Когда Натали вернулась домой, настал трагический день — похороны малышки. Службу устроили небольшую, на нее пришли только Хьюз, Элоиза и Брэд. Сердце Элоизы разрывалось при виде такого крохотного гробика, белого, усыпанного розовыми цветами. Натали безудержно рыдала, и на обратном пути они по настоянию Хьюза заехали в больницу, чтобы навестить близнецов и напомнить себе, какое счастье им даровано. Детей назвали Стефани и Джулиен. Мальчик в инкубаторе корчил им смешные рожицы, когда они на него любовались, а Стефани просто лежала с умиротворенным личиком и заснула раньше, чем они отошли. Оба походили на ангелочков. Они просто заворожили Элоизу с Брэдом, и Элоиза совершенно забыла о том, что ее вытеснили. Теперь близнецы стали частью семьи и завоевали ее сердце, едва успев родиться. Она всю неделю покупала для них небольшие подарки, а Брэд ее поддразнивал.

Затем все четверо вернулись в отель и вместе пообедали в апартаментах Хьюза и Натали. День опять получился тяжелый и утомительный из-за похорон и связанных с ними переживаний. Натали отправилась в постель еще до того, как обед закончился.

После возвращения Натали из больницы Хьюз отправился в свой офис в первый раз за последний месяц и вновь почувствовал, как это прекрасно. Вместе с Натали они ездили в больницу, чтобы кормить близнецов. Молоко у нее появилось, она кормила их и сцеживалась, чтобы оставить материнское молоко в больнице. И конечно, она по-прежнему волновалась из-за того, что Хьюз слишком много работает, и хотела, чтобы он продал отель до того, как тот его убьет. Как-то ночью, лежа в постели, они снова об этом заговорили.

Натали покачала головой, глядя на лежавшего рядом мужа. Вернувшись к работе, он стал выглядеть намного более довольным жизнью.

— Похоже, я так и не сумею убедить тебя продать отель?

После всего пережитого они стали еще ближе друг к другу, и оба это чувствовали.

— Ни за что, — с улыбкой ответил он. — Один раз я уже чуть не сделал эту ошибку и повторять не хочу. Однажды отелем начнет управлять Элоиза, а может быть, даже Джулиен со Стефани. А мы с тобой сможем путешествовать по миру и наслаждаться жизнью.

Он произнес это так, словно до этой счастливой минуты уже рукой подать, но Натали понимала, что до нее еще долгие годы. Она даже представить себе не могла, что когда-нибудь он выпустит из рук бразды правления «Вандомом». Возможно, они будут управлять отелем вместе с Элоизой, но к пенсии Хьюз пока явно не готов, и неизвестно, будет ли когда-нибудь. Отель, которому он посвятил двадцать лет своей жизни, все еще оставался его большой страстью — но теперь и Натали тоже.

— Ладно, — сдаваясь, вздохнула она. — Я умываю руки. Вы все психи. Элоиза работает столько же, сколько ты. Все то время, что ты болел, она брала двойные смены. — И на этой неделе она снова их взяла. — Только не давай ему убить себя, — предупредила Натали. — Ты нужен мне еще долгие, долгие годы, Хьюз Мартин.

— И ты мне тоже, — сказал он, прижав ее к себе и целуя. — Ты моя любимая женщина и мать моих детей. Но однажды, когда Элоиза будет готова взять все на себя, мы уедем отсюда, я тебе обещаю.

Натали понимала, что ей не удастся поймать его на слове и заставить сдержать обещание, но еще она поняла, что он и не собирался продавать отель и, видимо, никогда не соберется. Отель «Вандом» — это его жизнь.

Глава 24

В мае все вместе пошли в юридическую школу на выпускную церемонию Брэда. Приехали и родители, и брат с сестрами, все очень взволнованные. Но больше всех волновалась Элоиза. Она каждый вечер видела его за учебниками и знала, как усердно Брэд занимался. Она очень гордилась им и по-настоящему за него переживала. Родители подарили Брэду поездку в Европу, они с Элоизой решили поехать в августе вместе — в Испанию, Грецию, а под конец в Париж, и теперь с нетерпением ждали этого путешествия. В июле Брэд сдавал экзамен на право заниматься юридической практикой и уже готовился к нему.

Он три месяца проходил собеседования в различных юридических фирмах и наконец понял, что ему одинаково скучно и антимонопольное, и налоговое право. Какое-то время он подумывал заняться криминальной адвокатурой, но не хотел работать общественным адвокатом. По-настоящему он хотел заниматься только трудовым правом. Это казалось ему захватывающе интересным. После нескольких бесед с Брэдом на эту тему Хьюз устроил ему собеседование в юридической фирме, улаживавшей все трудовые споры в отеле, и за неделю до выпуска Брэду предложили там место. Он начинал в конце августа, после возвращения с Элоизой из Парижа, и заранее ждал этого. Брэд знал, что это и есть самая лучшая для него работа, и время от времени поддразнивал Элоизу, говоря, что когда-нибудь станет юристом отеля. Впрочем, она надеялась, что так и будет.

Перед отъездом в Европу Брэд отказался от квартиры возле Колумбийского университета, а Хьюз дал ему свое благословение на переезд в «Вандом» к Элоизе. Брэд в любом случае каждую ночь оставался там, да к тому же с его напряженным графиком они только так и могли видеться. Встречались они уже год, отлично дополняли друг друга, и родителям Брэда это тоже нравилось. Будучи слишком юными, чтобы решать что-то относительно своего будущего, Брэд с Элоизой тем не менее шли в нужном направлении. Они только начинали строить карьеру, им еще требовалось многому научиться и пройти долгий путь. Элоизе вот-вот исполнялось двадцать два, а Брэду только что исполнилось двадцать шесть. Еще совсем дети, как говорили их родители.

Тем вечером в ресторане отеля Хьюз устроил для него чудесный выпускной обед. Пришли обе семьи и несколько друзей Брэда. Праздник получился замечательным. Элоиза вместе с шеф-поваром составила меню и выбрала вино, и всем очень понравился ее выбор.

К тому времени близнецы уже были дома и прекрасно себя чувствовали. Натали взяла трехмесячный декретный отпуск, чтобы посвятить им все свое время. Она наслаждалась каждой минутой и продолжала кормить детей грудью. Они по-прежнему часто вспоминали умершую девочку, но очень радовались этим малышам. Натали обдумывала, как бы ей работать неполный день и брать меньше проектов.

Она каждый день возила близнецов на прогулку в двойной коляске, когда Хьюз совершал свою ежедневную прогулку в парке. Он перекладывал на Элоизу все больше и больше ответственности. В июле они с Натали и близнецами уехали, чтобы отпраздновать годовщину свадьбы — наняли на неделю домик в Саутгемптоне. Элоиза только что получила должность ассистента менеджера, закончив свою стажировку в «Вандоме» в дополнение к той, которую проходила для Школы отельеров, и честно заслужила свои нашивки. В двадцать два года она была в высшей степени компетентной молодой женщиной, и отец очень гордился ею.

Перед уик-эндом на Четвертое июля Брэд и Элоиза стояли на тротуаре и махали вслед Хьюзу и Натали, уезжавшим, чтобы отпраздновать свою годовщину. Они вез-

ли с собой детей и целую гору вещей. Брэд напомнил Элоизе, что это и их годовщина, ведь они познакомились ровно год назад на свадьбе Хьюза и Натали. С тех пор столько
всего случилось! Они повзрослели, их жизни здорово изменились. Элоиза очень официально выглядела в своей
темно-синей униформе, когда они вернулись обратно в
отель и поднялись к ней в номер, чтобы закончить распа-
ковывать вещи Брэда. Он их как раз перевез. А через несколько недель начиналось их путешествие в Европу, которого они с нетерпением ждали.

Глава 25

Элоиза посмотрела на часы и решила через пять минут
заглянуть в бальный зал. Салли потрясла их всех, несколько месяцев назад уехав на новую работу в отель в Майами,
где ей предложили зарплату, перед которой она не смогла
устоять. Они наняли нового менеджера, но Элоиза еще не
была в ней уверена. Все очень расстроились, когда Салли
уехала, но она сказала, что еще может вернуться. Однако
теперь за все мероприятия, связанные с рестораном, отвечала Элоиза, а сегодняшнее событие было особенно важным. Они отмечали шестидесятый день рождения отца и
ожидали на обед и последующий бал более сотни гостей.
Отец с Натали были женаты уже семь лет, а близнецам только что исполнилось шесть.

Бальный зал выглядел в точности, как она и хотела —
с фигурно подстриженными деревьями, цветочными ком-
позициями на каждом столике и воздушными шарами,
полностью скрывавшими потолок. Новая менеджер ресторана просто обожала воздушные шары, на вкус Элоизы —
так чересчур. Но что хуже всего, Джен тоже уволилась. Она
открыла собственную флористскую лавку в Гринвиче, но
часто заходила в отель, и они с Элоизой раз в несколько

недель вместе ходили на ленч. Так что флорист у них тоже был новый, но очень хороший. Его звали Франко, и он учился у Джеффа Литэма в Париже, в «Георге V». Его фигурные деревья и большие цветочные композиции были просто изысканными и уже вызвали много разговоров в отеле.

Элоиза все проверила, решила, что ее все устраивает, и поднялась наверх переодеться. Брэд только что вернулся из своей конторы. Он всю неделю работал для одного из клиентов на забастовке. Элоиза ворвалась в номер, скинула форменный пиджак и вытащила платье, выбранное для сегодняшнего вечера. В этом году они обновили форму, и фасон выбирала Элоиза. Новая форма выглядела свежее и современнее.

Брэд поцеловал ее.

— Ну, как там все выглядит? — спросил он, не сомневаясь, что Элоиза только что из бального зала. За эти семь лет он отлично ее изучил. Она, как всегда, обращала большое внимание на детали.

— Идеально! — просияла в ответ Элоиза, запрыгнула в душ, но через минуту снова высунула голову. — Я хотела тебе позвонить. Одна гостья поскользнулась в душе и теперь грозится подать на нас в суд.

Брэд по-прежнему работал на фирму, занимавшуюся трудовыми спорами в отеле, и выполнял для «Вандома» все больше и больше заданий.

— Твой отец уже звонил, — заверил ее Брэд. — И с гостьей я уже пообщался. На День благодарения они к нам снова приедут с детьми. Хотят три номера и бесплатное проживание в течение четырех дней. Это дешевле, чем судебный процесс или соглашение.

Элоиза с облегчением кивнула. Женщина сломала ключицу и предплечье, это могло им дорого обойтись. Брэд все отлично уладил, впрочем, как и всегда. Он был просто великолепен, когда дело касалось всех этих трудовых вопросов, и уже стал партнером в фирме.

Они спустились в бальный зал как раз перед появлением отца, Натали и близнецов. Стефани посмотрела на них, беззубо улыбаясь. Она удивительно походила на Элоизу, только была белокурой, а не рыжеволосой, и уже заявила, что когда-нибудь тоже будет работать в отеле. Она хотела стать парикмахером или флористом, но Элоиза сказала, что гораздо интереснее, когда ты всеми ими управляешь, на что Стефани ответила, что не хочет носить униформу. Она хотела носить на работу красивые платья и блестящие туфельки. Джулиен собирался стать игроком в бейсбол и пока не проявлял ни малейшего интереса к отелю. Натали, как и прежде, усердно трудилась в дизайнерском бизнесе, хотя работала только три дня в неделю, сделав партнером своего ассистента Джима. Теперь ей стало намного легче. Она только что закончила заново оформлять все люксы в отеле, придав им совершенно новый вид, хотя на этот раз Хьюз ворчал из-за издержек и постоянно стремился снизить расходы. Кроме того, она оформила президентский люкс и пентхаусы.

День рождения Хьюза совпал с двадцатипятилетием отеля, поэтому праздник получился двойным. Ради этого Франко заказал только серебристые шары.

Через полчаса праздник был в полном разгаре. Играл оркестр, люди танцевали и толпились около буфета. Вокруг были сплошь знакомые лица, даже Джен приехала из своего Гринвича. Преданные сотрудники собрались вокруг Хьюза, и тот был в полном восторге. Кондитер испек для него огромный торт. Элоиза через стол улыбнулась Брэду, когда отец встал, чтобы произнести речь. Он постучал ножом по бокалу с шампанским, поднял его вверх и окинул взглядом зал, где собрались все его любимые люди — жена, трое детей, служащие, избранные гости и друзья.

— Хочу поблагодарить всех вас за верность мне, этому отелю, моей семье за то, что вы превратили прошедшие двадцать пять лет в большую для меня радость во всех смыслах этого слова.

Он улыбнулся. Элоиза возвела глаза к потолку. Речь показалась ей не столько праздничной, сколько речью человека, уходящего на пенсию. Судя по лицу Брэда, он подумал то же самое. Отец очень эмоционально отнесся к годовщине и к своему дню рождения.

— Я здесь радовался, — продолжал он, — я здесь печалился, я родил тут троих детей. Двадцать пять лет назад, когда я только начал реконструировать отель, Элоизе было почти три года. Когда мы открылись, ей было почти пять. Последние двадцать пять лет она терроризировала всех вас, а я с удовольствием смотрел, как она растет и превращается в прелестную, исключительно компетентную женщину. И как многие из вас знают, она держит меня в ежовых рукавицах. Несколько лет назад я чуть не совершил глупость, собравшись продать отель, но она мне не позволила, потому что очень его любит. Разумеется, она была права, это была бы чудовищная ошибка.

Друзья, я не буду вас долго утомлять. Я здесь, чтобы поблагодарить вас за великолепные двадцать пять лет и сделать важное объявление. В этом году я намерен уйти в отставку, а сейчас имею удовольствие представить вам нашего нового главного менеджера. Прошу всех поднять бокалы, чтобы поздравить ее и пожелать ей удачи. Представляю вам мисс Элоизу Мартин, главного управляющего отелем «Вандом».

Он поднял свой бокал. Элоиза, не веря своим ушам, уставилась на отца, и по ее щекам потекли слезы. Она понятия не имела, что он собирается это сделать, а окинув взглядом стол, поняла, что и Натали ничего не знала. У нее был такой же потрясенный вид, и у Брэда тоже. Вот Дженнифер, с задумчивым лицом сидевшая возле Брюса, вовсе не выглядела удивленной, и Элоиза поняла, что та знала все, но не проронила ни слова.

Она снова посмотрела на отца. Все встали и подняли в ее честь бокалы. Элоиза обошла вокруг стола и поцеловала Хьюза.

— Что ты делаешь, папа? — прошептала она.

— Твоя очередь, дорогая. Ты это заслужила. Я всегда знал, что однажды это случится. А после тебя, возможно, у руля встанет кто-нибудь из близнецов.

Элоиза не сомневалась, что это будет Стефани, а не Джулиен.

И тогда она подняла свой бокал в честь отца и сказала тост:

— Должна признаться, я в совершенном ошеломлении. Отец не предупредил, что сделает это сегодня вечером — да и вообще когда-либо. Я всегда хотела управлять отелем с ним, а не вместо него, — произнесла она, пытаясь подавить слезы. — Мне никогда не удастся стать легендой, в которую превратился он, и таким главным управляющим, каким всегда был мой отец. Но я торжественно обещаю тебе, папа, и всем вам, кого я знаю почти всю свою жизнь, что я сделаю все возможное и буду очень стараться. С днем рождения, папа! За тебя!

Она поцеловала его и пошла на свое место, а зал разразился приветственными криками. Все шумели, взволнованно обсуждая то, что только что произошло.

— Ты не знала? — спросила она через стол Натали, сидевшую с таким же изумленным видом.

— Понятия не имела.

Натали тоже была ошеломлена и теперь гадала, чем Хьюз намерен сейчас заняться. Представить его без дела она не могла.

— Я тоже, — сказал подошедший к ней Брэд. Впрочем, он считал, что это прекрасная идея. Элоизе уже двадцать семь. Она учится и готовится почти десять лет, и она выросла в этом бизнесс. В возрасте Стефани отель служил ей большой игровой площадкой, а через годы стал ее жизнью. Элоиза незаметно изменяла и модернизировала его, улучшая отцовскую мечту. Отель давно стал в Нью-Йорке легендарным.

Хьюз пригласил жену на танец и начал рассказывать про свои планы попутешествовать, про то, чем они теперь будут заниматься, как поживут годик с детьми в Париже, если она готова оставить бизнес на Джима, на что он очень надеялся. Он был полон восторженных идей, и Натали кружилась вместе с ним в танце, и голова у нее кружилась от его планов. Его энтузиазм оказался заразительным, и она уже мечтала о жизни в Европе вместе с близнецами. Самым лучшим в его пенсии было то, что он по-прежнему оставался достаточно молодым, чтобы как следует насладиться свободой, и Натали тоже. Ей только что исполнилось сорок восемь, а Хьюз в свои шестьдесят все еще был сексуальным молодым красавцем благодаря жене и детям.

— Что сказал папа? — спросила Стефани, подошедшая к Элоизе с озадаченным лицом, и встряхнула длинными белокурыми хвостиками, перевязанными лентами.

Выслушав объяснения старшей сестры, Стефани немного рассердилась.

— Я тоже хочу управлять отелем!

— Значит, тебе придется усердно трудиться, проводить тут много времени, и однажды ты сможешь работать вместе со мной.

Это предложение удовлетворило Стефани. Брэд улыбнулся и увлек Элоизу на танцпол.

— Ну, это и в самом деле большой сюрприз. Как ты думаешь, у него действительно получится отдыхать?

Брэд себе этого не представлял. Элоиза тоже не умела отдыхать, оба они жили отелем. Впрочем, сам Брэд получал не меньшее удовольствие от своей работы и занимался не только прочими клиентами, но и делал очень многое для отеля.

— Натали с близнецами не дадут ему заскучать, — ответила она.

Мимо протанцевали Дженнифер с Брюсом, помахав им руками.

Элоиза все еще пыталась осмыслить то, что сделал отец. Брэд с гордостью улыбнулся ей и сказал:

— Он поступил очень разумно. Из тебя получится замечательный главный управляющий, если, конечно, ты не позволишь отелю убить себя.

Но это была их семейная черта. И Хьюз, и Элоиза работали слишком много, получали от этого удовольствие и были неутомимы. Элоиза практически не делала перерывов, только в тех редких случаях, когда Брэд вдруг освобождался и они могли куда-нибудь сходить или съездить на несколько дней.

Чуть позже, продолжая обсуждать объявление отца, они натолкнулись у буфета на Дженнифер и Брюса. Джулиен прятался за буфетом и бросал в свою близняшку хлебные шарики. Элоиза незаметно сделала ему знак прекратить. Он был очень озорным и куда более наивным, чем Стефани. Девочка скорее казалась близнецом Элоизы, чем его. Он вел себя очень беспечно, а Стефани обожала все, что происходило в отеле, и хвостиком бегала за Эрнестой с ее тележкой до тех пор, пока та в прошлом году не уволилась. Впрочем, на день рождения Хьюза она пришла, и Элоиза тепло ее обняла. Эрнеста была одним из сокровищ ее детства, и лицо горничной всегда светилось, стоило ей увидеть Элоизу, а когда Хьюз объявил, что его дочь теперь будет главным управляющим, Эрнеста расплакалась.

— Ну, мадам менеджер, и что вы об этом думаете? — с теплой улыбкой спросила Дженнифер. Брэд и Брюс о чем-то оживленно разговаривали, угощаясь омаром, которого шеф-повар приготовил именно так, как любит Хьюз, — по особому заказу Элоизы.

— Вы знали, правда? — упрекнула ее Элоиза, отвечая такой же улыбкой. Она сразу заметила это по лицу Дженнифер, та ничуть не удивилась в отличис от всех остальных, присутствовавших в зале. Дженнифер знала все, что Хьюз делал и думал, зачастую куда больше, чем его жена и старшая дочь.

— Он не сказал мне ничего конкретного, но я догадывалась. И очень рада, что он это сделал. Ему нужно выбраться отсюда и немного порадоваться жизни, пока он достаточно молод. Думаю, будет просто здорово, если они на год уедут в Париж. А ты сможешь съездить и навестить их там.

Однако Дженнифер знала, что теперь Элоиза будет занята больше, чем прежде, — ей придется взять бразды правления отелем в свои руки со всеми вытекающими последствиями. Но зато она в самом подходящем для этого возрасте.

Тут к ним подошли Брюс с Брэдом, и Элоиза заметила, как Дженнифер с Брюсом обменялись улыбками. Она уже много лет знала, что они тайком встречаются. Это просто однажды случилось, и из них получилась чудесная пара. Пока Элоиза размышляла об этом, Дженнифер повернулась к ней, застенчиво улыбаясь.

— У нас тоже есть объявление, — сказала она и зарделась, а крупный охранник засмеялся. — Мы собираемся пожениться. А в будущем году я, вероятно, уйду на пенсию.

Она вдруг стала похожа на молоденькую хихикающую девчонку. Элоиза обняла ее, а потом погрозила пальцем.

— Замуж — пожалуйста! А вот ни о какой пенсии не может быть и речи, пока я не свыкнусь с отелем и не буду знать, что делать. Думаю, вы гораздо лучше, чем я, знаете, как им управлять.

Дженнифер расхохоталась, а Элоиза внезапно сообразила, что ей придется сидеть в отцовском кабинете, за его столом, и почувствовала себя очень странно. Она не представляла, как сможет занять его место и выполнять его обязанности. Ей еще стольку нужно научиться! Мысль о том, чтобы занять его место, показалась ей пугающей, и она опечалилась. С отцом так хорошо работалось. Нет, она не хочет, чтобы он уходил, — но Элоиза понимала, что для него так будет лучше и он давно готов к этому шагу. Вот готова ли она? К этой мысли нужно привыкнуть.

Дженнифер с Брюсом удивили их еще раз, сказав, что поженятся на День благодарения, когда ее дети смогут приехать. У Брюса тоже было трое детей. Элоиза радовалась за них, хотя немного расстроилась, узнав, что Дженнифер через несколько месяцев собирается выходить на пенсию.

До окончания приема Элоиза сумела поздороваться с каждым из присутствовавших. Вечер для отца получился чудесным, да и ей понравился. Поднимаясь к себе в номер, они с Брэдом говорили об этом. Элоиза устала и до сих пор чувствовала себя ошеломленной тем, что отец назначил ее главным управляющим, передав эстафетную палочку. Он настоящий мастер сюрпризов — сначала женитьба на Натали, потом близнецы, а теперь это.

— А что, если я не справлюсь и все испорчу или вообще погублю отель? — спросила она Брэда с выражением паники на лице, когда они раздевались. Раньше рядом всегда был отец. Ей не приходилось управлять «Вандомом» в одиночку, за исключением короткого периода, когда тот болел.

— Ты справишься даже лучше, чем он, — заверил ее Брэд, увлекая Элоизу в постель и обнимая ее. — Ты уже им управляешь, просто пока не поняла этого. Твой отец никогда не передал бы его тебе, если бы сомневался в твоих силах. Он слишком любит отель, чтобы так рисковать. Хьюз знает, что у тебя все получится, и я тоже.

Похоже, сомневалась одна Элоиза. В ее возрасте это была слишком большая ответственность. В двадцать семь лет стать главным управляющим одного из самых успешных отелей Нью-Йорка — настоящий подвиг, но Брэд не сомневался, что она блестяще справится.

— Ты мне поможешь, если я запутаюсь? — спросила Элоиза, прижимаясь к нему. В ответ Брэд крепко ее обнял.

— Конечно, но ты не запутаешься. Для управления отелем тебе не нужен юрист, только хорошие люди, которые уже есть.

Они держали отель достаточно долго, чтобы часть персонала, с которым все начиналось, успела уйти на пенсию, как Эрнеста, например, а теперь Дженнифер, и даже отец, хотя он вовсе не стар, ему всего шестьдесят. Элоиза предполагала, что он проработает еще лет десять — пятнадцать, а к тому времени она будет готова. Но маленькие дети и молодая жена пробудили в нем вкус к жизни. Он понял, что нельзя только работать, пока не умрешь.

— Кстати, я тут подумывал, что нам тоже необходимо сделать кое-какие изменения.

Брэд произнес это очень серьезно, и Элоиза озадаченно посмотрела на него. На приеме отец сказал, что по возвращении из Европы он хочет купить квартиру, Натали приведет ее в порядок, и они уедут из отеля, а апартаменты он отдаст Элоизе. Ей давно требуется больше места. Они с Брэдом уже несколько лет живут в этом номере, и хотя он стал их домом и они его любят, места в нем действительно маловато. Но все меняется так быстро! Она рассказала Брэду про отцовские апартаменты, и он обрадовался. Им обоим было удобно жить в отеле, хотя это значило, что Элоизу могут вызвать в любое время дня и ночи. Но Брэд к этому привык. Это их стиль жизни — как Хьюза, так и ее. И может быть, однажды станет стилем жизни Стефани.

— Вообще-то я имел в виду не эти перемены, хотя больше места — это прекрасно. Я говорил кое о чем другом, — негромко произнес он.

Элоиза посмотрела ему в глаза:

— Например?

Она понадеялась, что он не предложит переехать из отеля. Элоиза ни под каким видом не собиралась этого делать, тем более сейчас, хотя понимала, что иногда очень неудобно жить там же, где работаешь.

— Думаю, ты станешь особенно успешным главным управляющим, — задумчиво произнес Брэд, словно размышлял об этом прямо сейчас, — если у тебя будет стабильная личная жизнь.

— Она такая и есть, — улыбнулась Элоиза, поняв, что он ее просто поддразнивает. — Мы с тобой вместе уже семь лет. Куда уж стабильнее?

— Совсем чуть-чуть, — засмеялся Брэд, прижимая ее к себе. — Думаю, я имею в виду респектабельную семейную жизнь. Нельзя занимать серьезную должность вроде главного управляющего отелем и просто жить с парнем. — Он вдруг сделался совершенно серьезным, ошеломив ее во второй раз за эту ночь. — Элоиза, ты выйдешь за меня замуж? Я уже несколько месяцев хочу сделать тебе предложение. Думаю, сегодня самое подходящее для этого время.

У Элоизы перехватило дыхание. Она никогда не беспокоилась, поженятся ли они, знала, что однажды это случится. Не знала только когда, но предполагала, что если они хотят детей, нужно сделать это, когда ей будет слегка за тридцать, а пока они не готовы к такому шагу. Она даже не думала о браке.

— Ты серьезно? — спросила она Брэда, внимательно на него глядя.

Он улыбнулся и кивнул:

— Серьезней не бывает. А раз твой отец уходит на пенсию, думаю, нам нужно сделать это до того, как твоя жизнь превратится в окончательное безумие. Давай поженимся скорее. — Элоиза выглядела шокированной. Брэд поцеловал ее, она улыбнулась и прижалась к нему. — Ты мне не ответила, — напомнил он, слегка встревожившись. А вдруг она откажет?

— Просто наслаждаюсь моментом, — счастливым голосом произнесла Элоиза. За одну ночь у нее появились муж и отель. Какая великая ночь! Она счастливо улыбнулась Брэду. — Конечно, я выйду за тебя. — Элоиза просияла. — До этой минуты я даже не подозревала, как сильно жду от тебя предложения.

Он широко улыбнулся и снова ее поцеловал.

Да, ночь получилась просто идеальная, особенно сейчас, рядом с Брэдом.

Глава 26

Брэд с Элоизой играли свадьбу в сентябре. Стоял чудесный солнечный день. Посаженой матерью стала Натали, а подружками невесты были три подруги Элоизы по лицею и Джен. Стефани несла цветы, а Джулиен кольца, хотя то и дело пытался их куда-нибудь спрятать, так что его матери пришлось внимательно за ним следить.

Отец вел Элоизу к алтарю, и даже Мириам с Грегом приехали, что означало толпу папарацци на улице. Все, кто имел в ее жизни какое-то значение, присутствовали тут — служащие, с которыми она когда-либо работала; те, с кем она росла, — Эрнеста, Дженнифер, Брюс; друзья по школе и даже одна подруга по Школе отельеров. И разумеется, семья Брэда и все его друзья.

Элоиза лично занималась планированием свадьбы, вникая в каждую деталь, и на этот раз Натали помогала ей. Она вместе с Элоизой покупала подвенечный наряд и помогла выбрать платья для подружек невесты. Элоиза очень точно представляла себе, как должна проходить ее свадьба, какие нужны цветы, где поставить столы, как декорировать помещение. Она работала в тесном контакте с флористом Франко и попросила Джен приехать и проконсультировать его, чтобы добиться именно того вида, которого хотела, с гирляндами и фигурно подстриженными деревьями, да еще Джен сделала для нее букет из ландышей. Они с Брэдом вместе выбрали оркестр и музыку, Элоиза заказала для бального зала новые скатерти. В точности как и Натали, да и все невесты, игравшие свадьбу в отеле, она хотела, чтобы их с Брэдом свадьба была безупречной.

Она пригласила мать, но призналась Натали, что не знает, приедет ли та, и сомневалась, что ее это волнует. Слишком поздно для родственных чувств, и мать слишком часто ее подводила. Но Элоизе показалось, что не пригласить ее будет невежливо, да и отец сказал, что нужно дать Мириам шанс хоть раз появиться на торжестве у дочери.

— А ты хочешь, чтобы она приехала? — спросила Натали.

Элоиза подумала, вздохнула и честно ответила:

— Это, конечно, глупо, но думаю, что хочу.

— Почему глупо? Пусть они не лучшие и не раз нас разочаровывали, но они все равно наши матери. В день моей свадьбы мне по-настоящему не хватало матери, хотя скорее всего она бы повела себя гадко по отношению ко мне. Как всегда.

Это была общая печаль, которая их объединяла, и первая тайна, которой Натали с ней поделилась в день перед своей свадьбой с Хьюзом. Именно тогда Элоиза прекратила свою войну против Натали, и с тех пор они стали очень близки. Элоиза знала, что даже если мать и не приедет, ей будет вполне достаточно Натали.

Но к ее большому изумлению, Мириам приняла приглашение, заявила, что будет счастлива приехать вместе с Грегом, Ариэль и Джои, и потребовала предоставить им в отеле два больших люкса, разумеется, бесплатно, как матери невесты. Она хотела президентский люкс, но тот был занят, и Хьюз отказался переселять ради Мириам важного гостя, так что им пришлось удовольствоваться двумя отличными люксами на девятом этаже. А уж папарацци чуть с ума не сошли из-за Грега.

Неделя была совершенно безумная, но все, что требовалось сделать, сделали, и все ей помогали, особенно Джен, Дженнифер и Натали. Сама Элоиза работала до последней минуты.

И вот у них уже прошел обед-репетиция, ради которого закрыли ресторан, и великий день наступил гораздо скорее, чем ожидала Элоиза. Следующее, что она помнит, — это Натали и мать помогают ей надеть подвенечный наряд. Как и следовало ожидать, Мириам вырядилась в белое, почти прозрачное сексуальное платье, совершенно не думая о том, что на свадьбу белое не надевают, тем более если ты мать невесты. Сводные брат и сестра Элоизы, Ариэль и Джои, тоже приехали — девятнадцати и двадцати лет, в джинсах и кроссовках, с огромным количеством татуировок, как и Мириам с Грегом. Стефани пожаловалась, что они очень грубые. Даже на обед Джои явился с бутылкой пива, но Элоиза решила не обращать на это внимания.

Она выбрала для себя простое белое платье из органди с широкой юбкой и длинными широкими рукавами, сквозь которые просвечивали ее руки, так что казалось, что она парит в облаках. Рыжие волосы ей уложили в аккуратный узел под фатой. Отец увидел ее, и глаза его наполнились слезами. Он вспоминал, как в семь лет она бегала по отелю.

Хьюз с гордым видом провел Элоизу по проходу к ступеням, где ее ждал Брэд, выглядевший так, словно мечтал об этой минуте всю свою жизнь. Впрочем, они оба ее ждали и выбрали для свадьбы самое подходящее время.

Церемония была короткой и простой. Джулиен даже не потерял кольца и вовремя их протянул. Священник объявил их мужем и женой, а когда Брэд поцеловал Элоизу, она почувствовала, что находится в правильное время в правильном месте с правильным мужчиной. Они танцевали весь вечер и вообще потрясающе отпраздновали свою свадьбу.

Танцуя, Брэд смотрел на свою жену с блаженным выражением лица и думал, что в жизни своей не видел более красивой женщины. А Элоиза еще никогда не чувствовала себя более счастливой. Ей очень нравилось быть его женой.

— Ну что, все прошло так, как ты хотела? — спросил Брэд.

Элоиза кивнула с видом безмятежным и счастливым.

— Все и даже больше. И я чувствую себя гостьей в собственном отеле.

Она изо всех сил старалась не вести себя как помощник менеджера и ни о чем не беспокоиться.

Даже ее мать вела себя прилично. Отец один раз пригласил ее на танец и понял, что после стольких лет счастливого брака с Натали он больше не сердится на Мириам. Это было большим облегчением. Мириам отметила, что отель стал намного красивее, чем раньше. Грег тоже вел себя вежливо, зато их дети так напились, что их пришлось увести в номер, не дожидаясь обеда.

Джулиен и Стефани вели себя как ангелочки и танцевали с родителями и друг с другом.

Свадебный вечер казался Элоизе сном, а бальный зал еще никогда не выглядел так прелестно, и все благодаря совместной работе Джен и Франко.

В одиннадцать танцы закончились, потому что жених с невестой в час ночи улетали в Париж. Они собирались остановиться в «Ритце», а оттуда улететь в Ниццу, где забронировали номер в отеле «Дю Кап» на мысе Антиб, идеальном месте для медового месяца.

Элоиза бросила букет, составленный для нее Джен, целясь прямо в свою сестру Стефани. Та поймала его и завизжала от восторга, а Джулиен закатил глаза и поинтересовался, как можно быть такой дурой. Это было что-то вроде компенсации за все те букеты, которые Элоизе так хотелось в детстве поймать, хотя ей не разрешали, и в память о том букете, что Натали бросила ей семь лет назад, в день, когда на их свадьбе они познакомились с Брэдом. Стефани высоко подняла свой букет, как выигранный приз.

Отец, Натали и все друзья вышли проводить их. Перед тем как сесть в «роллс-ройс», Элоиза улучила момент и поцеловала отца, а потом помахала и скрылась в машине.

Они отъехали от отеля в вихре лепестков роз, и вдруг зазвонил мобильник Элоизы. Она взглянула на номер —

ей звонили из отеля. На время их свадебного путешествия ее заменял отец, но после их возвращения он окончательно уходил в отставку, и его семья уезжала в Париж. Они уже сняли квартиру на Левом берегу. Ему предстояли последние недели управления отелем «Вандом», после чего его сменит Элоиза. Она уже хотела ответить на звонок, но Брэд вынул телефон у нее из руки и поцеловал жену.

— Ты не на дежурстве, — напомнил он. — И следующие две недели ты принадлежишь только мне.

И не только две недели — всю последующую жизнь. А отель будет стоять на месте и ждать их возвращения. Теперь он принадлежит Элоизе.

Брэд снова ее поцеловал. Она отключила мобильник и сунула его в карман. Пусть отель подождет. Он будет тут, когда она вернется, как был всю ее жизнь.

Об авторе

Даниэла Стил — одна из наиболее известных мировых авторов, снискавшая неслыханную популярность. В мире продано почти шесть миллионов экземпляров ее романов. Наиболее знаменитые ее бестселлеры — это «С днем рождения», «Чарльз-стрит, 44», «Семейные узы», «Зов предков» и «Большая девочка». Кроме того, ее перу принадлежит книга «Его яркий свет», история жизни и смерти ее сына Ника Трейна.

Даниэла Стил живет в Калифорнии и в Париже.

ПРИОБРЕТАЙТЕ КНИГИ ПО ИЗДАТЕЛЬСКИМ ЦЕНАМ В СЕТИ КНИЖНЫХ МАГАЗИНОВ (БУКВА)

В Москве:

- м. «Новые Черемушки», ТЦ «Черемушки», ул. Профсоюзная, д. 56, 4 этаж, пав. 4а-09, т. (495) 739-63-52
- м. «Парк культуры», Зубовский б-р, д. 17, т. (499) 246-99-76
- м. «Преображенская площадь», ул. Большая Черкизовская, д. 2, к. 1, т. (499) 161-43-11
- м. «Сокол», ТК «Метромаркет», Ленинградский пр-т, д. 76, к. 1, 3 этаж, т. (495) 781-40-76
- м. «Тимирязевская», Дмитровское ш., д. 15/1, т. (499) 977-74-44
- м. «Университет», Мичуринский пр-т, д. 8, стр. 29, т. (499) 783-40-00
- м. «Царицыно», ул. Луганская, д. 7, к. 1, т. (495) 322-28-22
- м. «Щукинская», ТЦ «Щука», ул. Щукинская, вл. 42, 3 этаж, т. (495) 229-97-40
- М.О., г. Зеленоград, ТЦ «Зеленоград», Крюковская пл., д. 1, стр. 1, 3 этаж, т. (499) 940-02-90

В регионах:

- г. Владимир, ул. Дворянская, д.10, т. (4922) 42-06-59
- г. Екатеринбург, ул. 8 Марта, д. 46, ТРЦ «ГРИНВИЧ», 3 этаж
- г. Калининград, ул. Карла Маркса, д. 18, т. (4012) 66-24-64
- г. Краснодар, ул. Дзержинского, д. 100, ТЦ «Красная площадь», 3 этаж, т. (861) 210-41-60
- г. Красноярск, пр-т Мира, д. 91, ТЦ «Атлас», 1, 2 этаж, т. (391) 211-39-37
- г. Рязань, Первомайский пр-т, д. 70, к. 1, ТЦ «Виктория Плаза», 4 этаж, т. (4912) 95-72-11
- г. Тольятти, ул. Ленинградская, д. 55, т. (8482) 28-37-67
- г. Челябинск, пр-т Ленина, д. 68, т. (351) 263-22-55
- г. Ярославль, ул. Первомайская, д. 29/18 , т. (4852) 30-47-51

Заказывайте книги почтой в любом уголке России
123022, Москва, а/я 71 «Книги – почтой»

Приобретайте в Интернете на сайте:
www.ozon.ru

Литературно-художественное издание

16+

Стил Даниэла
Отель «Вандом»

Роман

Ответственный корректор И.М. Цулая
Компьютерная верстка: Н.Г. Суворова
Технический редактор О.В. Панкрашина

Общероссийский классификатор продукции
ОК-005-93, том 2; 953000 — книги, брошюры

Наши электронные адреса: WWW.AST.RU
E-mail: astpub@aha.ru

ООО «Издательство АСТ»
127006, г. Москва, ул. Садовая-Триумфальная, д.16, стр.3

Типография ООО «Полиграфиздат»
144003. г. Электросталь, Московская область, ул. Тевосяна д. 25